MIGONGZHU

迷宫蛛

鬼马星 著

浙江文艺出版社

目录

一　2008 年 3 月 5 日

　　岳程静静地注视着眼前这个男人,不敢相信这个文质彬彬,眼神温柔,头发已经全白的三十九岁男人曾经是个连环杀手。他手头的卷宗里有这个杀人犯的名字——陆劲,原纽扣收藏家俱乐部成员,五年前,因为炮制"人血纽扣"连续杀死八人。

　　2004 年 1 月 5 日,陆劲被判死刑立即执行,但不知什么缘故,当时这个判决被临时接到的一道命令拖延了,二十四小时后,他的刑期被重新裁定为死缓,两年后,他的刑期又被改为无期徒刑。按理说,他这辈子都该老死在监狱里了,但据岳程所知,此人现在每个月有两天时间可以自由外出。杀了八个人的杀人犯,被捕四年后不仅仍然活着,竟然还被允许有部分的行动自由。岳程起初听说此事时,觉得非常吃惊,也难以接受,但自从他接手现在这件案子后,他很快就明白了此人的价值。

　　"在我们时时刻刻的监控下,他的自由非常有限,我们随时能让他死,但如果他的存在能够挽救更多人的生命,让他多活一天又何妨?"这是他的顶头上司 B 区公安分局刑侦科负责人李汉江在把陆劲的卷宗交给他时对他说的话。

　　现在,他就坐在陆劲的面前。

　　"昨天已经有人找过你了,你应该知道我今天为什么来找你。"他冷冷地说。

　　"对,我知道。"陆劲说,声音不紧不慢。

　　"我们现在碰到了一个杀人狂。他自称到目前为止已经杀了二十五个人。"岳程有意识地停顿了一下,想看看对方的反应,但陆劲的脸上没有丝毫表情,"半年前,他开始用'一号歹徒'的名字写信给警方和媒体,详细叙述他的杀人过程。在他昨天给广播电台写的一封信里,他提到了你。"

　　他看见陆劲的目光朝他飘过来,但没说话。

　　"他说他这辈子最欣赏的人就是你,可惜跟你失去了联系,否则他会约你出来吃饭。"岳程停下来,注视着陆劲,问道,"你们是什么关系?"

"朋友。"陆劲的思绪好像飘到了很远的地方,"我们玩过猜谜游戏。"语调很轻松。

"怎么猜?"

"他是我的笔友,从高中起我们就开始通信,他很喜欢写信。我们在信里曾经讨论过杀人的事。我曾告诉他,无论多高明的谋杀都是有破绽的,他不相信,不知从哪天起,他开始热衷于跟我玩猜谜游戏了。十二年前,他告诉我他杀了第一个人……"

十二年前?岳程禁不住皱起了眉头,这么说来,这个杀人狂根本不止杀二十五人,他们现在发现的最早一具尸体是五年前的。

"他告诉我一些案子的线索,让我猜是怎么回事。后来,我也干了同样的事。"

"你让他猜什么?你的作案方法?"

"不,那时候我还没开始呢,我只不过给他做了几道选择题,他没全答对。"陆劲笑了笑,笑容有些腼腆。

一开始只是猜谜游戏,后来就演变成了一连串真实的杀戮,岳程知道陆劲也是个中好手,但他不想陪着这个杀人犯回忆他的"光辉历史",他更关心的是别的。

"你说你们是笔友,那你应该知道他的姓名和地址。"

"他叫钟明辉。地址我不记得了,应该是在C区罗河路。但自从2001年过完春节,我们就没联系了,所以我不知道他后来是什么情况。"陆劲的手指轻轻敲击着桌面,"其实,我没见过他,也没见过他那些尸体。我只知道有他这么个人。"

"他给你打过电话吗?"

"打过一次。但要我听出他的声音,那不可能。"陆劲扫了他一眼,问道,"你们想要我做什么?"

"这个礼拜六,8号,是你的放风日,我们想让你跟他取得联系,通过广播电台的一档节目。"岳程沉着地说。

二 2008年3月6日

"姐,你看怎么样?"穿着低胸白色婚纱的赵依依奔到邱元元面前,笑逐颜开地转了个圈,问道,"漂亮吗?"

"真漂亮!"邱元元赞叹道,"这是李震给你设计的吗?"

赵依依的未婚夫李震是个服装设计师。

"是啊,这是A款。还有一套B款明天送来。我觉得这套什么都好,就是胸口开得太低了,妈妈看到一定觉得太暴露了,不让我穿。"赵依依低头看着领口抱怨道。

"老实说,我觉得这套婚纱妙就妙在这里,你身材好,稍微开低点更漂亮,只要李震觉得没关系就行了。"邱元元靠在梳妆镜前，从烟盒里抽出一根烟来塞在嘴里，刚想点上，双胞胎妹妹赵依依就低喊起来：

"你搞什么？妈妈在呢！"

"她上午不是去见李震的妈妈了吗？怎么还没走？"邱元元赶紧把烟从嘴里拿了下来，她看了看腕上的手表，"现在是九点，开车过去要三个小时，难道她想在李震家吃饭？"

"改时间了，改在下午两点了，李震妈妈说要逛百货公司，让妈妈陪她挑选婚礼上穿的衣服。"赵依依在镜前喜滋滋地端详着自己，忽然问道，"对了，袁之杰来不来参加我的婚礼？"

这个名字让邱元元的心微微刺痛了一下。

袁之杰原是她的男朋友，三周前，他们分手了。

"应该会来，他答应的。"邱元元心情烦躁地说。

"我说，你们到底是为什么分的手？"赵依依在镜子里观察着姐姐脸上的表情，小心翼翼地问道。

"他说他找到了他的真爱，就是这样。也不怪他，其实这些年，我们的关系一直没什么大的进展。我为他高兴。"

"难道是他提出的分手？"赵依依转过身来，一脸难以置信的表情。

"是的。"

"他认识那个女的多久跟你分的手？他是不是脚踩两条船？"

"一天。"邱元元说出这两个字的时候，心里有些难过，但马上又替袁之杰争辩道，"这跟时间长短没关系，关键是，他终于找到了对的感觉，他对她有感觉。"

"难道他对你没感觉？"赵依依好没好气地问。

"有，不过他喜欢我的时候还很年轻，也许还不够成熟。别怪他，我一点都不生气，他对我很坦诚，从一开始就是这样。老实说，我理解他的选择，他需要的是个温柔的女朋友。可我喜欢射击、跆拳道和飙车，而且我还抽烟，我挣得也比他多，我们的分手是必然的。我很高兴是他提出来的。"邱元元耸耸肩，虽然两人分手，她也伤心过一阵，但在彷徨了三天后，她最终还是看清了自己的感情。袁之杰离开她，她难过的不是失去了他，而是觉得自尊心受到了伤害。这应该不能算爱情，她想，所以，现在她决定好好做他的朋友。

"你还喜欢他吗？"赵依依一边脱下婚纱，一边问她。

"依依，我很喜欢他，但也许仅仅是喜欢而已，我会去参加他的婚礼，如果他结婚缺钱，我还愿意借钱给他，真的。"邱元元把妹妹的婚纱扔到沙发上。

"哦，你是我见过的最大度的前女友了。"赵依依笑道。

"我本来就很潇洒。我得走了。今天的事好多。"她把口红、香烟、手机和车钥匙通通丢进包里。

"你去哪儿？"

"当然是去上班。今天中午还得见一个警察。"

"警察？什么事？"赵依依问道。

"可能跟某个案子有关吧。他在电话里没具体说。"

"找你是对的，你的节目名字就叫'疑案追踪'，说不定有个凶手是你的热心听众。"赵依依见她往外走，拉住她道，"等等，载我一程，我跟你一起走。"

"干吗不叫李震来接你？"

"我要给他个惊喜。"赵依依哈哈笑着奔进了里屋。

　

广播电台楼下的休息室里，岳程远远看见一个身材苗条，穿着褐色毛衣，手里夹个小巧公文包的年轻女子快步朝他走来，他料想这就是前一天他的手下罗小兵联系过的那个电台女主播。"走路像风，看人的眼光像钉子，看上去不太好对付。"罗小兵这么评价只见过一次面的秋河。

"你好，我是秋河。"她风风火火地走到他跟前，跟他握了握手。

"你好，我是岳程，我跟你通过电话。"

他凑近打量了她一番，皮肤很白，五官分开来都不算出众，但拼在一起还凑合；就像罗小兵说的，她的目光很锐利，但跟女警察不同，她的目光不会令人想起冷冰冰的手铐、狭小的审讯室或潮湿的监狱，她会令人想起的是牛仔、烈酒、摩托车和夜空中的滑翔机。有趣的是，她穿得却很淑女，毛茸茸的褐色毛衣衬得她线条柔和，肤色粉嫩，但他认为这种包裹在时尚外衣下面，若隐若现的锋芒，才最为引人遐想。

"我知道，刚刚我们主任又跟我说了一遍要好好跟你合作。"她迅速点了点头，随后在他面前坐下，他注意到她穿了双长统靴，靴子上交错在一起的无数根鞋带，让他看得头晕目眩，他怀疑她是否有耐心绑那么多鞋带。这时候她说：

"为什么我们不在楼上的办公室见面，却要在这里？"她显然不太高兴，这岳程能够理解，从她十八楼的办公室走到底楼的休息室至少需要五分钟。

"因为楼上人太多，不方便细谈。"岳程解释道。

她立刻就接受了他的说法。

"好吧，请告诉我，我能为你们做什么？"她显然不想浪费时间。

"那我就长话短说，最近我们碰到了一个连环杀手，他自称'一号歹徒'，已经杀了二十五个人了。几天前，他给你们电台写来了封信，说他最喜欢听你在每周六下午五点主持的那档探案节目。他在信里提供了一个案子，希望电台能在3月8日那天播出来，并请他的一个老朋友来做嘉宾，参与猜谜。他说，如果电台答应他的要求，他将说出一条关于下一个被害人的线索。"岳程仔细观察秋河的表情，发现她非常感兴趣。

但她没有表示出恐惧和惊讶，也没有义愤填膺地咒骂凶手，"一号歹徒？名字倒不错。"她只是像评论电影人物那样说了一句。

接着,她忽然像吃了大亏似地嚷起来:

"他到底是把信寄给谁的?我怎么不知道?!为什么不寄给我?!就凭这,他也敢说喜欢我的节目?"

她还跟罪犯计较这个!她的表情让岳程觉得有趣。

"他寄到了你们的总编室。"他说。

"总编室?"秋河黑白分明的眼珠左右移动了两下,"既然他是我那档节目的热心听众,就该寄给我或者我那档节目,怎么会寄给总编室?"

她的这个问题,他倒从没想过。

"你不觉得奇怪吗?"秋河问道。

"是有一点,这说明什么?"他意识到她想表达自己的观点。

她掏出香烟,塞了一根在嘴里,接着像他的哥们一样,把烟盒丢到他面前,他毫不客气地从里面抽出了一支。

"你想到了什么?"他给她点上烟,两人坐在休息室吞云吐雾起来。

"你知道吗,其实寄给我们的信虽然我们都会看,但多半到最后都会用碎纸机切成碎片后扔掉,即便是'一号歹徒'那么有趣的信也不会例外。"她手夹着烟,抽了两口。

"为什么?"他注意到,她用了一个词——有趣。

有趣吗?难道她不觉得恐怖?

"因为我会认为那不知道是哪个疯子随手写来的。我们根本不会用他提供的案子,更不会相信他说的话。"她注视着他,意味深长地停顿了一下说,"所以,他才会寄给总编室。"

"你想说什么?"他还没完全反应过来。

"他了解我们这里的情况,他知道他的信到我们手里将会有什么命运,"她自顾自地一笑,接着又问,"他是寄给总编室某个人呢,还是就寄给总编室?"

他不知不觉被她的话题吸引了。

"信封上只写着总编室郑小优收。"

"郑小优是总编室的秘书,两周前因为身体不好请长病假回家了,现在的秘书不是她。"她跷起二郎腿,满不在乎地深吸了一口烟说,"那个写信的人,他知道他的信如果寄到总编室就会有人仔细看,知道总编室有秘书专门管收发信这号事,也知道郑小优这个名字,却不知道郑小优已经不上班了,这说明他不是我们这里的人,否则怎么会不知道小优回家了呢?但他又来过这里,了解我们这里的情况。我想来想去,只有一种人符合这三个条件。"

"哪种人?"

"嘉宾。"

他觉得她好像是替他的脑子打开了一扇天窗,顿时精神一振。

"嘉宾怎么知道郑小优的名字?总编室跟你们不在一个办公室吧。"

"门口走廊里有各科室员工的照片和名字,他做完节目回去,在等电梯的时候就能看到。"

"他怎么知道郑小优会认真对待这封信?"他追问道。

"我们可能当着嘉宾的面议论过。郑小优工作卖力得像头牛,对什么都很较真,老总喜欢她,有时候她会仗着自己是总编室的秘书对我们的节目指手画脚。"秋河好像很看不惯郑小优,她皱了皱鼻子。

"那么你们的节目到目前为止,曾经有过多少个嘉宾?"他预感到这范围不小。

她似乎马上就看出了他的忧虑,笑了笑说:

"不多,我们的节目才做了七十六期。"

"每期有几个嘉宾?"

"两个嘉宾。一个是法律界或警界的专业人士,另一个是普通嘉宾,歌手、作家、演员、工人、厨师,什么人都有。"

那就是说有将近一百六十个嫌疑人,他倒抽了一口冷气。

三　2008 年 3 月 8 日

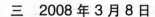

像往常一样,陆劲迈着悠闲的步子走出了监狱的大门。他看见不远处,岳程的车已经在等他了。他知道对方的意图,也知道自己的处境,其实对他来说,做什么都无所谓,只要能出来透透气就行。

不管怎么样,每个月有两天可以出门,对他来说已经够好的了。

他想了想,上个月的这两天他在做什么?第一天,他为警方找到了一个毒贩的秘密藏身之处。第二天,他早晨在警方为他安排的小旅馆里醒来,出门转了转,他很想看场电影,但身边钱不多,只好在商场的电视机柜台前驻足了好久,他想喝杯久违的咖啡,但咖啡馆进不了,只能在便利店里买了杯速溶咖啡。他那天走了好多路,在回监狱前,他又到旧居旁对马路的花坛边坐了两个小时,吃了一个菜包。每次放风,他的最后一站总是那里。

虽然那地方早已经物是人非,但站在那里,他好像仍能听见她的声音,闻到她的气息。"如果我有机会出去,我会叫人打断你的四肢!挑断你的脚筋!戳瞎你的眼睛,再把你的肝脏挖出来炒菜吃!"被他用手铐铐在椅子上的她朝他咆哮。

"用京葱吧。"他回答。

"什么?"她没听懂。

"炒肝脏用京葱可以去腥。"他走到她跟前蹲下身子,笑眯眯地看着她。

"你干吗离我这么近？要杀就杀好了！啐！"她说完，朝他的脸吐了一口口水。

"你好脏啊！"他把自己的脸蹭到她脸上擦了擦，接着又"啵"一下亲了她的脸，轻声说，"我不会杀你的。"

她白了他一眼。

"我饿了。快去弄吃的！"她说。

他站起身问道：

"你想吃什么？"

"我想吃什么你都给吗？"她斜睨了他一眼，问道。

"你说。"

"我想吃你的致命器官！吃死你！"她瞪着他厉声道。

"你真的想吃？你敢吗？"

"你让吗？你让我就敢！"她回敬。

他看了她一会儿，笑了笑。

"好吧，既然你这么说，我就满足你。"他一边说，一边走到她面前开始解皮带。

她惊恐地看着他。

"你干吗？"

"你不是想吃吗？我给你我最致命的人体器官。"他朝她邪恶地一笑，"说话可不能不算数哦。"

她别过头去不说话了。

他把皮带束好，重新蹲到她面前，用手指戳了下她的手臂。

"我跟你开玩笑的。"他笑着说。

她用还自由的那只手回身就给了他一个耳光。

"你要是敢把它塞进我嘴里，我保证它会被连根咬断！不信你试试！"她恶狠狠地说。

他搂住她咯咯笑起来。

"那好吧，我去买个牛鞭给你，我们试试看你的咬力，等着啊。"他说完就起身走了出去，他听到她在他身后尖叫：

"我不要！我要吃虾！"

那时候她才十六岁，是一只被他囚禁的脾气暴躁的小鸟，喂食的时候只要他稍不留神，就会被她啄一口。

"喂，你在磨蹭什么?！"一个警察从车里走出来不耐烦地催促他。

他只不过想做几个深呼吸而已，每天生活在阳光下的人怎能体会到他的心情。

"你刚才在干吗？"上车之后，岳程问他。

他对这个警察的印象颇好，长得精神且说话也还算客气。

"发呆而已。"他道。

"知道你今天该做什么吗？"

"不知道。"

"你今天是嘉宾。"岳程说。

"什么嘉宾？"

"电台的嘉宾。你的笔友'一号歹徒'先生是一位热心听众，是他点名要求让你做这期的嘉宾的，到时候，他应该会通过听众热线打电话进来。我们已经跟电台都说好了，他们会密切配合你。到时候，你再跟那个主持人沟通一下就行了。"

"你们查过钟明辉了吗？"他问道。

他话音刚落，旁边那个可能叫罗小兵的警察立刻呵斥道：

"喂，这是你该问的吗？你做好自己的事！"

看来"钟明辉"这个名字并没有给他们的侦破工作带来任何进展，要不然也不用在电台玩这种猫鼠游戏了，陆劲想。

"你们希望我跟他谈什么？"他问道，看着窗外一晃而过的树木和街道，他心里生出一股柔情，真想去抚摸那些绿油油的树叶。

岳程从口袋里拿出一封信来交给他。

"这是他寄给电台的，里面说了个案子，你看一下。"

陆劲把信粗粗看了一遍，又还了回去。

"什么感觉？"岳程问他。

"这案子我以前跟他说起过。"他冷漠地说，心里说不上来有什么感觉。

"什么意思？"岳程通过后视镜瞥了他一眼，"你说清楚点。"

"我说过我们经常会在信里讨论谋杀案。这个案子是我查资料找来的，发生在美国。"

"你是什么时候给他写的信？"

"大概十多年以前。他这么写，可能是想引起我的注意。他想找到我。"他望着窗外的风景，凉风从窗外吹进来，他觉得微微有点冷。

"他为什么要找你？"岳程问道。

"不知道。"

"你老实点！"罗小兵推了他一下。

他不说话。他知道在敌强我弱的情况下，对待粗暴的人最好先不要跟他硬碰硬，自从他的三根肋骨在监狱被打断后，他就明白了这个道理。

"你再好好想想。"岳程说。

"等我今天跟他聊过之后再说吧。"他冷冷地说，觉得心里那团已经熄灭很久的火好像又被什么东西点着了，烧出一抹亮光来。

邱元元终于知道什么叫做祸不单行了。

其实所有的事都发生在昨天。首先是，妹妹赵依依和未婚夫两人吃了海鲜大餐后，因食物中毒被送进了医院，直到凌晨三点两人才各自回家；其次，她的妈妈在陪亲家逛商场时，不慎从自动扶梯上摔下来，造成左臂骨折，下巴、耳朵、四肢也都受了伤，现在还躺在医院里观察；最后，她父亲本来今天上午就回 S 市的，谁知道碰到了大雨……所有这些都注定，她今天下午没法去主持她那档固定的探案节目了。

"你要请假？你疯啦？你昨天还说就算天上下刀子也要赶过来的！"小菲一边吃水果，一边在电话那头大呼小叫。

"天上下刀子也没我妈生病重要。我爸上星期去香港了，本来今天早上就能回来，可偏偏那边在下大雨，飞机延误了，他明天才能回来，我妹妹又身体不好，除了我去照顾我妈，还有谁？"邱元元一想到自己不得不放弃跟凶手时空对话的机会，就觉得无比懊丧。

"好吧，知道了，我替你就是了，不过下周你要来我的'心灵钥匙'做客。"小菲说。

"没问题。不过我的说话方式听众不一定能接受吧。"

"谁说的？大家都很喜欢你的风格。知道你最讨人喜欢的地方在哪儿吗？"小菲嘴里嚼着水果，口齿不清地问道。

"在哪儿？"

"你不说那些冠冕堂皇的套话，总是有话直说。"

"呵呵，可惜你不是我的上司。"邱元元笑道。

两人又在电话里聊了几分钟，邱元元简短地把事情的来龙去脉跟小菲说了一遍，最后无比遗憾地挂上了电话。

她觉得上天对她真不公平，她上班这些日子以来，就属今天的节目最紧张刺激、激动人心了，可妈妈早不摔晚不摔，偏偏在这时候摔了跤……不过还好，她随身带了 MP4，塞上耳机就可以收听到广播。

她看看腕上的手表，现在是五点十分，离节目开始还有二十分钟。

妈妈已经睡着了。

趁这机会，先来听段音乐吧。

她把广播调到音乐台，耳边传来一首久违的歌：

> 如果可以飞檐走壁找到你
>
> 爱的委屈　不必澄清
>
> 只要你将我抱紧
>
> 如果云知道
>
> 想你的夜慢慢熬
>
> 每个思念过一秒　每次呼喊过一秒
>
> 只觉得生命不停燃烧……

这是许茹芸的《如果云知道》，很多年前有个人曾经对她说，这是他最喜欢听的歌。

　　有一次她生病发烧，半夜醒来发现他穿得整整齐齐坐在她身边，头靠在床架上，耳朵里塞着耳机，她听出耳机里正在播放的就是这首歌。

　　"你干吗老听这首歌？"她迷迷糊糊地问。

　　他没答话，双目紧闭，好像睡着了。

　　她坐起来想为他取下耳机，就在这时，她惊讶地发现自己的双手竟然是自由的，他没有铐她！是不是该立刻逃走？一个念头像箭一样在她脑子里飞过，她真想立刻冲出这个笼子，跑到马路上去呼吸一下自由的空气，但是，她稍稍迟疑了一下还是冷静了下来。

　　她知道门是上了锁的，钥匙被放在最高的那个柜子上面，必须搬张凳子到柜子前面她才能够着，但这样必然会惊醒他。所以，如果想逃跑，就必须彻底除掉他这个障碍才行。她回头看看他熟睡的模样，又看看她自己难得自由的双手，心想，这也许是攻击他的好时机，只要一想起她洗澡时，他强迫她开着门，她就想立刻结果了这男人的性命。只要他在，她就别想跑；只要他活着，她就是他的囚徒。她恨他。

　　她想，她可以趁他睡着的时候，用床头柜上的那把剪刀刺破他的喉咙，还可以徒手戳瞎他的眼睛，眼睛本来就是人体中很脆弱的部分，当然对男人来说，最大的弱点不是眼睛，但是她不打算去碰他的那个地方，就算杀他，也不想被他占便宜。No！而且，实在很难说，瞎子和太监，哪个会让他更难受一些。总之，她准备杀了他，虽然她还在发烧，身子软绵绵的，但脑子却异常清醒。她拿起了床头柜上的剪刀，心情紧张得无以复加，这是她十六年来，生平第一次攻击别人，而且她明白，她并不是仅仅只想刺伤他，她是想要他死，她恨他，没错，她恨他！

　　"如果云知道，想你的夜慢慢熬……"

　　凄婉的歌声隐约从耳机里传出来。

　　她举起了剪刀，但就在这时，她想起了他两个小时前对她说的话。

　　"别老想着跟我作对，先喝点粥再说，喝完了再想。"他劝道。

　　她没力气跟他说话，不理他。

　　"不止你恨我，其实我也恨你。"他叹了口气。

　　"你为什么恨我？莫名其妙！"她骂道。

　　"因为你，我成了一个不称职的杀人犯。"

　　她回头轻蔑地瞄了他一眼，提起精神骂道：

　　"所以说，有的人注定一辈子就是个失败者！你以为杀人就能证明你的价值吗？错了，只能证明你是个大懦夫！你没能力在现实生活中获得成功，所以只好杀人泄愤！懦夫！笨蛋！蠢货！我最看不起你这种人！你做什么都做不好！哼！"

他望着她，过了会儿说："好，我会给你机会让你证明你做得比我好。"

"哼！"

"我会给你机会杀了我，希望你到时候能向我证明你比我有勇气。"他的口气变得冷冰冰的。

"你要说话算话！"

"把粥喝了，我就给你机会。"他说。

机会！他说机会！她看了一眼手里的剪刀。难道他是故意把这东西放在她触手可及的地方的？他真的给她机会杀了他？他闭着眼睛在听音乐，这样，挥刀向他袭击时发出的轻微声响就会被掩盖，难道他是真的对她不设防？

她握着那把剪刀，注视着他的脸。不知道为什么，这时候，她忽然想多看看他这张脸，他的脸没什么明显的特征，他没有那种可以被大肆渲染的漂亮五官，锋利的眉毛、明亮的眼睛、高挺的鼻子，他一样也没有。以前，她总觉得对他的外貌难以描绘，现在他经常凑得很近跟她说话，看久了，她发现他的长相也并非毫无特色，他的眼睛虽然不够明亮，但却很深，像口井，是能叫人跌进去爬不出来的那种井。他的皮肤很好，很少出油，嘴唇棱角分明，头发干净，发型也潇洒，他在很好的理发店理发。他身材匀称，双臂很结实，穿衣服并不很时髦，但看着舒服，非常妥帖。

他曾经把他脱下来的衬衣丢在她头上戏弄她："记住我的气味！傻瓜！"他说。

她看看他的脸，又看看手里的剪刀。

"我会给你机会，你喜欢杀就杀吧。"她喝完粥后，他说。

那天，她握着那把剪刀，犹豫了好久，最终还是没有下手，她一直认为自己是个绝对狠得下心来的人，但是不知道为什么，那天她最终还是失败了。她为他取下耳机的时候，他忽然紧紧抱住了她，他把整个脸埋在她的衣服里，好久好久不说一句话。她知道他的手并不干净，沾了很多人的血，但在那一刻，她却沉醉在他的怀抱里不能自拔，她觉得那是她生命中最热情最温暖也最有男子气的拥抱，蓦然之间，她说服了自己，没有动手，并非因为她缺乏勇气，而是因为她长大了，她终究是个女人，尽管只有十六岁。

她觉得身子软绵绵的，还在发烧，那时候，她耳边就传来这首歌。

"如果云知道，想你的夜慢慢熬……"

不行，不能再听这首歌了，再听就要哭了。

她又看了一次手表，快五点半了，她赶紧把调频转到"疑案迷踪"的波段。

好戏开锣了，还是看戏吧。

一段广告音乐结束后，电台里传来小菲活泼清脆的声音：

"大家好，我是小菲，又到了每周六下午的这个时间，我在动力 FM345.7 兆赫向大家问好，今天的《疑案迷踪》由我来主持。说起来，我跟听众朋友们也是老相识了，在很多期特别节目中,秋河都曾经请我来这里做客,相信朋友们对我并不陌生。好了,希望我们今天能一起度过紧张刺激又愉快的一小时。"

小菲说完这段话,照例放了一段节奏欢快的开场音乐,邱元元想到的却是小菲在播音室里手忙脚乱按钮的模样,被总编室的郑小优知道又要说她"不专业"了。

音乐结束,小菲的声音再度响起。

"今天我们的节目还和过去一样,让大家参与破一个有趣的小案子,希望大家听完案情后,就我们提出的问题踊跃发言。我们的听众热线是67899,再说一遍,我们的听众热线是67899。这次的奖品非常丰厚哦,那么到底是什么呢?在这里,我先卖个关子。"

又响起一段音乐。

"按照惯例,我们的每期节目都会请来两位嘉宾,但今天比较特殊,为什么这么说呢?因为今天我们只有一位嘉宾。他是一位犯罪行为学家。哇,是不是听上去很厉害?没错,他真的很厉害,陆劲,陆先生!请跟听众朋友们打个招呼!"小菲热情洋溢地说。

陆劲?!这两个字让她的心狂跳了一阵,但她马上告诉自己,一定是同名同姓。

"大家好。"电台里传来一个男人的声音。

啊,是他……

但这怎么可能?一定是幻觉!幻觉!他应该早就死了!爸爸也是这么说的!他死了!他死了!可是怎么会?那么像?……

先听下去再说。她按住胸口告诉自己,冷静,冷静。

"陆先生,你的工作听上去很有意思,能告诉我们你主要研究些什么吗?"小菲问道。

"我研究的是犯罪行为,比如,他们为什么犯罪,怎么做的?他在作案的时候在想什么。做完之后会怎么样,大致就是这些。"仍然是那似曾相识的男声在说话,有条不紊,也很随意,是她熟悉的语调,是她熟悉的声音。她耳边仿佛又传来他的喃喃细语,"元元,即使我死了,你也会一辈子记住我的",说话时,他的嘴唇摩擦着她的后颈……她觉得呼吸困难,心都快跳出来了,到底是不是他?是不是他?为什么那么像?

"你的工作真有意思。陆先生,听说你还曾经写过两本关于犯罪行为方面的书。我手里的资料上说,你最近出了本新书,书名叫《谋杀心理探究》。看内容介绍,好像很专业,能给我们讲讲这本书吗?你怎么会想到写这本书的?那些案例都是真实的吗?"

"首先回答你,那些案件都是真实的。"那个男人说,"研究犯罪行为是我的工作,也是我的兴趣。其实很多年前,我就开始在做这方面的研究了,在我很年轻的时候……一直想有个机会把自己在这方面的一些发现和感悟整理成文,所以,如果问我为什么要写这本书,我想应该说写书是对我多年工作的一个总结。"

写书?不可能,这不像他。虽然她看过他写的信,的确很动人,但写那种专业书不是他的特长,他没那耐心。他的特长是画画,他曾经是她的美术老师!所以那个人应该不是他……但是为什么声音又这么像?

又响起一段音乐,她知道按照惯例,下面就该出案子了,不知道这次他们会怎么安排这个重头戏。

果然,音乐一结束,耳边又传来小菲活泼的声音。

"当当当!又是我,小菲,在动力FM345.7兆赫为大家主持今天的《疑案迷踪》,那么接下去该干什么了,听众朋友们应该早就猜到了。对,现在该是进入我们这期节目正题的时候了。今天我们的案例非常特殊,它是由一位热心听众提供的,这位手机尾号是3749的热心听众,感谢你来信向我们提供这个有趣的案例,希望你现在就在收音机旁,能够收听到我们的节目,也希望你能及时打电话进来跟此次的嘉宾进行互动。那么,在我说今天的故事之前,老规矩,还是要先告诉大家本次节目的奖品是什么,这次的奖品是丽芙雅居价值100元的美容抵扣券和马克西饼屋价值30元的蛋糕券,奖品很丰厚哦。还是那句话,希望大家积极参与,我们的听众热线是67899,再说一遍,我们的听众热线是67899。"

广播里响起一阵神秘莫测的音乐。

"好,今天的故事正式开始。这个案子发生在十年前一个冬天的晚上。本市A区警官李正刚准备休息,就接到考古学家林华博士的电话。林博士跟他是几十年的老朋友了,林博士在电话里告诉他,前几天,他和他的工作队刚刚发掘出几件西汉的文物,这几天,他一直在山里的研究室进行研究,可今天下午他外出了一趟回来后却发现那几件文物都不翼而飞了。西汉文物价值连城,李正一听就知道此案事关重大,所以他决定亲自去现场走一趟。他告诉林博士,他将会尽快赶到。但林博士的研究室在深山里,那个地方地形复杂,林博士又说不清具体位置,两人在电话里商量了一番后,林博士决定让他的助手开车来接李正。

李正在住所等了将近一个半小时林博士的助手才到,他们又花了一个半小时才终于在夜里十二点半赶到林博士的研究室。李正跟着博士的助手走进研究室的大门。助手告诉李正,自从文物不见后,博士心情很坏,血压又升高了,所以这个时间,恐怕他已经到二楼自己的房间去休息了。李正一看,研究室二楼有个房间的灯亮着。助手让李正在楼下稍等片刻,他去请博士下来。没想到,几分钟后,李正在楼下听到了助手的惊叫声,他上楼一看,原来林博士上吊自杀了,他的身体悬在半空中,脚下还有一把被踢翻的椅子。

李正和林博士的助手都对这件事感到很震惊。助手判断,博士有可能是因为文物失窃,承受不住压力才自寻短见的。李正发现博士的身体还很暖和,这说明是刚刚死去不久。为了检查博士有没有留下遗书,李正翻了博士的衣服口袋,他没找到遗书,却发现一块已经融化的巧克力。李正又检查了一遍屋子里的物品,屋内物品摆放整齐,没有翻动的痕迹,只有床上略显凌乱,一条电热毯丢在折好的被子旁边。

这时,李正指着林博士的助手说,是你杀了博士,是你假造了博士的上吊自杀现场。——好,故事发生到这里,我想请各位听众猜一下,李正是怎么知道答案的呢?我是小菲,在动力 FM345.7 兆赫为大家主持今天的《疑案迷踪》,我们的听众热线是 67899,请大家踊跃来电。现在先进一段广告。"

邱元元觉得这案子很简单,但凡看过《名侦探柯南》的人,应该都能猜出答案来。她不知道凶手为什么要把这个案子寄到电台,但现在,她对此已经一点兴趣都没有了。

她只想知道,那个说话的男人是谁。应该不可能是他,以他犯下的罪,他必死无疑,但是,为什么……这个人跟他叫同样的名字?说话的声音、语调和说话方式都一模一样?……到底是为什么?为什么,为什么,为什么?

她觉得自己快疯了。

到底是不是他?是不是他?不可能啊,他肯定已经死了……

"元元,元元,元元……"一连串呼唤声从前方传来,声音越来越响。

是妈妈!

她连忙摘下耳机,走到病床前。

"妈,你醒了?"她问道。

"你在干什么?我叫了你好多遍。"妈妈有气无力地抱怨道。

"没什么。"她看见妈妈用右手臂艰难地撑起了半个身子,连忙扶住她,问道,"妈,你是不是想上厕所?"

"是啊,快扶我一把。"

她很感激妈妈把她从刚才的极度焦虑中拉了回来,等她帮妈妈上完厕所,重新将其在床上安顿好,再拿起耳机时已经是十五分钟以后了,她已经比刚才冷静了许多。理智告诉她,一个像陆劲这样的杀人犯,被捕之后是不可能存活的。所以,那个男人可能只是凑巧跟他同名同姓,又凑巧说话的声音跟他相像而已,她相信那绝对不是他。

节目已经进行了一半,她听到他在跟主持人小菲说话。

"陆先生,你觉得林博士是被他的助手谋杀的吗?"小菲假装天真地问道。

"是的。"他答道。

虽然明知道不可能是他,但这声音还是听得她心惊肉跳。

"那你认为他是怎么干的呢?"小菲问道。

"这个助手在离开前就杀死了博士,他用电热毯将博士的身体裹住,保持温度,这样就能造成博士刚死的假象。其实博士应该在三小时之前就死了。他的助手这么做是想为自己制造不在场的证明。"口吻淡漠,意兴阑珊,好像在说,这案子真的没什么可说的。

声音真的很像,而且跟他一样,说到句尾时,声音渐渐变轻,好像他的思路已经从这个话题轻轻跳开了。

"但是理由呢?李正又没亲眼看见助手杀人,他凭什么认为就是助手杀的人?会不会有其他人闯进来干的?"小菲问道。

"博士口袋里有一块融化的巧克力,这就是证据。助手杀死博士后,用电热毯裹住尸体时,没有注意到博士口袋里的巧克力,现在是冬天,巧克力放在口袋里,一般情况下是不会融化的,但如果外面被电热毯包裹,情况就不同了。他先把博士勒死,用电热毯裹住,然后开车去接李正,两人花了一个半小时到达研究室后,他单独上楼去叫博士,趁这个机会,他伪造了博士上吊自杀的现场。整个过程就是这样。"他声音平淡地说。

"嗯,我觉得陆先生说得很有道理。好,我们现在来接听众来电。喂,钟先生,是钟先生吗?喂,你好,请回答,请回答……"小菲对着话筒呼唤着,过了一会儿,广播里出现一个男人的声音。

"为什么不是秋河?"男人不太客气地问道,声音很低沉,听不出年龄。

小菲显然没想到对方会这么问,她愣了一下,马上反应过来。

"你好,我是小菲,秋河今天家里有事,我临时来替她,认识你很高兴。首先感谢你为我们提供这个有趣的案件,我想请问,刚刚陆先生的回答你都听到了吗?"小菲不瘟不火地问道。

钟先生?难道就是那个"一号歹徒"?

"呵呵呵。"电台里传来一阵压抑的笑声。

"钟先生?"小菲催促道。

"听到了。你好,陆先生。"

"你好,钟先生。"

两人像老朋友那样打招呼。接着,电台里沉默了一秒钟。

小菲也没有说话。

"我猜得没错吧?"那个跟他同名的人问。

"错了。"

"错了?"姓陆的吃了一惊,随后笑了,像对老朋友那样,"好吧,请钟先生解释一下,我错在哪里?"

"博士是被谋杀的,但凶手不是那个助手,而是博士的妻子。"

"你的资料不全,我们不知道他还有个妻子。"

"对,对,对,我承认,我把她遗漏了。""一号歹徒"说。

"好吧,说说她是怎么谋杀那个博士的?"

"谋杀方法?你不是都说了吗?电热毯,巧克力,伪造自杀现场。呵呵,粗心啊,真粗心，你说得对，每个人都有弱点，即使凶手也不例外。她的问题就是太——粗——心。"

"动机是什么？她为什么要谋杀她老公？"姓陆的问。

"他比她大十五岁，她早就想离婚了，但一旦离婚她就什么都没有了，她需要钱。"

"那么她是故意把文物藏起来，让她老公血压升高的喽？这样她勒死他的时候，他就失去了反抗能力。"

"嗯，她是这么说的。""一号歹徒"道。

姓陆的停顿了一下，问道，"钟先生，她是下一个吗？"

邱元元觉得地底下吹来一股冷风，她打了个激灵。

这声调实在，实在，实在是太像了。

"谁知道呢？呵呵呵，听说陆先生研究犯罪行为很有心得，什么时候一起喝咖啡吧，你不是很爱喝咖啡吃起司蛋糕吗？我请。"

"好。怎么联络你呢？"

"我会写信的，看来他们是能够找到你的。再见。""一号歹徒"骤然挂断了电话，大概他意识到，他再说下去，自己就有可能被抓住了。

小菲的声音再次响起。

"各位好，我是小菲，在动力FM345.7兆赫为大家主持今天的《疑案迷踪》。刚才我们的一位热心听众已经跟我们本期的嘉宾陆先生进行了一次直接对话，非常有意思，他还要请陆先生去喝咖啡。呵呵，不知道他是不是会兑现自己的诺言？好了，这是后话，我们现在先来听一段音乐，轻松一下……"

咖啡，起司蛋糕。

没错，那是他的最爱。

"你为什么喜欢吃起司蛋糕？不觉得腻吗？"她曾经问他。

"你为什么不爱吃？女孩子不都爱吃吗？"他一边给她画像，一边问。

"我不喜欢吃甜得发腻的东西。"

"我跟你恰好相反，我就喜欢吃甜得发腻的东西。因为再甜的东西对我来说也不算甜。"他笑着把画像转过来给她看，画中的她手撑着下巴，正坐在咖啡馆的座位里朝窗外看。那张画和其他那些画一起都被她锁进了一个铁箱子，她已经很多年没去看了。

但她记得，他喜欢喝咖啡。

到底是不是他？她看了看手表，现在是六点。

她真想立刻飞车赶到电台，好好看看到底是谁窃取了他的名字！他的声音！他的语调！他的兴趣爱好！

但是她明白，她现在走不开，妈妈需要她。

她决定等节目结束后,打个电话过去。

陆劲和岳程一走出广播电台的录音室,岳程的电话就响了。

"喂,怎么样?……唐山县?五里桥?……有没有目击者?没人看到他吗?……嗯,嗯,嗯……好的,你们继续到电话亭周围去查,也许有人看见他。我们这里已经结束了,对,等他的消息……好,一会儿再联系。"岳程接完电话,面无表情地把翻盖手机咔嗒一合,塞进了口袋。

"没抓到他?"陆劲问道。

"他比我们想象的动作快。晚了一步,他走了。"

"他是在唐山县五里桥打的电话?"

岳程犹豫了一下才冷漠地说:"对,他很会选地方,那地方很偏僻。电话亭正好还被一棵树挡住了,天又黑了,所以没人看到他。"

陆劲笑了笑。

"他曾经告诉我,他有个女朋友被他抛弃后就进了唐山县精神病院。我不知道这件事是不是真的。"

岳程专注地看着他,手不知不觉又伸进了口袋。他掏出了手机。

"喂,去查一下唐山县五里桥附近有没有一家精神病院。"下完命令后,他收起电话,看着陆劲,"你还知道他什么?"

"你说谁?"陆劲问。

"少给我装糊涂。当然是'一号歹徒'。"

"钟明辉你们查到了吗?"陆劲不想做无头苍蝇,他想知道跟他通了那么多年信的钟明辉是不是仅仅只是个名字。

"他那个女朋友被送进精神病院是什么时候?哪一年发生的事?"岳程问。

"大概是1999年。"陆劲说完,又问了一遍,"到底有没有钟明辉这个人?"

"有。不过他很多年前就死了,他死的时候只有三岁。"岳程不以为然地看了他一眼,好像在怪他提供了一条假消息。

陆劲没有看他,两人一起穿过走廊向外走去。

这个消息并没有让陆劲感到特别意外,他早就猜到,跟他聊了很多年谋杀话题的笔友有可能用的是假名。但是,如果那个死去的孩子是三岁的话,那倒让他想起了这个人曾跟他说过的一件事,他本来以为是假的,现在看来,这个人说的事,大部分都是真的……

"那个孩子家里还有谁?"他问。

"他的父母后来又有了一个女孩,那女孩现在已经上大学了,经调查没什么问题。对了,他以前给你的信还在吗?"

"我都烧了。"陆劲道。那些信不在他手里,事隔多年,不知道她是否还保留着,也许早就烧了。

　　他们正一路向前走，背后忽然传来小菲的声音。

　　"嗨！陆先生！陆先生！等一等！"

　　两人听到她的声音一起转过身去，看见小菲急匆匆追出来。

　　"什么事？"岳程问道。

　　"陆先生，接个电话。"

　　"我的？"陆劲感到奇怪，他回头看看岳程，后者已经皱起了眉头，一副如临大敌的表情。

　　小菲大概看出了两人的心思，笑了起来。

　　"别紧张，是我们的另一个主持人秋河，她听说你是研究犯罪行为的，想跟你认识。接吧。"小菲把自己的手机递给了陆劲。

　　陆劲看岳程没有反对的意思，便接了电话。

　　"喂。"他道。

　　"喂。我是邱元元。"

　　一个女人的声音从里面传出来，他觉得头顶上方好像有颗炸弹爆炸了。轰……那声巨响让他有三秒钟失去了听力和视觉，只是拿着电话不知所措地站在那里。

　　"喂，你在……听吗？我是邱元元。"她在说话。

　　他没工夫回答，只顾听她的声音。

　　"我是邱元元。"她又说了一遍。

　　这回听清楚了。是她。

　　"我是陆劲。"他终于开了口。

　　"你，你是……"

　　"我是陆劲。"

　　"你真的是……"

　　对方的声音在发抖，他仿佛看见她仰头看着他，一脸惊慌和疑惑。她的头发还像过去一样柔软吗？她的皮肤还像过去一样光滑吗？他真想把手伸进电话，将她一把揪出来，揪到他面前，让他好好看看她。

　　但是他知道，他现在什么都不能做。

　　"是的，我没看过侦探小说，只喜欢听人讲故事，"他语调轻松地说，甚至还笑了笑，"我还喜欢用手铐铐着我的小鸟。研究这种事的人大部分都有点变态吧，没办法，如果你不身临其境，就无法体会罪犯的心理。"为了不让身边的人起疑，他用尽吃奶的力气，才使自己的声音恢复正常。他觉得自己已经最大限度地向她表明了自己的身份，他希望她能明白他现在的处境和他的心情。

　　现在轮到她沉默了。

　　"你好吗？"过了一会儿，她问。

"很好。"

"你真的是……"

"是的。"

岳程拉了拉他的袖子。

"秋河小姐。"他用公事公办的语气说,"我得走了,如果以后有机会,我们还可以……"他还没说完,耳边就传来一声熟悉的尖叫:

"不!不可能!你不可能是他!你在那儿等着我!我马上到!你等着我!"

她挂了电话。

"她想见你?"岳程满腹狐疑地看着陆劲。

"是。"陆劲的声音干巴巴的。

"她认识你?"

"不。"

"她要见你?"

"是。"

"有没有说什么事?"

"没。"

岳程隐隐觉得眼前这个男人自打完那通电话后,就变得有些古怪,他神情木然,眼神飘忽不定,问他的每句话都只回答一个字。虽然脸上的表情显示他比原先更为冷静了,但岳程明白物极必反的道理,他知道如果一个人显示出超出限度的冷静,那就说明这个人其实一点都不冷静,只是在用冷静武装自己,所以他得出的结论是,现在陆劲很激动。

可是为什么?只不过是个素不相识的女主持想见见他罢了。

难道是因为在监狱待得太久了,连听见女人的声音都会不能自持?

"哼!得了吧。见什么见!你还以为自己真的是什么人物吗?"旁边的罗小兵嘲讽道。

"我没这么说。"陆劲顶了一句。

"少他妈的装蒜!"罗小兵推了他一把。

陆劲没理会罗小兵的粗暴,他一言不发地朝前走出了两步。

看出罗小兵还准备过去跟陆劲说上两句狠话,岳程连忙叫住了他。

"小兵,你跟总部联系一下,看看精神病院的事查得怎么样了。"他道。

罗小兵领会了他的意图,看了一眼陆劲,悻悻地走了。

岳程明白罗小兵为什么会对陆劲如此厌恶,其实他跟这个才上班不到两年的小下属一样,也从心底里痛恨这个双手沾满鲜血的罪犯,恨不得立即将其正法,但他明白现在还不是时候,为了挽救更多人的生命,为了让他开口,这个人现在必须活着,而他们还必须学会跟他和平共处。所以他觉得,不断挑战陆劲的耐心和承受力并不明智,尤其是在他有部分自由的时候。这倒不是因为他现在是他们的帮手,而是因为,不管外表有多谦和,陆劲毕竟是个心狠手辣的杀人惯犯,没人知道什么时候他会再开杀戒。

岳程曾经详细阅读过陆劲的案卷,他知道除了谋杀了那八个人以外,这个外表斯文,说话彬彬有礼的原美术教师在监狱里还制造过三起血案,只不过都没死人而已。

陆劲被关进监狱后不久,就因为跟其他犯人不和而小伤不断。有一次他被发现躺在公共厕所的马桶边遍体鳞伤,后经诊断,他断了三根肋骨,左手的两根手指粉碎性骨折,肛门处有严重的撕裂伤,大腿上也有好几处划伤。谁都知道那是怎么回事,这在监狱里并不新鲜,监狱方面本打算根据他的口供整肃监狱内部纪律,给行凶者一定程度的惩罚,但他却自始至终都一口咬定那些伤是自己摔跤所致,由于他的坚持,这件事最后不了了之。

本来所有人都以为事情已经过去,在他养伤期间,没人再骚扰过他,监狱里也没再发生类似的暴力事件,但结果却并非如此。

半年后,一个犯人在吃饭时,被人用一根铁钉插入了后脊椎,他一辈子都站不起来了;第二个犯人是在穿过走廊的时候,被人割断了脚筋;第三个在上厕所的时候,被一块磨得极薄的木片割掉了耳朵。三件血案发生在同一个星期。在完成最后那件割耳案后,陆劲主动向狱方自首,承认自己是行凶者,并称行凶动机是因为半年前自己所受的那次重伤。他请求警方尽快将其击毙,以儆效尤。他的请求很快得到批准,但就在他被押赴刑场的前一天,他的命运再次发生扭转。警方当时有个非常棘手的大案,在调查过程中,发现陆劲手里握有该凶手的重要线索,所以他的死刑再次被搁置。但当时他一心求死,不仅拒绝跟警方合作,还两度企图自尽,之后又以绝食抗争,最后警方不得不对他进行二十四小时全方位监控,并请资深心理医生跟他谈心,在无数次苦口婆心的劝说下,一个月后,他才终于松口,表示愿意跟警方合作。

岳程明白,尽管陆劲是个囚犯,尽管他外表看上去脾气甚好,尽管他断了三根肋骨,手指也不像以前那么灵活了,但只要他愿意,他仍然可以轻而易举地结果任何一个人的性命,而且不会犹豫。岳程不希望罗小兵成为这个人潜在的攻击目标。这不是没可能的。陆劲是个记仇的人,经验丰富,智商很高,他懂得隐藏自己的感情,擅长等待和攻其不备,同时又对人生不抱希望,像他这样的人要比那些明刀明枪、满脸横肉的杀人犯危险得多。

这个人就像颗隐藏在花丛中的炸弹,定时器在他自己手里,谁也不知道他定的是什么时间。在爆炸以前,灵敏的人也许能隐约听到定时器发出的滴答声,而其他人也许到死都不明白是怎么回事。所以,陆劲不应该被小看。绝对不应该。

"她为什么要见你？"罗小兵走开后,岳程耐心地问陆劲。

"不清楚。"陆劲心不在焉地答了一句。隔了一会儿,他忽然用颇为轻松的语调问他:"你们是不是得罪过她？"

"得罪？"岳程不明白他在说什么。

"没有吗？"

"没有。"岳程道。他认为给美女点烟应该不算冒犯。其实他觉得,就算他把她逼到墙角,那也不能算冒犯,那应该叫做针锋相对。

"她态度很不好。"

"怎么不好？"

"她命令我留下来等她,说如果我不等她,以后警方就休想跟她的节目合作。她刚刚最后朝我喊的声音,你应该也听到了吧？"

那声尖叫他是听见了,但他没想到秋河是在说这些。

"她以为她是谁？"岳程轻轻一笑,本想说,我们跟电台合作又不是跟她,但转念一想,又把这句话忍住了。他问道:"这么说,你想留下来等她？"

"这由你说了算。"陆劲很文雅地回答。

"说实话,我觉得她找你不会有什么正经事,顶多是出于好奇,她大概从来没看到过干你这行的。好吧,那就敷衍她一下吧,暂时不要告诉她你的真实身份。她从哪儿赶过来？"

"应该不会很远。"

"敷衍她几句就行了,我们不能跟她久谈。"岳程故意在"我"后面加了个"们"字,他相信陆劲能听出他话里的两层意思:第一,他不可能让他们单独谈话;第二,他们还有正经事要办。

陆劲回头看了他一眼,笑了笑说:"我明白。"

"五分钟吧,就跟她聊五分钟。"

你们又不认识,能有什么好谈的,五分钟应该足够了,岳程想。

岳程坐在广播大楼的休息室里喝茶,听到身后传来一阵急促的脚步声,回头一看,邱元元正三步并作两步朝他走来。她今天穿着件黑色长毛衣,下面搭条黑裤子和一双黑色方头皮鞋,外面随随便便套了件黄色的长风衣,手里抓着个黄色皮拎包,一头褐色微卷的长发乱七八糟地披在肩上。

邱元元奔到他面前停了下来,四下张望了一下,发现只有他一个人,脸上立刻露出失望的表情。

"怎么是你?! 犯罪学家呢？"她很不高兴地问。

"你找他干吗？"他平静地问道。

"他去哪儿了？"她没回答他的问题,不耐烦地问道。

"上厕所。"

"他什么时候去的?"她问道,但似乎马上意识到这句话不太得体,所以刚问完,她就急急地说,"算了,我等等吧。"

她转身朝厕所的方向望去,看她那副急不可待的样子,他真担心她会直接扑到男厕所去找陆劲。至于吗?一个仅仅在电台里说了几句话的犯罪学家至于让她那么激动吗?他真想直截了当地告诉她,陆劲不过是个冒牌货,他一本书都没写过,他之所以能这么说,那全是警方的计策,他的真正身份是一个杀人犯,但看她那一脸紧张和虔诚,他忍住了。

"你到底找他什么事?"他很好奇,笑着问。

"我就想见见他,不行吗?"她心烦意乱地答了一句。忽然,眼珠朝他这边瞟了一眼,低声问:"他真的是犯罪学家吗?"

他一惊。什么意思?她这么问是什么意思?难道她从他的三言两语里已经听出了他的底细?不可能吧。

"你为什么这么问?"

"为什么我每次问你问题,你都不回答我,却要先反问我?跟你们警察说话真累!算了!就当我没问好了。"她立刻就放弃了。

"这句话应该我说。"他嘟哝了一句,心里仍然觉得很疑惑,本想再多问她几句,可他刚想开口就发现她站在那里,眼神已经变了。

他回头一看,陆劲和罗小兵正朝他这边走来。

他发现她的神情犹如遭到雷击,她目不转睛地望着陆劲,整个人僵在那里,脸涨得通红,眼神发直,不知所措,好像快昏过去了,这让他想到了那些跟在明星身后疯狂喊叫哭泣的追星族,他差点笑出来,心想,真没想到她是个这么没见过世面的小丫头。

"他来了。"他低声在她耳边说。

"他的头发……"她好像在大喘气。

"没想到他那么老吧,他们都叫他白头翁。"他瞥了她一眼,再回头看看陆劲:陆劲今天穿一件洗得发白的藏青色中式棉衣,里面那件白底格子衬衫已经明显泛黄,裤子和黑布鞋也都是旧的。本来他一直觉得陆劲的外形极其普通,至少不是那种容易给人留下什么印象的长相,但此刻,站在这个女追星族的角度看陆劲,他蓦然发现,陆劲其实是个非常有魅力的三十九岁的清俊男人,就连他的满头白发和那身旧衣服,也似乎散发着淡淡的书香气。这一发现让他心里很不舒服。

她默默注视着陆劲向自己走来,站在原地一动不动。

不知是因为太久没看过女人,还是因为她太有吸引力,一向不轻易表露感情的陆劲,在看见她的一刹那,没能来得及隐藏住眼睛里的狂喜,走到她跟前的时候,身子还晃了一下,好像没站稳。

"介绍一下,这位就是陆劲,陆先生。这位是秋河小姐。"看他们那相互交汇的眼神,岳程觉得自己的介绍似乎是多余的。

陆劲站在离她有段距离的地方,肆无忌惮地打量着她,从头发一直看到脚上的鞋。岳程担心他会伸手去摸她的头发,如果这样,他还真不知道该拿这个人怎么办。

"你好,秋河小姐。"陆劲说,声音有点不像他。

她的语速比他快得多。

"叫我元元吧,我叫邱元元。"她注视着他,目光同样肆无忌惮,从他的头发一直看到棉衣里的衬衫。

"元元。"陆劲停顿了一下,目光落到她手上,"你找我有什么事吗?"他低声问道。

她好像在心里回味了一遍这个问题,接着,她向他伸出手去。

"认识你很高兴。"

他握住她的手放在唇边吻了一下。

"元元,我也很高兴。"他朝她笑了笑。

有那么一刹那,岳程很想挥拳过去将这个忘了自己身份的罪犯打倒在地,他想告诉这个人,你不过是个暂时保留小命的死囚,国家现在用得着你,并不等于永远用得着你,你的前面没有未来,只有死路一条!……但他终究还是忍住了。

她没有笑,也没有露出任何嫌恶的意思。

岳程相信,就算陆劲想亲一下她的脸,她也不会拒绝的。

"邱小姐,我们跟这位陆先生一会儿还有事,如果你有什么问题的话,请快点!"他对她没有就这个明显的亲昵举动作出应有的反应感到失望,口气不免生硬起来,他决定把五分钟的限时降为一分钟。

"我明白。"她仰头看着陆劲,"我想问的是,我想问的是……"

她莫名其妙地停了很久,才说下去。

"我能请你喝杯咖啡吗?"她问陆劲。

"喝咖啡?"罗小兵尖刻地反问一句,爆出一阵刺耳的大笑。

"那么能让我拍张照吗?我从来没亲眼见过真正的……真正的,犯罪学家……"她恳求道,已经拿出了手机。

"你以为……"罗小兵刚想说下去,就被陆劲温柔平静的声音打断了。

"元元,我不喜欢拍照。"他眼睛一眨不眨地看着她,"再说,你留一个陌生人的照片有什么意义?"

"我想看。"她说。

他盯了她一会儿。

"去拍些更值得看的东西吧。犯罪学家从来不拍照。如果你没什么事的话,我们得走了。"他的态度突然由晴转阴,并且还朝岳程看了一眼,仿佛在等他接自己的话茬。

这人真奇怪,刚刚似乎还想朝她扑过去,现在却又拒人于千里之外,岳程不明白是什么让陆劲前后反差如此之大。不过他们能尽早结束这场对话,他觉得也没什么不好。

"时间差不多了。"岳程装模作样地看了看手表,"对不起,邱小姐,我们有公事在身。今天就告辞了。"

她没在意两人的话,兀自举起手机对准了陆劲,这时候意想不到的事发生了,陆劲突然冲上去一把抢过她手里的手机扔到了沙发上。

"别玩了!"他高声呵斥道。

她像是被吓住了,目瞪口呆地看着他。

其实岳程比她更惊讶,他不明白,为什么陆劲会对初次见面的女主播如此粗暴?不喜欢拍照难道是他的某种怪癖吗?

陆劲看也不看她一眼转身就向外走去。

"你去哪儿!"罗小兵吼了一声,跟了上去。

"对不起,他今天心情不好。"事到如今,他也只好顺水推舟。

她没说话,皱着眉头,表情异常复杂地捡起手机,把它塞进了口袋。

直到上车以后,岳程仍不明白,陆劲为什么要摔她的手机,难道真的是讨厌拍照吗?

"喝咖啡?那女人是不是有毛病?"在车上,罗小兵讪笑道。

"大概她们那个节目需要认识些干这行的人吧。"岳程一边说,一边别过头去。陆劲坐在他身边,此刻正望着窗外的一片黑暗发呆。

"我们现在去哪儿?"罗小兵问道。

"去五里桥的精神病院,你不是才说,那里的确有家精神病院吗?"岳程答道。

"那么他呢?"开着车的罗小兵朝陆劲瞄了一眼。

岳程早想好了。

"陆劲。"他道。

陆劲别过头来。

"跟我们一道去精神病院。"

"今晚我睡在哪里?"陆劲忽然问。

"因为案情重大,上面决定暂时取消你的外出自由,你今晚得回监狱。"岳程不知道现在就向陆劲公布这个坏消息是否太早,他有点担心,陆劲是否会因此不肯合作,但没想到陆劲轻轻一笑道:

"我也希望这样。"

罗小兵忽然又爆发出一阵充满嘲讽的大笑。

"还是待在牢里好,你要搞清楚,陆劲,你本来就该待在那里!"他道。

陆劲假装没听见罗小兵的话,把脸又转向窗外。

岳程想问一些关于"一号歹徒"的事。

"关于那个自称钟明辉的人,你还知道些什么?他在跟你通信的时候,有没有告诉你一些他的个人情况?比如年龄、性别,在哪儿上学等等。"

"没说。"陆劲道。

"那你们是怎么通上信的?"

"我在杂志上登了征集笔友的广告,他给我写了信。"

"哪本杂志?"

"《朋友》。这本杂志现在已经没有了。那时候没有网络,学生中很流行交笔友。我最初有三个笔友,后来渐渐就只剩下他了。"

"你们一开始是怎么聊起来的?总该谈谈彼此的情况吧。"

"我们一开始就说定,彼此不问对方的情况,所以我不知道他是男是女,是不是叫钟明辉,也不知道他几岁了,他对我来说是个谜。"陆劲做了一个无可奈何的表情,好像在说,抱歉,我帮不了你,还是让我回监狱吧。

"我记得你说他曾经给你打过一个电话,那从声音上,你应该能判断出一些东西。"

"我不知道。忘了。"

"性别呢?是男是女总听得出来吧。"

"是男的。"陆劲厌烦地皱了皱眉头。

岳程已经看出现在陆劲无心回答他的问题,他好像有些心烦意乱。为什么?他为什么心烦?是因为那个手机被摔的女主播吗,还是因为罗小兵的嘲讽?

"能不能先送我回监狱。"陆劲提出了要求。

"为什么?"

"我本来就该在那儿。"他道。

"你倒还有点自知之明。不过,你现在该在哪儿由我说了算。"岳程道。

就在这时,罗小兵忽然急促地叫了一声:

"头儿!后面有辆车跟着我们!"

岳程一惊,透过后视镜,他果然看见车后面跟着一辆灰色凯越。

"什么时候开始跟的?"

"有一阵了。怎么办?"罗小兵问。

"开到岔路上去,看他什么反应。"岳程说着,从车座后面掏出望远镜朝后看,他本想记下对方的车牌号好让总部立刻去查车主,但司机的脑袋一出现在他的镜头里,他立刻就打消了这个念头。怎么回事?开车跟踪他们的竟然是姓邱的女主播!她疯了吗?

此时，罗小兵已经将车开到了一条偏僻的岔道上。

"停车！"岳程命令道。

"啊？"罗小兵似乎没听懂。

"停车！停车！是那个女人！"岳程不耐烦地说，同时他瞄了一眼旁边的陆劲，此人现在把头靠在车座上，像个老僧似的在闭目养神，好像完全没听到他跟罗小兵的对话，但岳程可以肯定他全听见了，而且还非常在意，只不过，现在他妈的在装蒜罢了！妈的，这到底是怎么回事？！

车在岔道上停了下来，后面的凯越车紧跟过来停在一段距离之外。

岳程推开车门，径直向凯越车走去。

"下车！"走到她车门前，他粗暴地命令道。

看得出来，她有些心虚，也许她自己也无法解释这种疯狂行径。

她下了车，眼神朝他那辆车的车后座望去，从她的角度可以看见陆劲的背影。

"邱小姐？你知道自己在干什么吗？"他大声问道。

"我在开车！在一条可以自由通行的道路上开车！这犯法吗？"她毫不示弱。

"妨碍公务也是犯法！我怀疑你在跟踪我们，事实上你就是在跟踪我们，你到底想干什么？"他语气强硬地问。

"我……"她的确不知道该怎么解释，接着，她的口气软了下来，"我想跟他说几句话，行吗？"怪了，她好像知道陆劲的自由归他管，她在求他。

"邱小姐，我想我应该跟你明说。"他决定把陆劲的底细和盘托出，他不想再看到她犯傻，"陆劲，今天的这个所谓的犯罪学家，其实是一名死囚，他没写过一本书，这些都是根据案情需要编的，我们之所以让他在电台里这么说，是为了迷惑罪犯。"

她好像既不吃惊，也不介意，她只是问：

"我能见他吗？就说几句话，说完我就走。"她焦虑地看着他。

该死的！她到底有没有听到他说的话？

"他杀过很多人。我没在跟你开玩笑。"他强调。

"我知道。我想见他，让我见见他吧，就算，就算我在发神经好了，求你了，求求你了。"她双手抓住他的衣襟，像个小女人似的哀求他，明亮的黑色眸子盯着他的眼睛，像有把软刀子顶住了他的下巴，他闻到她身上有股好闻的香味。

"好吧。"他避开她的眼光道，"只能给你一分钟。"

他转身走回去，拉开了陆劲这边的车门。

"那个女人想见你，你跟她去说几句吧。"他对陆劲说。

"能不能叫她走？我跟她好像……没什么好说的。"陆劲坐着不动，脸上的神情游移不定。

"你以为我没跟她说吗？快点！跟她说几句，就把她打发走！"岳程不耐烦地说道，回头又看看邱元元，她正朝这边望着。

陆劲闭上了眼睛,他显然不准备下车。

妈的!

就像在给一对闹别扭的情侣穿针引线。岳程真恨自己现在做的事,但他又无可奈何。

"他不想见你,你回去吧。"他走回到邱元元面前,冷漠地说。

"是吗?"她有点吃惊,皱起眉头看着他,忽然,眉毛向上一挑,大步流星地朝他们那辆车走去,等岳程想到去拦她,已经来不及了。

她"哗"地一下打开了车门。

"出来!"她命令道。

陆劲终于慢腾腾走出了车外。他们面对面站在离车三米远的地方,彼此没说一句话。

岳程就像看一出活剧那样在旁边看着他们,他越来越觉得不对劲。邱元元,这名字好像有点耳熟,他正在记忆里搜索,自己在哪里见过这名字,却忽然惊骇地看见她伸出一只手,想去碰陆劲的脸,但却在半空中被他抓住了。

陆劲一只手抓着她的手腕,另一只手搭在她肩上,弯下身子看着她的眼睛,一字一句地说:"小姑娘,你长得很好,非常好,不要在好好的东西上撒毒药,明白吗?你不需要。"

她看着他,神情倔强,眼神中却充满了痛苦。

"你以为自己什么都知道吗?你以为你是什么东西?"她声音颤抖地质问他。

"我的确什么都知道。我知道。"

"不!你根本不知道!"她瞪着他,发怒一般说。

他抓着她手臂的手渐渐放松了。

"回去吧,我们没什么可说的。"他冷冷地丢下一句,想转身离开。

她跳起来蹿到他面前,头发迎风飘起。

"谁要跟你说话?谁要听你说话?你以为我是来跟你说话的吗?"她对他怒目而视,双手抓住他的肩膀,奋力摇撼着,好像要杀他,但转眼之间,她就张开双臂搂住了他的脖子,肆无忌惮地将脸搁在他的脸下面,贪婪地呼吸着他的气息,陆劲只迟疑了一秒钟,就抱紧了她的腰,谁都看得出来,那简直不是拥抱,而是要把她嵌进自己的身体里去。

言辞无法形容此时岳程心里的感受,他快厥倒了。他不清楚现在这两人上演的是哪出戏,这女人是不是真的疯了?她难道不知道旁边还有人在吗?而且她明知道她搂住的这个男人是个杀人不眨眼的罪犯,她是不是脑子进水了?他很想用什么方法把这两个被胶水粘住的人强行分开,但又觉得这么做不厚道,他不想成为棒打鸳鸯中的那根"棒",他母亲是个喜欢帮人牵线搭桥的工会干部,从小就教育他,宁拆一座庙,不破一门亲。所以,他一时间呆在那里,眼睁睁看着陆劲跟她紧紧贴在一起，一只手还抚摸着她柔软的头发，不知道该怎么办。天哪，怎么会有这种事？他们会不会当着他的面生出一个孩子来？

就在这时，罗小兵拿着警棍从后面蹿了出来，他毫不犹豫地朝陆劲腰上狠狠打了一下，接着又是一下，陆劲顿时松开臂膀，弯下了身子，他低着头，半蹲在地上，口水从嘴边滴落下来。

这两人终于被拆开了。"做得好！小兵！"岳程赞道。

"妈的！够了！他是个罪犯！"罗小兵上前用力踢了一脚尚蹲在地上的陆劲，怒吼道，"快给我起来！回车上去！"

"不要踢他！不要这样！不要！"她尖叫了起来，眼眶湿润了。她跟他之间现在隔了一个罗小兵，她已经无法再靠近他了。

岳程知道陆劲有旧伤，刚刚那两下够他受的，但他不准备去搀扶他。如果想要过正常的生活，就不应该犯下这么重的罪！这都是他应得的，他没资格碰她，没资格！

陆劲缓缓爬起来，面无表情地看了罗小兵一眼。

"看什么！快点！"罗小兵又吼了一句。

陆劲把目光对准她，口齿清晰地说：

"元元，有些东西，我是永远不会忘记的。"他刚说完，罗小兵的警棍就又捅了过去，正好捅在他的肚子上，陆劲呻吟了一声，再度弯下了身子。

"还啰唆！你别忘了你他妈的是个杀人犯！是个杀了八个人的杀人犯，你不配活着！不配跟女人说话！连吃饭你都不配！快给我进去！"罗小兵高声骂着，同时拉开车门，将陆劲一把推了进去。

邱元元捂住嘴，失声痛哭。

岳程很庆幸这场该死的闹剧终于结束了。他没有走过去安慰她，他现在已经想起她是谁了，没错，她的名字曾经出现在陆劲的卷宗里，她就是那个曾经被他囚禁了两年零八个月的女中学生。陆劲变卖了自己所有的收藏供养她，为她染头发，为她做炸虾，为她购买漂亮的衣服打扮她，她生病的时候，他整夜守着她，最重要的是，他虽然为她做了一切，却不曾玷污过她，她被解救的时候，仍然是处女。按照她的陈述，他们连吻都没接过，他也从来没碰过她身体的敏感部位。"他对别人是可怕的凶手，对我，则是君子。但是我仍然恨他，我喜欢自由。"这是警方盘问她时，她作的总结，但是，她真的恨他吗？

岳程觉得从刚才的情形看，她更像是他失散多年的情人，知道此生不大可能再有机会跟他紧紧相拥，所以才不惜一切也要跟他见一面，"谁要跟你说话？谁要听你说话？你以为我是来跟你说话的吗？"的确，她不是来跟他说话的，她不惜飞车追过来，是来跟他亲热的！他注意到她抱住陆劲时，鼻翼微微扇动，妈的，她在闻他！哪怕是能闻一闻他的气味也是一种享受，更别说紧贴他的身体了。他觉得她当时的神情就像只贪婪的母狼，在品一块好不容易抢到手的羊肉。她应该也知道这么做不妥，也知道他们没有未来，但还是这么做了。恨他吗？嗨，得了吧，骗谁哪！

他想到这儿有点失望又有点恼火，于是毫不犹豫地拉开车门，上了车。

车子启动的时候，他看见她一个人呆呆站在原地目送着他们。

上车之后，继续由罗小兵开车，岳程则坐在陆劲身边，他不希望罗小兵跟陆劲靠得太近，因为有刚才的事，岳程生怕有什么意外，他还给陆劲上了手铐。

"小兵，回监狱。"他看了一眼蜷缩在车门旁边的陆劲，命令道。自从上车之后，陆劲就一直缩着身子倒在车座上。

"头儿，已经跟精神病院的院长联系过了，他们在等我们。如果现在回监狱，时间太长了。"罗小兵透过后视镜，瞥了一眼陆劲，说，"我们还是照原计划进行吧，院长等着我们呢。再说，我也饿了。"

岳程心里真想骂一声，臭小子！你不要太轻敌了！但回头看了一眼陆劲那副挨打之后缩在座位上的熊样，他又不禁认为自己是多虑了。双手被铐住，又刚刚挨过打的陆劲，应该没那么快恢复过来，即便是能恢复过来，他也不能把他们怎么样，他跟罗小兵是两个训练有素的警察，而且他们从头到尾都对他很防备，他休想趁他们不备搞什么突然袭击。这样一想，原先七上八下的心总算平静了下来。

"你怎么样？"车行一个小时后，岳程问陆劲。

"没事。"

"没事最好。我必须提醒你，陆劲，"他决定把话说说清楚，"你是个死囚，没有将来，即使有，也是很久以后的事了，懂吗？"

"我懂。"陆劲低声道，他仍然一副熊样，捧着肚子缩在车门边。

"行，希望以后不要再发生刚才的事。"岳程说到这儿又忍不住加了一句，"人家风华正茂，你这样等于是在耽误人家。"

陆劲直起了腰，没有说话。

"我知道她是谁，陆劲。"岳程又道。

"她曾经是我的小鸟。"

"现在不是了。"岳程纠正道。

"的确不是了，她长大了，她真美，不是吗？身材也好棒。"陆劲充满回味地笑了起来，回头斜睨了他一眼。

岳程又产生了想揍这个人一顿的冲动，但这时，他脑海里浮现出邱元元蹿出去跳到陆劲跟前搂住他脖子的情景，他不得不承认，她当时的模样，的确美得惊人，让处于旁观者的他看得全身血液沸腾，恨不得变成当时的陆劲。可惜啊……

他听到罗小兵说话了。

"美什么美啊！哼！还美呢！"

"小兵,各花入各眼。"

"头儿,反正我觉得,能看上他那种人的女人不会是什么好东西?!"

陆劲冷冰冰地注视着罗小兵的后脑勺,没说话。

岳程忍住训斥罗小兵的冲动,问道:

"还有多远?"

"应该不远了。"

"这地方的确很偏僻。他是怎么跟你说这个被抛弃的女朋友的?"岳程回头问陆劲,他希望这个人能尽快忘记罗小兵的出言不逊。

陆劲耽搁了两秒钟才回答:

"他没说什么,只是说对她厌倦了,就抛弃了她,后来这女人就疯了。"

"他是在什么情况下跟你说起这个女人的?"

"有一次,他谈起了自己的性格,他说他向来没同情心,他这辈子没同情过任何人,他举了这个例子也许是想说明自己的性格有缺陷,他说他小时候很软弱,后来他杀过很多野猫野狗来锻炼自己的意志。"陆劲望着窗外,嘴边露出一抹残忍的微笑。

"妈的,意志! 你们当自己是什么人!"罗小兵嘲笑道。

"我们不把自己当人,警官。"陆劲盯着罗小兵的后脑勺,冷冰冰地说。

看惯了陆劲那副文质彬彬的熊样,忽然看见他脱去斯文的外衣,露出冷酷的一面,岳程忍不住心里一惊,他下意识地摸了一下腰间的枪。

半小时后,罗小兵将车开进了精神病院。这是一栋黑漆漆的五层楼建筑,每层楼都有几个房间亮着灯,他们把车停在空旷的院子里。一个身材矮胖的中年妇女迎了出来。岳程跟罗小兵一起下了车。

"你们是公安局的吧,院长在办公室等你们,我是管后勤的,他让我来接你们。"那个女人哑着嗓子,没精打采地说。她的目光朝他们黑洞洞的车厢里瞄了一眼,好像在问,那人怎么在车里不出来? 岳程懒得跟一个无关紧要的人多解释,他把罗小兵拉到了一边。

"你在车里等着。我跟院长聊两句就下来。小心这个人。"他朝陆劲的方向努了努嘴。

罗小兵看都不看陆劲,自信满满地说:

"你放心吧,头儿,有我呢! 你还真当他有三头六臂啊。"

"不要轻敌!"岳程呵斥道。

"明白明白。"

"无论他跟你说什么,你都不要靠近他,懂吗?"

"知道了。"

"管好你的枪！"

"头儿，你怎么这么不信任我？"罗小兵嚷起来。

我还真的不信你！岳程想说。

罗小兵的态度让他极度不安，但现在除了让这愣小子看住陆劲实在也没别的办法了，幸好他刚刚下车时又检查了一遍陆劲手腕上的手铐，铐得很牢，陆劲的手里也没别的东西，相信他没办法逃脱。

"陆劲，别让我操心，你要珍惜你现在得到的一切。"下车前，他对这个杀人犯说。他相信此人已经听出了他话语中的警告。

陆劲朝他点头笑了笑说："我明白。"

看上去还真像个好好先生，真顺从。可岳程仍旧感到不安，他自己也不知道是为了什么。也许是陆劲刚刚盯着罗小兵后脑勺时，那无意中被逮住的一抹凶光吧。总之，这个人就是让他没办法完全放心。

"给我盯住他！"岳程又叮嘱了一句，才很不放心地跟着那个中年女人走进了精神病院大楼，那个女人早就等得不耐烦了。

"院长办公室在二楼，他等你们好久了。"女人打了个哈欠，声音含混地说。

中年女人把他引进了院长办公室。

院长是个头发花白，戴着宽边眼镜的老年男子。

"你好。我是公安局的。"岳程说。

邱元元觉得自己就好像是穿越了几年的时间迷雾，在街上猛然抓住了一个背对着她的男人的衣角。她真怕那个人转过身来告诉她，她认错了。

但是，她没认错，就是他，就是他！她以前也曾无数次设想过跟他重逢的场面，也曾想过，如果再见，她会怎么做，会跟他说什么。

"混蛋！现在后悔了吧！这是你罪有应得。活该！"她想她一定会说这句话，搞不好还会给他一记响亮的耳光，她要告诉他，就是他，耗了她那么长时间，害得她为补习功课又浪费了一年；就是他，害得她老想去公园草地里躺躺，就因为他曾说他想死在一片草地上；就是他，害得她老把头发染成褐色！就是他，莫名其妙闯进了她的生活，把一切都改变了，有时候，她觉得连喝的水里也有他的味道。

每次跟袁之杰亲密接触，她脑子想的全是他。她不想这样的，她恨他。她应该恨他。

但为什么，当真的再看见他时，她就把该说的话全忘了。他的白头发和消瘦了许多的身体，让她魂飞魄散，在那一刻，她终于懂得了什么叫做崩溃，她也终于明白，那么多年来，一直被她压在心底的那种感情不是恨，而是爱。

其实在看到他的那一刻，她已经猜到了他的身份和处境，他是个失去自由的人，也许国家给了他继续活下去的机会，但没有给他重生的机会，国家让他继续呼吸,并没有让他重新生活。他虽然活着,可跟死人又有什么分别?但是,只要他还有呼吸,她就想得到他。她的确不是去听他说话的,她是去还自己一个心愿的,她是去吻他的。她不指望跟他更亲密,只想吻他一次,这是她被他囚禁时,就一直有的一个心愿。她从没告诉过他,她非常喜欢他棱角分明的嘴唇,他凑得很近跟她说话时,她常常呆呆地注视着他的嘴,看到他的牙齿在灯光里一闪,就觉得很激动,她想用舌头碰碰他的牙齿,……可惜,那时候他就一直避免跟她过于亲近,后来就再也没机会了。

她就是去吻他的,但时间太紧了,她还没得及好好闻闻他那久违的男子气,他们就被强行隔开了,看见他被人打得弯下了腰,她心如刀绞,同时又后悔万分,她恨自己搅乱了他的平静,担心她转身离开后,他会遭受更严重的虐待,一想到他痛苦地蹲在地上,那个警察踢打他的情景,她就觉得自己的脑袋快炸开了。

她当时真想用自己的车去撞那辆警车。

撞死他们!大家同归于尽好了!有什么了不起!

不过事后一想,自己幸好没这么做。同归于尽也该是他们两个人,四个人一起,人也未免太多了!

她开车绕着这个城市漫无目的地瞎转,一个小时后,心情慢慢平静了下来。

她对自己说,不管怎么样,今天也不是一无所获,虽然最终没吻到他,但至少,她还是看到他了,抱过他了,也摸到他的皮肤了,这就够了,足够了。要知道,他本来应该是在坟墓里的人,还想怎么样?就当这是上帝恩赐给她的最后一次机会吧。已经够好的了!

她摸摸自己的头发,好乱啊!开车在外面兜风快一个多小时了,也该回家了,她不想让家里人看出她不久前曾经发过一次疯,她决定把头发整理一下。

咦?

当她把手伸进头发里时,心里陡地升起一个疑团,发卡呢?

因为她耳朵后面的小头发很多,所以她总是习惯在耳朵后面夹一个小发卡。两个小时前,它还在的。它到哪里去了?!

对了!她蓦然想起来,他摸过她的头发。

"元元,有些东西,我是永远不会忘记的。"这是他最后对她说的话。

他难道说的就是这个发卡?他以前给她梳过头发,为她挑选过彩色的发卡,他知道她有在耳边别小发卡的习惯。

是他拿了那个发卡?!为什么?他为什么要这么做?难道……

她想到了一种可能,心立刻剧烈地跳了起来。

"元元,有些东西,我是永远不会忘记的。"

他还记得什么?……

"滴滴,滴滴",电话铃忽然响了,她被吓了一大跳,连忙接了电话。

"姐,你怎么还不回来?都快八点了,妈都问了好几遍了。"是妹妹赵依依的声音。

"我马上回来,现在在路上。"

"你快点回来吧。家里来客人了。"赵依依说。

"谁啊?"她心不在焉地问道,现在她真不想跟妹妹叙家常。

"简东平,还记得吗?"

她一怔。她当然记得这个人,一个非常聪明的家伙,真不知道是该感谢他还是该恨他。当年陆劲被抓后,她曾经请他吃过一顿,后来就没联系了。

"当然记得。他怎么会来?"她冷冰冰地问。

"他是新的伴郎。"

"新的伴郎?那原来的伴郎呢?"

"原来的伴郎被查出患了肾结石,治病去了。嗨,我也没办法,我其实一点都不希望他是伴郎,可我跟李震当初是他介绍的,他跟李震是好朋友,而且,李震身边除了原来的伴郎外,就他一个没结婚,所以想来想去只好让他当伴郎了。我根本不想看到他,自从他跟江璇分手后,我就再不想见他了,虽然江璇也不好,后来堕落得要命,但他也太无情了,怎么能说抛弃就抛弃呢?!更可气的是,他今天还带了他的女朋友来,好像完全已经不记得我是江璇的好朋友了,脸皮真厚!我讨厌他!你快点回来,我不想再跟他寒暄了!讨厌!"赵依依气冲冲地说。

精神病院的李院长是个说话简洁,办事颇有效率的人,这让岳程感到欣慰。他们只花了不到二十分钟,就谈完了需要谈的所有内容。查完档案后,院长告诉岳程,1999 年,这家精神病院只收治过一位四十岁以下的女病人。她叫童雨,入院时刚满十八岁,她父亲告诉院方,她是被人强奸才导致精神失常的。童雨在精神病院住了两年,2001 年 8 月出院。从此以后,院方就再也没她的消息了。她的主治医生曾给她家里打过电话,想了解她的恢复情况,但没能联系上她父亲,后来才知道,刚出院不久她就搬了家。

院长对这位女病人有些印象,他记得她很喜欢笑,有事没事总在笑。每次看见院长,她都会把自己当成一个新闻记者,拿着一个笔记本,跟在他屁股后面,连珠炮似地问他,"可以耽误你几分钟吗?院长,你对巴以战争怎么看?美国下任总统你觉得会是谁?你喜欢黛安娜王妃吗?这届奥运会你说中国人能拿几块金牌?"院长认为她曾经想成为一个新闻记者,至于她有没有堕过胎,不得而知,至少在入院后,没有发生类似的事,而在这之前有没有过,她的父亲也没提起。

"她出院时,是不是已经康复了?"岳程问。

"精神上的疾病要根治是很难的,她出院时只是略有好转。"院长说。

"那为什么出院?"

"是她自己要求出院的,她认为自己已经好了。再说她家的经济条件不是很好,支付住院费和医药费对他们来说是个沉重的负担。我们曾经劝过她父亲,但费用也的确是个很实际的问题,我们又不便为他减免费用,一旦开了这个先例,别的病人就会有意见。"院长露出无可奈何的表情。

"这里有童雨的照片吗?"

院长摇了摇头。

"她来的时候,我们曾经给她拍过一些照片,准备作为档案留底的,但她出院后不久,我们发现她的照片不见了。"院长虽然满脸困惑,但似乎对探寻这件事的谜底也没多大兴趣,他解释道,"我们后来认为,可能是被办公室的后勤人员在整理的时候弄丢了。"

"这里常会出现丢照片的事吗?"岳程问。

"当然不是,但如果不这么解释,又该怎么解释?"

院长向岳程提供了童雨入院时登记的家庭住址和其监护人的联系方式,还把主治大夫的电话告诉了他。岳程决定接下去跟童雨的主治大夫好好聊一聊。他不知道这对破案有没有帮助,也不知道这个女精神病人跟"一号歹徒"是否有关系,但他觉得应该试试,破案本来就是一个大海捞针的漫长过程。

离开的时候,他问院长:"她住在这里的时候,有没有除了他父亲以外的人来看过她?"

院长似乎没想到他会问起这个,他起身离开办公室,几分钟后,他从别的房间拿来三本访客登记簿。

"你自己查吧,凡是来过这里的人,都得作登记。"院长说完,便自顾自出门倒水去了。

岳程一个人留在办公室里翻阅访客登记簿。很快,当他翻到 2001 年 3 月的时候,一个名字跃入他的眼帘。接着,4 月,同一个名字再次进入他的视线。在 2001 年的 3 月 9 日和 4 月 18 日两个日期的后面,分别登记着同一个人的姓名,笔迹相似,这名字岳程并不陌生——"陆劲"!

陆劲居然来看过童雨?他为什么一开始不说?他跟这女病人是什么关系?如果他知道自己会被查出来,为什么还引他到这里来?陆劲到底在搞什么鬼?一连串的问题涌向他的大脑,他忽然想到陆劲就在楼下,对了,他跟罗小兵在一起不知道怎么样了!是不是该叫陆劲上来,让这里的人好好认一认?他来不及思考,便匆匆向院长告辞,向楼下奔去。

车,还停在老地方。

四周鸦雀无声,一个人影也没有。岳程下意识地放慢了脚步,他不喜欢太安静的氛围,总觉得有人的地方就该有声音,反之,就不会是什么好事情。车里仍然暗着灯,就跟他刚才离开时一样,陆劲的头还靠在车窗边,但是,前座空着,周围也没有人,罗小兵呢?他上哪儿去了?岳程忽然有种不祥的预感,他慢慢靠近那辆车,手不知不觉地拔出了枪。

偌大的院子里只有他们一辆车孤零零地停在那里,四周静悄悄的,院子大门口挂着的两盏灯散发出微弱的灯光。他借着这半明半暗的灯光,向车内再度望去,心猛地往下一沉。

不对!陆劲是白发!现在靠在车窗上的人是黑发。

妈的!罗小兵!

岳程觉得耳朵里仿佛突然响起一阵刺耳的声音,他的脑袋嗡的一声,手心立刻出汗了。他不知道出什么事了,但他已经明白,在他离开的这二十分钟里,这里曾经发生过一场小规模的搏斗,胜利者是刚刚还一副熊样的陆劲。现在他只希望罗小兵没事。他希望这个口无遮拦的小下属至少还活着!

他对自己说,冷静冷静。

他举枪对着车窗,慢慢矮下身子,先向车底下望去,车下空无一人,他慢慢挨近那辆车,猛地拉开车门,罗小兵的身子咕噜一下倒在他身上。岳程连忙握住罗小兵手腕,先试他的脉搏,还好,还有气息,再看他的脑袋,没有血,没有伤,看来只是暂时昏过去了,他松了口气,用力摇了摇,罗小兵慢慢睁开眼睛迷迷糊糊地看着他。

"罗小兵!罗小兵!"他叫道。

罗小兵摸摸后脑勺站起身,好像还没搞清楚发生了什么事。

"妈的,小兵!陆劲呢?!"他厉声吼道。

他的声音终于让罗小兵清醒了一些。

"头儿,你来了……"

"到底怎么回事?他到哪儿去了?你怎么会在车里?"岳程望着罗小兵一脸的傻相,真想给他一下子,但他忽然想到一个异常严重的问题。

"小兵!快看你的枪还在吗?!"他提醒道。

被他这一问,罗小兵好像让鞭子抽了一下,身子跳了跳,连忙摸到腰间,接着脸色就变了,开始惊慌失措地在车里乱翻起来。

岳程冷冷地注视着他的一举一动。

不用问,枪丢了。

"罗小兵!到底出什么事了?"他忍着怒气,问道。

罗小兵钻出车外,跺了跺脚,气急败坏地抓着自己的头发说:

"他摇下车窗骂我,又说他小便在车里了,我想过去教训教训他,等我坐到他旁边时,他忽然用手指戳我的眼睛,我还没反应过来,他就抢了我的枪,猛砸我的脑袋,然后我就什么都不知道了。"

"等等,他怎么戳你的眼睛,他的手铐呢?你没给他开过手铐吧?"

“他自己开的手铐，我不知道他是怎么开的。”罗小兵喘着粗气，眼睛瞪得又大又圆，他虽然不知道陆劲是怎么开的锁，但知道现在自己已经闯下大祸了，丢警枪是严重的失职。而且把枪拿走的人，还是个杀人犯，谁知道他会拿枪干什么！

岳程真想把他这个不听话的下属臭骂一顿，但他知道现在最紧急的不是骂人。他走到车前座，利索地打开了车里的警方对讲机。

“0287请求支援，0287请求支援，在唐山县五里桥附近，有一名杀人犯逃逸，请派人立即封锁附近所有路段，排查路口所有可疑行人。现在报告一下逃犯姓名，陆劲，男，三十九岁，中等身材，白发，上身穿藏青色中式棉衣，下身穿黑裤子，黑色布鞋，此人极度危险，身上有枪。另外，请派人至五里桥青年路28号关爱精神病院。此地需要彻底搜查，完毕。再重复一遍……”

跟总部通完话，罗小兵问：“头儿，我们现在该怎么办？”

看他的表情就知道，这小子现在已经乱了方寸。

“在这里等我们的人。”

他又打了个电话给总部：“请立刻帮我查一下，邱元元的家庭住址。邱少云的邱，元宵的元。对。现在就要。”

总部花了不到五秒钟就给了他回音。他记录完毕邱元元的家庭住址后，转身对呆立在一边的罗小兵说：“查查，他还拿走什么？”

罗小兵心慌意乱地摸摸身上，又到车上去翻了一遍，随后答道：

“钱，他拿走了钱。”

“警徽还在吗？”

“还在，他从钱包里拿走了500元，还有一些零钱。”

陆劲身上肯定没钱。逃亡需要钱。岳程想。

“这是什么时候的事？”他问罗小兵。

“你走后大概五分钟左右。”罗小兵越想越气，忍不住大骂道，“妈的，这混蛋！活得不耐烦了！要是让我抓住他……”

他的话被岳程暴怒的声音打断了。

“够了！罗小兵！我走的时候是怎么跟你说的？无论他跟你说什么，都不要靠近他，你都听到哪儿去了？！你以为被你揍两下，他就是条虫吗？他是个心狠手辣的杀人惯犯！陆劲没把你搞个终身残疾就算是对你不错的了。他完全可以这么做的！”

“头儿！我刚才……”罗小兵又气又悔。

岳程平复了一下自己的情绪，口气稍缓道：

“好了，现在你立刻去通知这里的院长，让他把所有员工集中起来，把该关的门通通关上锁掉！”

“你说他可能会躲进精神病院？”

妈的，现在是给你上课的时候吗？

"给我快去！"岳程瞪了他一眼，厉声道。

罗小兵一路小跑奔进了精神病院大楼。

岳程朝精神病院外面望去，心想这里地处偏僻，四周都是荒郊野岭，如果陆劲想逃跑的话，估计他跑不远，他希望地区派出所的援兵尽快赶到。

四 2008年3月8日夜

邱元元心神不宁地把车停好，刚走进家门，妹妹赵依依就把她拉到一边。

"刚刚有人打电话找你。"

邱元元一惊，连忙问：

"是谁？他说他是谁了吗？"

"他没说，只是问你回来了没有。我说你还没回来。"

"后来呢？"

"后来他就挂了。"

"不是袁之杰吗？

"不是。袁之杰的声音我听得出来。"赵依依说。

是谁打来的电话？只有两种可能，不是他，就是警察。

而这只能说明一种可能，他逃跑了。

啊！他跑了！他会不会来找她？一想到这里，她就觉得心跳加速，激动万分，连站都站不稳了。

"你说什么？手机?！"岳程盯着罗小兵，皱紧了眉头。

"对，我的手机不见了。"

"你刚刚为什么不说?！"

"刚刚我没注意，去找院长的时候才发现……"

岳程没等罗小兵解释完，就拿起了自己的手机，拨通了总部的电话。

"请帮我查一下，这个号码在过去的二十分钟内，有没有通话记录。"

五分钟后，回复过来了。

"有两条通话记录，八点零五分，对方号码是78889，八点十分，对方号码是6345668。"

岳程知道前一个电话是出租汽车公司的订车热线，而后一个号码，他更熟悉，这就是他几分钟前刚刚查到的邱元元家的固定电话。

出租车！妈的，陆劲居然大摇大摆地叫了辆出租车！岳程看了看手表，现在是八点四十分，如果那辆出租车在十分钟之内赶到精神病院门口的话，那么现在这辆车应该已经开出这片区域了。这里地处偏僻，根本就没堵车的问题，车可以开得飞快，而且，他还可以神不知鬼不觉地中途换车，他身上有钱，没准还会去某家商店买些替换的衣服。另外，从五里桥这个地方开车去别的省也非常方便，只要有辆出租车，只要有钱，什么都能办到！

当然，这混蛋未必会去别的省，他最可能的就是去找她！只要看看他今天那副粘在她身上不肯离开的臭德行就知道了！他八成会去找她，就算要逃亡，他也会先去找她！

"元元，有些事，我是永远不会忘记的。"这是陆劲对邱元元说的最后一句话。

妈的！他肯定记得她家的电话号码！也记得她住在哪里！

也许他们会约好在某个地方见面！也许他还会再度绑架她，虽然她是心甘情愿的，但是并不排除他把她当做人质。该死的！不知道她有没有接到这个电话。

想到这里，他不假思索地拉开了车门。

"头儿，我们去哪儿？"罗小兵急急地问道。

"去邱元元家，快上车！"

"那这里……"

"别管了！"罗小兵还没来得及关好车门，岳程就踩下了油门，汽车飞一般冲了出去。

岳程一边开车，一边命令罗小兵："给总部打电话，要求他们查一下出租车的车牌！"

看地址，邱元元家不能算太远！不知道陆劲的车到哪里了！

邱元元可以肯定他是用发卡打开了手铐，这是他的拿手好戏，好多年前，他曾经表演给她看过。

"宝贝。如果你有我这招，你就能离开。"他得意地说，一边给了她一个发卡。

可是她怎么试都打不开，当她气急败坏地把发卡扔还给他时，他大笑。

"这得练习，还要有耐心，知道吗？以前别人教我的时候，我练了很久。"他把发卡藏好了，后来只有他在的时候，他才会给她发卡。

"谁教你的？你还学这个？"

"我的笔友，一个自称犯罪大师的人。他天生就是个罪犯，他最大的兴趣就是研究犯罪和被抓了之后怎么逃。打开手铐就是他教我的。"他说话的时候是夏天，穿着件白汗衫坐在方桌前，一边吃西瓜，一边拿出封信来，"这是他给我写的信，你要不要听听？"

她很感兴趣，但还是没好气地说："你爱念不念！"

她别过头去，不想看他，却偏偏无意中瞥见了他的脚。他赤脚穿双拖鞋，脚很白，脚背上有块凹凸不平的伤疤，看上去特别刺眼。她很想问问他脚上的疤是怎么来的,但又不愿意让他知道她注意到了这个,所以最后只能什么都没问。

他念起信来:

"陆劲,我觉得我跟你最大的不同就是,我无法把别人当人看,无论是我的父母、姊妹兄弟还是朋友,我无法把他们当做一个有生命、有感情的人看待。你应该吃过花鲢鱼吧? 就是一般人说的胖头鱼,我们常常会把它的头切下来炖汤,所谓的鱼头汤就是用花鲢鱼头煲的。你在品尝鱼头汤的时候会想到花鲢被杀时的痛苦吗? 当它的头在汤里翻滚时,你会想到它被杀时的心情吗? 当你的筷子戳进它的眼眶,把它的眼珠子抠出来丢进嘴里的时候,想过它也曾是有生命的东西吗? 对,也许你想过,但你想到这些无非只是想确认鱼是不是新鲜,而不是它是不是个生命。我说这么多,只是想告诉你,我跟别人的不同。对我来说,我周围的人就跟花鲢鱼一样,就算吃了他们,我也不会有任何感觉,我是不是很怪?

打个比方说,我最近就干了件不太厚道的事。我把一个邻居弄死了。她是我们那里最美的女孩,在学校也是校花,人漂亮,功课好,脾气也好得很,我特别讨厌她,因为我不可能像她这么活着,跟她比,我既没教养又变态,她是白雪公主,我就是苍蝇了。那天,我把她骗出来,把她砸昏后,推到了铁轨上,后来,她被火车碾了,真遗憾,我不能在现场观摩那惨烈的场面,因为我得去上班,我得挣钱,我跟她可不同。"

"他说的是真的假的?"听陆劲念完,她好奇地问。

"我不知道。"

"你上次念给我听的,蒙面强奸女孩的那封信也是他写的?"她问道。

"对,就是他。"

"他为什么要给你写这些? 他不怕你告发他吗? "

陆劲笑了笑说:"他知道我不会这么做的。"

"哼,看来你肯定也写过很多类似的变态故事给他看,否则他不会那么大胆,这是对等的! 你们可真是物以类聚! 你以前还杀过多少人?"她说到最后那句,好像看见陆劲的脑袋突然变成了一个可怕的骷髅,于是不自觉地浑身发起抖来,他立刻就感觉到了,连忙把信收了起来。

"在王丽君之前,我没杀过任何人,只有在心烦的时候才会乱想一些事。我想他应该也是这样,过过嘴瘾罢了。"他说完,又补充了一句,"王丽君是我女朋友。"

"王丽君就是你在广州的那个女朋友?"她不知道自己为什么会接着问下面这个问题,"你到底有几个女朋友?"

"就她一个。在跟她好之前,我还是小男生呢,除了一件事,其他什么都尝试过了。"他笑眯眯地说。

"说说,她是怎么会喜欢你的?"

"深更半夜,她把钥匙掉在房间里了,我给她弄开了锁。于是她就不让我走了。"他爽朗地笑起来,又继续吃他的西瓜了。

发卡,发卡,他肯定是用发卡打开了手铐。

"头儿,回复来了。"罗小兵的语气有些沮丧。

"怎么说?"

"出租车司机说,他跑空了,精神病院没人上车。"罗小兵一脸疑惑。

"你说什么?没人上车?"这句话差点让岳程忘记开车,他的脑子好像被枪把砸了一下。为什么出租车没人上车?为什么?难道是我猜错了?难道那两个电话只是圈套?难道叫出租车只是为了迷惑警方?难道陆劲仍然躲在精神病院?想到这里,他差点掉转车头,但他立刻又冷静了下来。他告诉自己,这是不可能的!他离开时,警方的人已经把整个精神病院全部封锁起来了,四周也加强了警戒,路口又有人盘查,如果陆劲还在那里,就算他有再大的本事也难以脱身。

那么,他到哪儿去了呢?他能到哪里去?

假设出租车是幌子,那给邱元元家打的电话也是幌子吗?

难道他不是去找她吗?

陆劲应该很明白,他这样逃走,没多久,印有他照片的通缉令就会遍布大街小巷,他是跑不了的,无论他到哪里,都会被人认出来。所以,对他来说,目前最重要的就是要找一个安身之处。而现在,在这个世界上,大概邱元元是唯一可能接纳他的人。她不仅喜欢他,还有相当的经济实力,她的父亲是资产雄厚的实业家,她又是交游广阔的电台女主播,她有能力帮他逃跑,并把他安顿在一个安全的地方。所以,岳程相信,陆劲一定会去找邱元元,这不仅是因为他喜欢她,还因为他得依靠她。

假设他的确是要去找邱元元,但却没有乘上他预订的那辆出租车,那么他将如何离开被封锁和严加盘查的五里桥区域呢?

突然之间,他眼睛一亮。

在陆劲失踪后的那段时间,只有一辆车离开过精神病院。就是他们这辆车,而他们这辆车并没有被检查。刚刚在精神病院,因为事出突然,他也没有好好检查他们这辆车。

妈的!后备厢!

如果他现在开车去邱元元家,而这混蛋就躲在后备厢里,那么就等于是他们亲自送他去见她的。妈的!

岳程一个急刹车,把车停在了路边。

"怎么了,头儿?!"罗小兵紧张地问道。

"别废话,快下车!"他低声命令道。

罗小兵听话地下了车。岳程拔出手枪向车后备厢疾步走去,罗小兵紧跟在他身后。

陆劲,陆劲!别以为世界上你最聪明!岳程一边在心里诅咒着,一边小心翼翼地走到后备厢边上,他将手枪上了膛,同时朝罗小兵使了个眼色。罗小兵对他的意思心领神会,把手放在了后备厢的开关上,他一只手用枪指着后备厢,一只手跟罗小兵做着手势,"一、二、三",罗小兵猛地按下后备厢的开关,后备厢的门"哗"地一下弹开,岳程用枪指着后备厢里面,大吼一声:

"举起手来!"

可是,后备厢里却什么声音也没有。

他只看见里面放着陆劲外面穿的那件藏青色中式棉衣。

他现在会在哪儿?会不会来找她?他根本不知道她现在的手机号码,按理说,他也不会给她家里打电话的,他知道那样会给她带来麻烦,而且,她父亲以前跟他同是收藏家俱乐部的成员,两人很熟,说不定还能听出他的声音。他该知道,她父亲该有多恨他,但他一定会来找她,他一定会来的。只要看看他最后看她的眼神就知道,他根本放不开她,是的,他也想放开的,她知道,但是他就跟过去无数次一样,杀她,他下不了手,爱她,怕伤害她,离开她,又做不到。所以,他一定会来。

邱元元心里一阵兴奋又一阵担心,既想哭,又想笑。

"姐,你愣着干吗,快去客厅跟李震他们打个招呼吧。"依依推了她一把。

"嗯,好。"她随口应了一声,刚想跟着依依进客厅,忽然就想到了楼上的窗子。

他们家住的是老式独立楼房,没有花园,她的闺房在二楼,二楼并不算高,他会不会,会不会从窗子外面爬上来?

"等等,依依。我先上去一下。"她顾不得解释,推开妹妹,直冲自己的房间。

她一进房间就把门锁上了,免得依依跑来烦她,她现在有重要的事要做。

她打开玻璃窗和纱窗,从书橱旁边拉出平时找书才用的小梯子,把它搬到窗边,她已经大致算过,踩着梯子的最上格,正好可以够到空调架。她把梯子从窗口猛地一推,只听到"哗啦"一声巨响,梯子掉了下去,声音够响的,接着,她听到楼下打开玻璃窗门的声音,依依的惊叫声和一连串小声的议论声。她对自己说,"我太鲁莽了,可是我没别的办法把梯子弄下楼。"

她知道,妹妹很快就会来敲她的门,所以在这之前,她得把什么事都安排好。她从柜子里拿出一件男式衬衫、一件滑雪衫和一双运动鞋,这都是袁之杰留在她家的,还没来得及还给他,不管了,先借一下再说。她把这些衣服放在床上,又在那堆衣服里面塞了一叠钱和一个平时不用的小灵通手机。

"咚咚咚"……"咚咚咚",传来一阵敲门声。

"开门,开门!老姐,你在干什么?!"是依依怒冲冲的声音。

"马上来,马上来。"她随口答应着,站在房间中央,仍在想着还有什么可以给他准备的。对了!水!他一定需要水,她急匆匆把一瓶没开过的矿泉水放在那堆衣服旁边,这才开了门。

"姐,你到底在干什么?你的梯子怎么会掉下去的?"赵依依皱着眉头问道。

"我觉得它好碍眼,不想看到它!"她满不在乎地说,一边走出房间,随手带上了门。

"不喜欢就扔出窗?我真服了你这小姐脾气,要是砸到人怎么办?你不知道妈妈已经睡了吗?要是吵醒她怎么办?"

对了,她这才想起来,下午她离开医院后不久,妹妹就接妈妈回家了。

"妈现在好些了吗?"

"还有点痛吧。"赵依依不安地瞥了她一眼,问道,"你在搞什么鬼?为什么把梯子扔下来?"

"不是跟你说了讨厌它吗?"她想了想又提醒道,"你不要告诉别人啊。"

"我不告诉别人,别人也知道是你扔的,那东西也太大了。"

好像是大了点,她还没回答,又听妹妹说:

"梯子扔在外面也太不安全了,我得让李震把它弄回来!"

她大惊,连忙说:"你别瞎操这心了!怎么还没结婚就像个管家婆了!"

"可是……"

"人家要闯进来,撬楼下的大门就行了,还用梯子?那不是太明目张胆了吗?"她佩服自己能马上想出这么一个合适的理由来,不由自主地笑了。

"这倒也是,明天再说吧。"妹妹被说服了。

"行,明天我来想办法处理,"她说完,便催促道,"好了,别多想了,客人都等急了。"

忽然之间,她的心情莫名地大好起来。她一边飞奔下楼,一边在想,今天是什么日子?情人节吗?我不仅跟阔别多年、以为已经不在人世的心上人深情相拥,而且这男人还可能会乘着夜色,偷偷爬进我的房间跟我约会!

噢,My God! 这时候该来杯啤酒才对!

"我们现在去哪儿?"罗小兵瓮声瓮气地问。

"去邱元元家。"岳程一边开车,一边回答,他现在已经完全冷静下来了,他明白,不管陆劲要什么花招,到最后他还是会去找她的,这不仅是感情的需要,还是生存的需要。

"头儿,他应该知道我们会去找那女人吧?这样他还会去?"

"他只能去找她,只有她才会帮他。"岳程的脑子里又闪过她把脸贴在陆劲脖子上的情景,在那一刻,他几乎可以通过想象感知到这种肌肤之亲产生的热量,如果陆劲不是杀人犯,如果邱元元不是那个令他心动的帅女郎,他也许会网开一面,给他们几分钟单独相处的时间,但因为是他们,于情于理,他都不想再看到他们在一起了,他不想她对这份没有未来的感情寄予希望,更不想她因为这个男人而坐牢,所以,无论如何他都得阻止他们再见面,即使阻止不了,至少也该给她一个警告。这样想着,他又加快了车速。

"不知道这个混蛋现在在哪儿,他到底是怎么从五里桥这个地方逃走的。"罗小兵在旁边嘀咕了一句,他现在已经锐气全失,语气里充满了沮丧。

"他是乘出租车离开那个地方的。"岳程注视着前方答道。

他已经猜到陆劲是怎么做的了,不得不承认这家伙是很聪明。

"可出租车司机说,他没在精神病院接到人。"罗小兵争辩了一句。

"司机没在精神病院接到人,并不代表他没在精神病院外面接到人。陆劲完全可以趁出租车还没到精神病院的时候,跑到外面的街上,等出租车从精神病院跑空出来后,他再上车,这样他就可以冒充是路上的行人了,这个混蛋打了个时间差!"

听了他的话,罗小兵愣在那里半天没反应过来。

"你听明白了吗?"

"他为什么非要上这辆出租车?他完全可以上别的出租车。"

"你也看见了,那地方很偏僻,通往精神病院的这条路又是单行道,如果不叫出租车,根本就没有出租车会去那里,就算有,也得等很长时间,他可不能等。"

岳程觉得最大的可能是,陆劲曾经去过那家精神病院,所以他熟悉那地方。

"你现在打电话给总部,让他们联系那个出租车司机,问他从精神病院出来后,在哪里接的第一个客人。这个客人衣着打扮是怎样的。"岳程叹了口气道,"如果我没猜错的话,他早已经换过车了。妈的!"

罗小兵立刻接通了跟总部的连线,大约十五分钟后,回复过来了。

"是吗……啊……他长什么样?……噢……燕平路……噢……好的,明白,明白。"罗小兵接了电话。

"怎么样?"罗小兵一放下电话,岳程就问道。

"头儿,你猜得没错,司机是在通往精神病院那条小路的路口载的第一个客人,他说这个男人穿了件白色格子衬衫,满头白发,他在燕平路附近下了车,下车时间大约是八点五十分。"

"燕平路?"岳程皱起了眉头,如果没记错,那条路在 D 区和 C 区交界的地方,是个小小的商业中心,他看了看表,现在是九点二十分,虽然已经不早了,但那个地方应该有很多大商场仍在营业。陆劲到那里不仅可以立即买到一件御寒的外衣,还可以随时叫到出租车。他顺手拿出张地图丢给罗小兵,"查一下,燕平路离邱元元家有多远?"

"大概还有十五公里。"罗小兵道。

岳程在心里快速算了一下,他认为不管陆劲的动作有多迅速,买衣服和叫出租车怎么都得花上十分钟左右的时间,由于燕平路一带是全市最堵的路段之一,即便是晚上也不例外,所以,陆劲买完衣服从燕平路赶到邱元元家,至少需要二十分钟。

而他呢，直接从精神病院赶到邱元元所在的兆丰路，由于是抄近路，顶多还有二十多分钟就到了。所以，也许，他们还有可能赶在陆劲之前到达邱家，他不知道先到是不是会更有利，但如果能赶在她跟他见面之前，给她些警告应该不是件坏事。

简东平还是老样子，干净时髦的打扮，新潮古怪的鞋子，清瘦紧实的身材以及略带狡黠的眼神，只不过，现在他身边的已经不再是那个曾经美丽得让人喘不过气来的小模特江璇了，他现在的女朋友是一个中等身材，长着一对大眼睛，梳着马尾巴的漂亮女警察，他一会儿叫她凌戈，一会儿叫她肉圆，口气里带点亲昵，又带点戏弄，虽然坐在她身边，但有时候好像是在故意跟她错开距离，看得出来，他很喜欢她，但还没决定要跟她走多远，这跟以前他跟江璇在一起时的感觉完全不一样。

在他们唯一的一次聚会上，简东平对江璇表现出来的是彻头彻尾的迷恋和毋庸置疑的爱，"我们会很快结婚，结婚后，我得把她养胖些，这是我的目标和任务。"邱元元记得他在饭桌上把这句话说了好几遍，还总是忍不住回头看她，不时握住她的手，他眼睛里流露出来的那份火辣辣的爱曾让她们两姐妹羡慕不已，她们曾经以为，他跟江璇真的会很快结婚，但谁知眼巴巴等来的不是喜帖，却是他们分手的消息。

"那真是他的女朋友吗？"在厨房洗水果盘子的时候，她轻声问依依。

"他是这么说的，不过那个女的又说他们只是好朋友，"依依耸耸肩，"谁知啊，他能带她来，就说明他们的关系不一般。"

"看上去好像还没到那程度。"

"他想要忘记江璇可没那么容易，毕竟像江璇那么漂亮，又那么爱他的女孩不多。"赵依依的声音忽然低了下来。

赵依依和江璇曾经是形影不离的好朋友，可自从江璇吸毒后，两人就渐渐疏远了。今年春节前夕，江璇被发现死在自己借住的出租屋里。邱元元知道这件事一直让妹妹难以释怀。

"我前几天在网上搜到江璇的博客了，看了之后，我难过死了。"赵依依的眼圈红了，"我既恨她不争气，又为她难受，我真不明白，后来她怎么会变成那个样子。"

眼看赵依依就要哭了，邱元元连忙劝道：

"依依，江璇的死，她自己要负主要责任，你对她已经尽到了一个好朋友的义务，我记得你曾经借钱给过她，还曾经帮她联系过戒毒所，但后来怎么样？她还不是自己放弃了？"

"她那时候是有点破罐子破摔了。你不知道，那时候，其实她是想戒毒的，她跟简东平分手后，曾经去戒过毒的，但是……"赵依依忍着泪说，"但是，她在戒毒所检查身体的时候，发现自己患了，患了那种病……我是说，性病。"

"真的?!"邱元元大吃一惊，随后轻声问道，"那么简也有可能……是不是？"

赵侬侬重重点了点头。

"江没敢问他,但她说八成是传染给他了,因为那时候他常住在她那里。她知道他们的关系是彻底完了,你想想,简东平第一次住在江璇家时,连她家的马桶都要换,像他这么自负又有洁癖的人,碰到这种事能原谅她吗?我想,如果没这事,如果江璇真的戒了毒,他还是会回到她身边的,但是出了这事,的确是不太可能了。江璇就因为这后来才完全放弃的。她不想戒了,觉得戒了也没用。他不会回来了。"

"这个江璇,她的脑子是不是吸毒吸傻了?她既然这么在乎简东平,怎么还会跟别人……"江璇在邱元元眼里可不是那么随便的女孩。

"她说那可能是在她没意识的情况下发生的,她们那堆人不是都很乱吗?有几次她跟她那些朋友在夜总会里狂欢,醒来的时候,发现衣服没穿好,他们那堆人男男女女都有,她不知道是跟谁,她都记不清了。"

被侬侬这么一说,邱元元从心里同情起简东平起来,她愤愤不平地说:"那你还怪简东平干什么?他那么爱江璇,但他得到了什么?"

"我知道江璇是咎由自取,也知道她伤害简,伤害得很深,但是看见他现在有新女朋友,我还是觉得心里不舒服,我总觉得他即使不跟江一起去死,也应该孤单一辈子,这好像才是真正的爱情,我是不是很恶毒?姐。"赵侬侬皱着眉头说。

她刚想回答,就听到背后传来李震的声音。

"侬侬,你们在干什么?客人都要走了。"

"走就走呗,你送送他们不就得了?"侬侬又耍小姐脾气了。

"别闹了,我也得走了,出来送送我们。"李震笑嘻嘻半带命令式地把侬侬拽了过去,接着他又看看邱元元说,"姐,你也来吧。"

"好了,这就去。"邱元元笑着答应道。

"叮咚——"

外面传来一阵门铃声。

"这么晚了,谁会来?"赵侬侬嘀咕了一声,奔了出去。

难道是他?邱元元心里先是一阵兴奋,随后马上又冷静了下来,她知道,不可能是他。这个家的人都认识他,如果他贸然闯进来,那未免也太冒险了。那会是谁?莫非是警察?一定是的。今天亲眼目睹他们拥抱在一起的那一幕后,警察一定认为,他会来找她,她本来也希望如此,但她心里明白,如果警察已经注意到她了,那么他还是不要来找她为妙。因为,警察肯定会派人日夜监视她和她的家,没准还会监听她的电话,为了他的安全,他最好还是离她远点。情人节的喜悦和兴奋从她心头散去,她现在只觉得烦躁不安、失望、恼火和气愤,并且发疯一般想去自己的房间看个究竟。

她走到客厅里,赵侬侬已经打开了门,果然不出所料,进来的就是她今天遇到的那两个警察。她首先注意到的是那个略微年轻的小警察,他烧成灰她也认识!今天就是这个人用警棍打了她最喜欢的人,她现在想到陆劲弯下身子那痛苦的模样,心里还疼得发颤。此刻,这个人正在客厅里东张西望,像是在寻找什么蛛丝马迹,她真想放条藏獒去咬断他的腿,可惜她没有。

"能跟你单独谈谈吗?"岳程无视所有人的存在,走到她跟前,看着她的眼睛问道。

她脸一板。

"有事吗?"她问。

"没事我不会来。"

旁边传来轻轻的咳嗽声,是简东平。

"元元,既然你有客人,我们就先走了。"他说。

她别过头来,为了显出区别对待,她很热情地上前挽住了他的胳膊。

"James,我送你出去。"

她把简东平和凌戈送到大门口。

"留步留步,你家还有客人哪。"简东平说。

"你的车呢?停哪儿了?"邱元元知道简东平开辆吉普车。

"在对面,看见了吗?"简东平朝对面马路一指,她果然看见对面的饭店门口停着辆吉普车。

"James,你有我的手机吧。"她说。

"当然。"

"给我打电话,我们抽个时间好好聊聊。"

"好啊。"简东平笑着说。

看见他笑得那么开朗,邱元元心里微微有些难过。依依刚刚向她透露的心酸往事,让她对这个自负聪明的男人有了新的认识。江璇的堕落,她本来一直认为他有很大的责任,她总觉得,对自己深爱的人,无论她做什么,他都应该不离不弃,如果她吸毒,他就应该帮她戒毒,但今天的事却让她彻底原谅了他。因为她明白,世上没有什么无条件的爱,假如她碰到同样的事,假如她是简东平,就算有再深的感情,到最后,她恐怕也一样会放弃,因为性是底线。

她可以容忍她的男朋友是罪犯,可以容忍他的残暴,但却不能容忍他的放纵,不能容忍在跟她交往的时候他还染指别人,即使是无意识犯的错也不能原谅。

幸亏陆劲不是这样的人。

在他跟她相处的那段日子里,大部分晚上,他都睡在沙发上,偶尔他也会躺在她身边,但总是背对着她。有时候,他每个毛孔都在诉说着他的需求,但他并没有因为饥渴难耐就对她乱来,更没有去找别人,他始终在她身边,有时画画,有时洗澡,有时喝冰水,只等着体内的烈火慢慢熄灭。

正因为在他囚禁她的那段日子里,他忍住了自己的欲望,正因为他明明爱她,却什么都没做,她现在才会那么爱他。他以他的忍耐,换回了她的心。

送走了简东平和凌戈,她回到客厅里,看到岳程正在跟她妹妹赵依依说话,她走近的时候,妹妹忽然回过头来,用一种异样的目光看着她。她立刻明白,警察已经把陆劲的事告诉她了。妹妹的目光里既有担心,又有警告,仿佛在说,姐,我快结婚了,你可别闹出什么事来啊。

"依依,你先去送送李震。"她对妹妹说,现在她没工夫解释。

依依好像还想说什么,但看了一眼那两个警察后,她挤出了一个笑容。

"好。你们先聊。"她转身跟李震一起出了门。

待依依把房门关上后,邱元元对岳程说:

"好吧,你想说什么,现在可以说了。"

"陆劲来找过你吗?"

"陆劲不是跟你们在一起吗?"

"他跑了。"岳程直截了当地说。

她回头看了他一眼,冷笑道:"你们多厉害啊,又有手铐,又会打人,怎么就让他跑了? 也太大意了吧。"

"喂! 你这是什么态度!"罗小兵冲口而出。

"我就这态度! 怎么样? 是不是也想打我啊? 连个犯人也看不住! 还有资格朝人嚷嚷?!"她鄙夷地横了罗小兵一眼,再次产生了想袭警的冲动。

"没错。我们是大意了。但现在不是追究责任的时候。"岳程倒没有发火,但口气里却有种不容她小觑的威严,"我想去看看你的房间。"他说。

"你说什么?!"她又惊又怒,"你有什么权利这么做?! 你有搜查令吗?"

"没有。但我会补给你的。事关重大,我想你会理解的。"

"我……"她气得说不出话来,对这两个人的仇恨又增加了三分。

"你的房间在哪里? 带路吧。"岳程漠然地注视着她。她明白他眼神中的意思,抗争是没用的,如果今天她不让他看她的房间,他就不会走。

"好吧。"迟疑了一会儿,她终于不情愿地作出了让步。

她心想,如果他没来,他们就会在她床上发现那些钱和衣物,继而会发现开着的纱窗以及窗下面的小梯子,他们会以此推断她有意助他逃走,于是他们就有了对她严加监控的充分理由,他们会监听她的电话,派人跟踪她,还会埋伏在她家周围,而这样就意味着,他离她越近,就会越危险。忽然之间,她发现自己刚才做的一切非常失策。

在公在私,岳程都很想参观一下邱元元的闺房。

虽然他明知道,他的这个要求会引起她的极大反感,但他还是提了出来,并毫不犹豫地付诸了行动。他跟着她登上了楼梯,罗小兵照例也在一起,她走了几级,忽然回转身瞪了罗小兵一眼。

"轻点!想把我妈吵醒吗?她在睡觉!"她斥道。

她的目光差点没让他笑出来,如果目光能杀人的话,她已经杀了小罗三百遍了。

她的房间大约有十五平方,很整齐,但稍微显得有些拥挤,这可能是因为这间屋子里有整整一堵墙全做成了书架的缘故吧,书架上放满了书,他看了看,大部分都是侦探小说,看来她天生就爱冒险,喜欢刺激。房间里并没有挂任何装饰画或者照片,陈设也算简单,一张床,一个大衣柜,一张书桌和一个小小的梳妆台。

床是双人床,上面铺着浅蓝色的床罩,床罩上面放着件黑色短皮衣和一条深蓝色的细条纹紧身马裤,这大概是她为自己准备的第二天的装束,他能想象她穿上这身衣服时的模样,没错,一定帅呆了。

他回过身想跟她搭讪两句,问问她为什么把这身衣服放在床上,却发现她正盯着书桌发呆。书桌上除了一瓶喝了一半的矿泉水外,什么都没有。她在想什么?他还来不及解读她脸上的异样表情,就发现书桌旁边的那扇窗有些异样,玻璃窗和纱窗都开着。现在虽然不是寒冬腊月,但天气还算冷,窗门大开本来就很奇怪,更何况,纱窗还开着。他知道很多人家的纱窗长年都关着,为的是防虫。他从窗口探出身子,低头一看,窗子下面什么都没有。

"邱小姐。"他道。

"嗯?"她猛然醒过来。

"可以告诉我,这扇窗为什么开着吗?"

她瞥了一眼那扇窗,轻描淡写地说:

"我想保持空气流通,不行吗?"

"那么……"他回转身,抬头看了一眼书架的最高层,"如果你要拿最上格的书,你怎么拿?"他目测了一下,那一层接近屋顶,即使踩着椅子也够不到。

"用梯子。"她道。

"梯子呢?我怎么没看见?"他没在这房间找到梯子。

这个问题她没回答,也许是,根本没听到。她目不转睛地盯着那瓶矿泉水,过了会儿,他发现她脸上慢慢浮出一个浅浅的微笑,并朝书桌走了过去。

"我喜欢开窗。"像是在证明自己刚才在耐心听他说话,她心不在焉地又回答了一句,结果是答非所问。她走到桌边,慢慢拧开了那瓶矿泉水,对着嘴喝了一口,接着,又是一口,然后,她注视着那个矿泉水瓶,笑了。

他全神贯注地观察着她的一举一动,她的笑很美,非常美,但是看着她的笑,忽然之间,他觉得浑身发冷。

他明白,陆劲来过了。

那瓶水就是他留下的。

这个混蛋！又被他抢先了一步！他到底是怎么办到的？难道他到燕平路后并没有去商场买衣服？而是穿着薄薄的衬衫直接叫了辆车到了这里？但即便是这样，他也很难以这么快的速度赶到。燕平路可是著名的堵车路段。他到底是怎么做的？对了，摩托车！汽车开不了的路段，摩托车可以照样通行无阻，也许，摩托车还能抄近路，他需要花的时间比想象中少得多……岳程的脑子像被什么东西抽了一下，一时间，沮丧、羞愧、恼怒一起涌上了心头，看见她手里仍旧拿着那瓶矿泉水，想到她正借着这个矿泉水瓶在跟那个杀人犯来什么隔空接吻，他真恨不得劈手把它夺过来，扔出窗外。

但是当然，他什么都没做，等他的情绪稍稍恢复后，他朝她走了过去。

"邱小姐。"他说。

她转过脸来看着他，目光冷冰冰的，等着他发话。

"他拿走了警枪。"他说。

她的眉毛向上一挑，并没有受惊吓，反而好像还觉得挺有趣，但她没说话。

"如果你碰见他，请你转告他，如果他不在二十四小时内把枪还回来，我就会申请特别行动令。这样的话，他一旦被我们的人抓住，他将会被就地枪决。"他平静地说，眼前仿佛出现一颗子弹穿过陆劲心脏的场面，不错，他现在很希望这个场面能成为现实，他希望这个混蛋能被枪毙，越快越好。

他的这两句话让她有了点反应，但不是他想要的反应。

"他拿走了谁的枪？你的？"她嘴一歪，笑了。

"我没在跟你开玩笑。元元。"他自己也不知道为什么会突然直呼其名，也许是因为恼火，也许是因为想引起她的重视。

她对他叫自己的名字，倒不太介意。

"好吧，"她正色道，"如果我碰到他我会转达你的意思，但是他未必会来找我，因为那太危险了。"

他笑着瞥了一眼她手里的矿泉水瓶，这表情立刻被她逮到了，当他再度抬起头看着她时，她的脸色变得非常难看。

"我对你的忠告是，别犯傻。"他说。

"简东平，我觉得那个人好面熟。"凌戈说。

"谁啊？是后头来的那两个人吗？"简东平一边开车，一边回头看了一眼神情有些紧张的凌戈。

"嗯，就是。我怎么觉得那人有点像B区警署的岳探长啊？"凌戈歪头琢磨。

"你说他们是警察？"被凌戈这么一说，简东平也觉得那两人的举止和神情像是有公干在身的人，只是，警察这么晚来找元元干吗？

"我没见过他本人,只看见过照片,他不常到我们局来。我真的觉得他很像。不过,他好像比照片里显得年轻些。听说他才三十岁,已经立了不少功了。还听说,他跟高竞高科长在竞争同一个位子,不知道是不是他。"

　　"是警察又怎么样?跟我们没关系。"简东平不想让凌戈为这种无关紧要的事费神,他回头看了她一眼道,"肉圆,我有话要跟你说。"

　　"你说吧。"她的小肉手伸进包里摸索着。

　　"这个周末有空吗?"

　　"我不知道,也许有事,也许没事,当警察的说不准。"她掏出了自己的小账本,借着车里的灯光看起来,随后叹息道,"哎呀,今天超支了,我中午请我中学同学吃了肯德基,好贵啊。她又特别能吃,一下子就花了50块。"

　　"小心眼睛,别看了,听我说话。"他腾出一只手来,一把夺过了她手里的小账本。

　　"有什么就说呗。"她嘀咕了一句。

　　"我想带你去我朋友的农庄度周末,在那里可以自己钓鱼,能吃到农家散养的土鸡,还可以到大棚去摘黄瓜和番茄。怎么样?有空吗?"他问道。

　　"真的吗?"她睁大了眼睛,兴趣十足,接着又问,"那……要不要买门票?"

　　"你跟我去还要买什么门票?"他笑道,"不过,我们可能得住一个房间,因为我跟他说,你是我的未婚妻。"

　　这句话显然把她惹恼了。

　　"简东平!你为什么老是到处乱说?你这样,别人都会误会我们的!我们是……"

　　"我们是预备夫妻嘛。"他哈哈大笑。

　　"谁跟你是预备夫妻!"她白了他一眼。

　　不知不觉,他已经把车开到了家门口,最近这段时间,凌戈一直借住在他家。她自己那套房子自从去年遭遇电视机爆炸后便面目全非,现在仍在装修。

　　"你找来的装修公司为什么动作这么慢?可不可以换一家?照他们这速度,我几时才能住回自己家啊。"她对此怨声载道。

　　"已经签了合同,付了大部分钱,如果现在反悔,可能要赔钱。再说住在我家有什么不好?你有自己的房间,萍姐做的菜又好吃,你只不过是偶尔为我端端茶,洗洗衣服而已,又没让你付房租,你说呢?"他每次这么一说,她就不做声了。

　　"到家了,上去吧。"他把车停在大楼门口。

　　"你不上去?"

　　"我得去买点东西,马上回来。"他拍拍她的肩。

　　"好吧。"她眼巴巴地看着他,刚想转身开门,他就从背后抱住了她,并不由分说地亲了一下她粉粉的脸和后颈。

　　"简东平,你干吗呀!"她想推开他但没成功。

"你好香啊,肉圆,你怎么会那么香?"他咬着她的耳朵轻声说,忍不住将她越抱越紧,一开始她很顺从他,任他亲吻自己的脖子和脸,任他抚摸自己的头发,任他把整个身子贴在她背上,但很快,她就像意识到了什么,开始拼命挣扎起来,最后她用尽全身的力气把他推到一边。

"你,你这么对我算什么?算什么?你不要以为我是好欺负的,什么预备夫妻!谁跟你是预备夫妻!"她说话带哭音。

"对不起。"他道,心情瞬间低落到了极点。

"我明天就搬出去,我再也不想看到你了!"她说着,整了整衣服,气急败坏地下了车。

他坐在驾驶座上,回头看着她奔进大楼的背影,有那么一刻,他很想追过去,他明白,她现在等的就是他的一句话,但是……算了。他发动了车子。

他一边打开车窗,让夜里的冷风吹进车里,一边打开了音响,一曲狂乱叫嚣的重金属摇滚乐骤然响起。以前他痛恨摇滚乐,总觉得听摇滚乐无异于自我虐待,甚至认为这种嘈杂刺耳的声音根本不能称之为音乐,但后来他发现,当他心情很糟糕的时候,这种震耳欲聋的声音恰恰能帮他摆脱痛苦,他记不得有多少次,是这恐怖怪异的音乐为他驱散了心里的苦闷,把他从深渊中拉了出来,他的神经正是在这种音乐的折磨中渐渐摆脱了另一种折磨。

自从跟江璇分手后,他就爱上了摇滚乐。

好吧,再响点,再响点,他把音量开得很大。

他脑海里又出现了刚刚凌戈那张伤心的脸,他知道她想要什么,也知道自己对她的感觉,但是,他还是下不了决心,总觉得有什么东西挡在了前面,他不知道那是什么……

"喂,关小一点行吗?"他听到有人在说话。

也许声音是大了点,他想。

等等!谁在说话?!车里只有他一个人,他并没有说话,那么是谁?难道是幻听?或者……有人在我车里?他惊恐地想着,啪的一声,关掉了车内的音响。

"谢谢。"一个声音从车后座传过来,不轻也不重。

果然,有人在我车里!他抬头朝后视镜看去,这一看,他差点把车撞到一棵树上。他来不及细想,赶紧调整方向盘,猛地一踩刹车,把车停下,接着,他怀揣着一颗乱跳的心慢慢回过头去,迎接他的是一张熟悉的脸。

"陆劲?!"他叫了一声。

"好久不见了。"陆劲朝他笑了笑。

简东平看见陆劲时的第一个感觉是,自己是不是在做梦?这个人不是应该已经死了吗?怎么会在这里?他是不是真的撞见鬼了?于是他问了一个很蠢的问题:

"你是人是鬼?"

"你见过鬼吗?"陆劲问道。

他茫然摇摇头。

陆劲把一只手搭在他身上,他觉得一股热气从对方的手掌向他传来。

"你是热的。"

"对。"

他清醒了。

"你怎么会在我车里?"

"我逃出来了。"陆劲用再平常不过的语调说。

"你越狱了?"他意识到自己的反应有多慢,这个人之所以会出现在他的车里,这才是最大的可能,他开始考虑如何报警。

"差不多吧。把手机给我。"陆劲命令道。

无奈,他把手机朝后递了过去。

"你是怎么逃出来的?你怎么没死?"他忍不住问道,他实在太好奇了。

"我慢慢再告诉你,今晚我需要找个地方先安顿下来,能帮我吗?"陆劲一边说,一边掏出一把枪来指着他。

"你在胁迫我。"他提醒道。

"很抱歉。"

好吧,他有枪,现在只能见机行事了。

他很清楚陆劲是什么人,当年警方就是在他的协助下抓住这个连环杀人犯的。他知道,对于身犯八条命案的陆劲来说,多杀一个人,只不过是数字向上跳一格罢了,他连眉毛都不屑抬一下。所以首要原则是,不要激怒他,否则随时可能惹来杀身之祸。

"开车。"陆劲命令道。

这里的确不能停车,他相信如果再多停五分钟,就会有交警或别的人上前盘问,但是现在陆劲手里有枪,他只能乖乖地把车开走,因为他很清楚,即便引起交警的注意,对他本人来说也一点好处都没有,他很可能最先丧命。

他用五秒钟整理了一下心情,又活动了一下手和腿,刚刚因为过度紧张,它们有些僵硬,随后他重新启动了车子。

"我怎么帮你?帮你找旅馆?"开出几分钟后,他问道。

"帮我找个住处,不要去旅馆。"陆劲的声音听上去很疲惫,看来他是急需找个地方休息,他今天忙于逃亡一定累坏了。

"除了旅馆,我还能找什么地方给你住?"

"你好好想想。"

他想到了一个地方,那就是他自己家,父亲不在,除了他以外,只有凌戈在家,但今天凌戈在生气，按理说，她只会把自己关在房间里生闷气，这样的话，如果他把陆劲藏在自己房间，应该不会被她发现。想到这里，他忽然觉得自己在发疯，难道他现在真的准备帮这个杀人犯找住处吗？

"我真的没办法帮你，我看你还是走吧。"他觉得假装没看见陆劲是最明智的做法，但那把枪马上就顶在了他的脑壳上。

"没人可以帮我。"

"你可以去找你的朋友。"

"我没朋友。"

这倒是，几年前他就知道陆劲是个非常孤僻的人，一向独来独往。

"你可以回老家，回你父母所在的安徽农场，那里地广人稀……"

"他们都死了。我入狱后不久，我父亲来看过我一次，他告诉我，我妈在我被抓后不久就上吊了，我父亲去年病死了，我没亲人。"

虽然陆劲很懂得掩饰自己的感情，但简东平还是隐约从他那四平八稳的声音里听出了几分压抑的悲伤，他忽然意识到，这个杀人犯并不是在胁迫他，而是在求他，他现在的确是走投无路，没人可以帮他了。

"陆劲，你这是在害我。你是不是想报复我？"他问道。

陆劲没说话。

"喂，陆劲。"他催促了一声，他想知道答案，有了答案，他才能决定下一步该怎么做。

"我没恨过你，我知道，或迟或早，总会有一个像你这样的人出现的，这就是命。就像我的那个朋友一样，他或迟或早，都会碰到一个像我这样的克星。"陆劲说完，自顾自低声笑起来，这几声笑让简东平听得毛骨悚然，他完全不明白陆劲在说什么。

"你到底为什么要越狱？你有没有想过你迟早会被抓住的？他们会发 A 级通缉令抓你。到时候满大街都能看见你的照片，你逃不掉的。"

"我有要紧事做，顾不上这些了。"陆劲咳嗽了两声。

简东平瞥了一眼反光镜，蓦然发现陆劲身上只穿了件薄薄的旧衬衫，而且几年不见，他竟然已经满头银发。看来这些年的牢狱生涯给陆劲带来的除了身体的禁锢外，更多的是心灵的折磨。这不禁又让他想起，他们最后一次见面，陆劲边喝咖啡，边吃起司蛋糕的情景，那天他起身离去时，陆劲跟他挥手道别时曾说过一句话，他说，"你爱空气吗？离开她的时候，也就是该死的时候了。"那时候，所有人包括他陆劲自己，都认为他必死无疑，但是，他居然没有死，不知道这是不是天意。

"你有什么要紧事做？"他问。

"这事牵涉到很多条人命和一大笔钱。"陆劲又咳嗽了两声，"我考虑一下是不是要告诉你，但你得先帮我。"

好奇心，真是个害人的东西，简东平想。在那一秒钟，他骤然作了一个令他自己都觉得无比荒唐的决定。

"好吧，你有枪，我也是没办法。"他道。

陆劲望着面前热气腾腾的蛋炒饭和红烧鸡腿，禁不住咽了一下口水，他已经好久没吃到像红烧鸡腿这样实打实，色香味俱全的荤菜了，而且自今天中午到现在，他只在元元的家里喝过两口水，现在早就饥肠辘辘了。

"吃吧。"简东平道。

"谢谢你。"陆劲看了一眼饭菜，有些犹豫，他问道，"你女朋友呢？"

"她在楼上自己的房间生闷气。"

"她会下来吗？"

"如果她下来，就说你是我的朋友。"简东平很平静地说。

陆劲没想到简东平会带他到自己家来，不过仔细一想，也只有这里最安全，警察应该没那么快想到这个地方，他们首先应该会盘查所有的旅馆。他一进门就对简东平的家作了一番观察，这套复式两层楼的房子，位于这栋大楼的顶楼，有两个阳台，一个晒台，地方很大，但他无法从阳台或晒台跨到别的楼里去，也无法通过空调外机逃离，如果警察有备而来的话，楼梯和电梯又都走不得，所以他想，到时候除了束手就擒外，他恐怕只能挟持简东平和他的女友才有可能逃脱了。

"怎么还不吃？怕有毒吗？"简东平催促道。

"就我一个人吃吗？"陆劲问道。

"我吃过了。"

"吃一口。"陆劲觉得还是最土的办法最安全。

简东平无奈，夹了一筷子蛋炒饭又撕了一小块鸡肉放到嘴里。

"别忘了这杯水。"陆劲朝那杯水瞄了一眼。

简东平不动了，笑了起来。

"对不起，我在里面放了安眠药。"他说。

"为什么，想趁机告发我？"陆劲也笑了，他喜欢坦率的人，但是他一时还分不清对方是真坦率还是假坦率，他了解简东平，这个人非常聪明，懂得识破谎言和装傻，他怀疑自己可能是一脚踏进了一个自己挖的陷阱，但是现在他别无选择。

"那倒不是。我只是不希望你为了自身安全，在今天晚上对我和我女朋友不利，我希望你睡得沉一点，不想你绑住我们。我不喜欢被捆绑的感觉。"简东平看着他，隔了一会儿，他举起双手道歉，"好吧，对不起，我不该耍诈。"他站起身，从墙角拿出瓶未开的矿泉水来。

"这个我没动过，你喝吧。"他说。

他看了看那瓶矿泉水的口，的确没开过。

"多谢。"

陆劲知道，简东平从遇见他的那一刻起，就在盘算怎么报警了，但是他也知道，简东平之所以想报警是出于对自身安全的考虑，并非为了什么好市民的义务。他毕竟不是警察，先前之所以会参与破案，完全是因为他喜欢这种智力游戏，如果变成单纯的追捕犯人，他恐怕就会兴趣索然。更何况，刚才自己说的话已经引起了他的好奇心，现在他一定有大堆问题等着要问，所以一时半会儿，他应该还不会有所行动。当然，还是得小心提防……

"那是我们家今晚的剩菜，我家保姆做的，你吃吧，我保证没放什么东西，我保证。"简东平友善地朝他笑了笑，忽然站起身道，"你等等。"

他上了楼。

陆劲没有跟上去，他想，简东平不是去打电话报警了，就是去准备什么诱捕他的工具了，算了，不管了，防不胜防。现在他真是又饿又渴又累，就算要逃，也要吃饱饭再逃。这样想着，他毫不犹豫地举起了筷子。鸡腿的味道真不错，蛋炒饭也很香，虽然在微波炉里转了转，不能跟现炒出来的相比，但是对他来说，已经是难得的美味了。

楼梯上响起一阵脚步声，他抬头一看，是简东平，他手里拿着件深蓝色滑雪衫。

"给你。"简东平把滑雪衫扔给他，说道，"记住，这是你持枪在我家抢的。"

"你真体贴。"陆劲笑道，赶紧把衣服穿上了，这正是他现在需要的。

虽然在元元的房间里，他也看见一件男式滑雪衫，但他怕没得到衣服主人的允许就穿上它会给衣服的主人和她带来麻烦。

其实，在那扇小窗下面，他一看见那把梯子就已经明白了元元的意思，他也知道，自己先前的那个电话，已经让聪明的元元猜到是怎么回事了。

等他到了她的房间，看到床上的钱和衣服，就更加确定了元元的心意。当时他禁不住在心里骂道，傻丫头！你做的这些不是等于在告诉警方，你是我的同谋吗?！他的心像被人狠狠拧了一把，又酸又痛，他开始懊悔自己不该给她打那个电话。本来他也不准备贸然造访她的家，如果不是有重要的话要问她，如果他知道她的手机号码，他根本不用那么冒险，更不会让她为他冒险，现在这状况并不是他希望的。但他没有多少时间叹息和后悔，他马上意识到，他还算走运，他比警方早到了一步，还来得及把元元做的一切都抹去。

于是，他迅速把她为他准备的衣物塞进了衣柜，把小灵通手机扔进了抽屉，并且以最快的速度给她配了套衣服。这件皮衣和马裤还是四年前，他给她买的，现在看来仍旧很新，她保存得很好。那一年，他把衣服给她时，她曾拒绝穿它，还恶狠狠地说："我不穿！我在坐牢，我要买囚衣！给我去买囚衣！"

他希望她看到这套衣服，能记得他当时说的话，但愿她记得。最后，他在她房间里只拿走了1000块钱。

"好吧,现在你可以说了吧。"简东平的声音在他耳边响起。

"能不能等我吃完?"因为太饿,他已经吃了一半了。

"那让我来猜猜好不好?你只要说是还是不是,怎么样?"简东平道。

又来这一套,这人最大的爱好就是揣测和推理,想拦也拦不住。

"行啊。你说。"陆劲扫了一眼饭碗里的半个鸡腿,宽容地说。

"我不知道你是怎么越狱的,但是我知道,你刚刚肯定是去过元元家,否则,没那么巧,你怎么会正巧在那里上了我的车,我保证之前后座没有人。是不是这样?"

"是。"

"你也看见了,有两个警察去找元元,他们其实去找你的,是吗?"

"是的。"

"这么说,在这之前,你跟元元曾经见过面,否则,他们怎么会找上她?"

"是。"

"你的越狱应该算是大事,按理说应该得发 A 级通缉令,但现在通缉令我还没看到,这说明,你的越狱刚发生不久,也许刚刚发生。是吗?"

"是。"他笑了笑,简东平思路很敏捷。

"你去找她是想见她,对吗?"

"对。"

"看来你没有她现在的电话号码,否则你没必要冒这风险。而你又说,你跟元元见过面,这说明你们见面的时候,时间很紧,她来不及给你留电话号码,也或许是因为不方便,旁边有人。"

陆劲笑而不答,他不得不承认,四年不见,简东平仍旧没让他失望。

"我不知道你是在什么情况下跟元元见的面,但那两个警察显然知道你们见面的事。我想,你要从守卫森严的监狱逃脱不大可能。那么……"简东平停顿了一下,"他们是不是今天把你带出了监狱?他们就是押送你的警察?"

"是。"

"我跟我女朋友在车上说的话,你都听见了吗?"

"何止听见,我还看见了。"他说完这句,发现简东平的神情有些尴尬,便笑着说:"James,每个男人都有被拒绝的时候,有的人多点,有的人少点。"

"我想说的不是这个。我女朋友是警察,她说的话你总该都听见了吧?"简东平显然不想把话题扯到自己身上。

"对,我听见了。"陆劲点了点头。

"她说,那个男人很像他们局里的岳探长。也就是说,他不是普通的狱卒,他是个追查凶手的角色。我想他这号人物把你带出来,肯定不会是请你喝咖啡的,他一定是有什么案子需要你协助,我没说错吧?"

"是。"他禁不住笑起来,跟简东平这样的人在一起,他该节省多少口舌和精力啊。

"你逃脱是不是为了那个案子？"简东平问。

"是。"

"你上我的车也是故意的吧。你走出她家后，完全可以坐公共汽车、小巴、摩托车离开，虽然你说没人帮我，但我想，你在今晚想找个地方睡一觉还是很容易的。别忘了，不是旅馆才能睡觉，通宵电影院和大浴场都可以过夜。但是你没有，你故意上了我的车，我猜你是想找我帮忙，这说明，你虽然刚刚去了元元家，却没有见到元元，你想让我帮你联系元元，因为你知道她的电话可能会被监控，而我认识她，如果由我来联系她，就比较隐蔽。陆劲，虽然你嘴上说你不是在报复我，但是你这么做的确是在害我。"简东平目光炯炯地注视着他。

他正好吃完饭。

"非常感谢你的晚餐，我吃饱了。"他若无其事地把饭碗推到一边。

简东平仍旧盯着他，目光里谴责的成分不多，更多的是疑惑和好奇，好像在问他，陆劲，你为什么要这么做？

"James，你说得没错。我现在很迫切要跟元元见个面，这只有通过你了。"

"陆劲，你知道不知道，你这么做等于是在害她？"简东平冷冷地说，俨然一个正义使者。

"所以，我想尽量做到隐蔽，我只要拿到我的东西，我就会立刻从她身边消失。"陆劲想到了她美丽的头发和柔软的皮肤，不禁叹了口气，他知道，有些东西最好还是不要去碰。

"你要从她那里拿什么东西？"简东平问道。

陆劲本来就不打算隐瞒，他说："我想从她那里拿回一个笔友给我的信。但是我还不清楚，元元是否保留着它们，也许早就扔掉了，所以得跟她见一面，有些话我得问她。"

"你刚刚在车上说，你现在要做的这件事牵涉到很多人的生命和一大笔钱，这是怎么回事？岳程找你帮忙，是为了这件案子吗？"

"岳程找我，是为了'一号歹徒'的案子。"陆劲道，"有个凶手自命'一号歹徒'，已经杀了二十五个人了。"

"'一号歹徒'？二十五个人？"这两组词让简东平精神一振，正义使者的光环从他头上消失了，现在他成了彻头彻尾的好奇小子，他问，"这个凶手跟你有什么关系？"

邱元元端详着床上的那套衣服，往事渐渐浮现在她眼前。很多年前一个深秋的下午，她正心烦意乱地躺在床上翻看他给她买的杂志，他走了进来，穿着件很普通的黑色罩衫，手里提着两个百货公司的塑料袋。

"喏,看看吧。"他把塑料袋扔在她面前,跟往常一样,他脸上带着那种很欠揍的微笑。

"什么东西?"她用一只手撩开其中一个塑料袋,发现里面装的是件黑色皮衣,另一个里面是一条蓝色细条纹的紧身马裤。这种衣服,她以前只在杂志上看到模特穿过,她总觉得以她的身材,她的气质,穿这么漂亮的衣服是对不起衣服了。

她看了看牌子,不认识。又看了看价格,皮衣1500元,马裤789元。

"你每月赚多少?陆老师?你疯了吗?"她仰头问他。

"我卖了五颗民国的纽扣,就是上次给你看的。"

可你非常非常喜欢那几颗纽扣!算了,你活该!谁让你把我关在这里的!你活该浪费钱!

"你卖了它们就是为了买这些破衣服?我不会穿的。"她气势汹汹地对他说。

他又笑了。

"我觉得这套衣服很适合你。"

每次看见他这么笑,她都有种想给他一个耳光的冲动,但是她知道得控制自己。因为每次她打完他,他就会显得特别兴奋。他会像只蝙蝠一样直冲过来,张开双翅,把她整个人包裹起来,让她动弹不得,然后拼命亲她的脸,还会把头埋在她身上蹭来蹭去,发出猪一样的咕噜声。她不喜欢这样,因为每次那么靠近他,她就会觉得很紧张,脑子好像一下子就不听使唤了,有时候,她连自己的名字都会一时想不起来,她只知道有一个雄性动物跟她依偎在一起,而她,是雌性的。当你强烈意识到自己的性别时,往往没什么好事。所以,要克制,她对自己说。

"我不觉得我适合,衣服太漂亮,我太丑。拿走。"她说。

"元元,你不丑。"他说话的语气像在讲一个毋庸置疑的数学定理。

"我就是很丑,我连朋友都没有,我长得太老气了,别哄我。我知道自己!"她愤恨地说。这个话题勾起了她的伤心事。也不知道是因为基因突变,还是因为营养太好,她从十三岁开始就疯狂成长,到十六岁的时候,她看上去已经像个少妇了。她的外形在同学中显得很特别,她知道不少小身材小脸的同学在背后讥笑她,她知道这是自己的缺陷,有时候她都不敢照镜子。镜子太爱说实话了。

听了她的话,他说:

"对,你长得是成熟了一些,但是你知道吗,再过十年,你一定会比你那些同学漂亮。"他坐到她边上,语重心长地说,"这种例子我见得多了,有些人,在年轻的时候显得老气,但是再过几十年,等其他人老掉牙的时候,他还是老样子。上帝是公平的。再说,我觉得你的可塑性很强,你的五官不难看,骨架子也不错,只要略微打扮一下就行了。"他轻轻撩了一下她的头发。

"得了吧。"她不想听他说废话,丑就是丑。

"元元,每个人都在成长。我把你雪藏几年,等我死了,等你重获自由的那天,你一定会让所有人惊艳的。你现在只是需要一点点时间，一点点设计……"他看着她，脑子里好像在规划着什么。

"陆老师，谢谢你的鼓励。我恐怕是活不到那天了。你还是把眼镜还给我，我需要它，我想趁我还活着多看点书。"她不想讨论美和丑这个问题。

"这不行。"他的声音立刻变得阴冷起来。

"为什么？我又不会用眼镜杀你。"她道。

"不是因为这个……"他从她身边走开了，走到了门口。

她觉得很奇怪。每次提到眼镜，他都显得很紧张，很不自在。

"那是因为什么？"

"我不想看到你戴眼镜，我害怕。"憋了一会儿，他说。

她不懂。

"把眼镜还给我！"她嚷道。

他好像没听见她的话，笑着说：

"你还是把这身衣服穿起来吧，我想我对你的腰围和胸围都目测得很准。我好希望能在第一百货公司的女装柜台前看见你。"

"为什么要在那里？"

"宝贝，因为那里试衣服的女人多，你到那儿就知道自己有多美了。穿上吧。"

说话真动听，她现在想穿它们了，但是，她还是恶狠狠地说：

"我不穿！我在坐牢，我要买囚衣！给我去买囚衣！"

第一百货公司的女装柜台？这就是他想传给她的信息？

收到。陆老师！

"这个人应该就是我的笔友。"陆劲说。

"为什么说是应该？你不确定？"简东平问道。

"事隔多年，我什么都不能确定。"

"好吧，说说是怎么回事。"简东平转身从墙角拿了瓶矿泉水放在自己面前，像是准备看场三小时的电影。

陆劲相信等说完他想说的，这个人会帮他的，也许还乐此不疲。

"很多年前，我认识了一个自称叫钟明辉的人，他一直在跟我通信，诉说自己的苦闷和杀人狂想，在他的叙述中，他似乎杀了很多人，邻居、同学、老师、陌生人，只要他看不顺眼，他都会想尽办法置对方于死地。他认为自己天生就是个杀手，因为他无时无刻不在想着怎么完成一场完美的谋杀，他说自己有耐心，有计划，也有魄力。他可以无声无息地消灭这个地球上任何一个让他讨厌的生物。他告诉我，他还曾经毒死过郊区动物园的猴子和长颈鹿。我想，如果他说的这些都是真的，那他的确是个出色的杀手，因为他至今逍遥法外。我就是一直在跟一个这样的人通信。"陆劲拧开矿泉水瓶,喝了一口。

"不瞒你说,我在无聊苦闷的时候,也总想着报复这个世界,我想杀了所有我看不顺眼的人,我想欣赏他们临死前痛苦的惨状和他们绝望无助的眼神,但是我看不顺眼的人实在太多了,杀不过来,而且,那时候我还年轻,杀气只藏在心里,还缺乏实施的勇气,所有这一切都只是胡思乱想而已。我跟他是从我高中时开始通信的,因为发现在这方面,我们很有共同语言,所以我们聊了很多。从某种意义上说,他可能是我最贴心的朋友了。"

简东平已经完全被他的开场白吸引住了。

"你见过他吗?"他问。

"没有,从没见过。"陆劲的眼前仿佛出现一个模糊的影子,戴宽宽的黑框眼镜,头发长而邋遢,穿旧夹克衫和洗得发白的裤子,嘴边总带着茫然的、傻瓜似的微笑,谁会注意这样的人,谁会喜欢这样的人?谁又会防备这样的人?

"我们俩都知道我们谈的东西非常、非常地微妙,所以,我们事先约定不向对方透露自己的真实姓名、年龄、所在学校、职业等等。"

"但我想你们建立这种彼此之间的信任也是需要时间的。在最初,难道你会跟一个不愿意透露自己真实情况的人通信?"简东平的眼睛熠熠发光。

"是啊,这方面我吃了点亏,我在杂志上登广告征笔友时用了我的真名,当时我很寂寞,只想找个人聊聊,我没想到要隐瞒自己的姓名,也没想到我们后来的交谈会涉及那么黑暗的领域,那完全是出乎我意料的。"陆劲喝了一口矿泉水,水有点凉,他的脑子里无缘无故出现了元元的脸,他赶紧用意念将这会令他脑袋发烧的虚幻形象从心里驱散,他继续说道:

"所以他知道我是谁,知道我家的地址,也知道我在哪儿上学,但是我对他却一无所知,虽然有他的地址,但他后来很快改了邮政信箱。"

"钟明辉这个名字也是假的?"

"警方说,钟明辉三岁那年就死了。"陆劲一直觉得,这是"一号歹徒"的案子中最有趣的部分,他最开始有了越狱这个念头,就是因为听说了这件事。

"有意思有意思。说下去。"简东平兴趣盎然地催促道。

"我刚刚说了,他后来给了我个邮政信箱,我也没在意,反正他能收到就行。"

"你们是怎么聊起来的?应该双方都有试探对方的阶段吧?"

"对,当然有。他的第一封信,我还记得很清楚,他说他是个非常懒惰的人,没有别的爱好,就喜欢睡觉,而之所以喜欢睡觉,是因为他喜欢做梦,他说他喜欢把梦里发生的事一五一十地记录下来。接着,他就在信里绘声绘色地向我描述了他的一个梦,那是一个屠杀野狗的梦,从放诱饵、用木棒打碎头骨、取出内脏、剥皮一直到吃掉狗的心脏,整个过程写得相当细致入微,相当地残忍血腥,但凡心理正常的人,都不会这么写,但凡没有亲身经历过的人,也写不了那么多。我想,他是在试探我。他的梦虽然让我觉得恶心,但我对他这个人却产生了兴趣。于是,我就回了他一封信。我告诉他,我也很喜欢做梦,我曾经做过一个梦,在那个梦里,我的狗丢了,后来发现它是被人杀了,还被敲碎了头骨,挖了心肝,我发誓要找到那个凶手,因为狗是我唯一的朋友。我在狗的尸体上发现了几根人的毛发,后来我就是凭借这些毛发找到了那个杀狗的人。你知道我接着怎么写?"

"怎么写?"

"我把他的信抄了一遍,只不过把被害人从野狗改成了杀狗的人。"陆劲情不自禁地大笑起来。他记得在十几年前,他写完这封信时,也是这么笑的,现在想起来,他跟这个人的通信也许是那些年寂寞岁月里最刺激的游戏了。

"后来呢?"简东平的话把他拉回了现实。

"这个钟明辉很快给我回了信,他说他发现我们两个很投缘,他就想交我这样的朋友。从那以后,我们就成了笔友。"

"这跟你的案子有什么关系?"

"我们在通信的时候,谈过很多关于犯罪的设想。我不知道他说的事有多少是真的,但是我跟他说的大多是确有其事。我曾经跟他说过两个逃犯的故事。"陆劲确信简东平在认真听他讲,便说了下去。

"事情发生在我十八岁那年,那就是1987年,我那时候离开家,自己跑到山上出家去了。其实也算不上正式出家,只不过在寺庙里借住,我帮他们干活,种菜挑水什么的。作为报酬,他们让我吃住在那里。他们都很善良,觉得多个人也没关系。那时候我每天干完活,就漫山遍野地跑来跑去,写生,画画,胡思乱想,什么事都干。当然,我还是继续跟这个人在通信。"陆劲笑了笑说,"对我来说,那些信里写的罪恶,完全是娱乐。"

"也是一种发泄。"简东平道。

没错,不过没必要承认。

陆劲绕开了这个他不喜欢的词,说道:"我常常在山里跑来跑去。有一次,我收到我母亲的信,她说她很想来看我,想给我送点吃的来,可我不想见她。我跟她说过,时间到了,我自然会回去,但是她不听,还是来了。于是我就躲到山里去了,我想等她走后再回寺庙。那天下大雨,我躲在一个破庙里休息,这个庙以前也有出家人隐居,但因为有一半屋顶已经塌了,没人修,所以我去之前那里早已经没人住了。在山里像这样的小破庙还有好几座。那天我在这所破庙里一个人一直待到天黑,后来迷迷糊糊睡着了。半夜,我突然听到有人在说话,声音很大,好像还是两个人,他们把我吵醒了。"

陆劲耳边仿佛又响起那嘈杂粗哑的声音。

"我躲到一个佛像底下,听到那两个人在吵架,他们说的是普通话,但其中一个我肯定他是S市人,他有时候会漏出一两句当地话来,因为我父亲也是那边的人,所以我听得懂他在说什么。我偷听了他们的谈话。原来，他们是两个抢劫杀人犯。他们是来安徽看朋友的，那个朋友大概曾经在上海念过书，在他们眼里好像本来是个被他们瞧不起的人，但这次他们见到他，却大吃一惊，因为这个人竟然已经成了腰缠万贯的富翁。这两人大概在S市混得不太如意，所以一看到对方那得意扬扬的样子就非常恼火，于是两人一商量，就决定把那个人杀了，抢了部分古董逃了出来。"

"古董？"

"被杀的是个古董商，自己收藏了不少值钱的小玩意儿，因为大东西搬不走，能找到的现金又不多，所以他们两个只能从他的柜子里带走了些小东西，比如戒指、鼻烟壶、纽扣之类的。"陆劲停了下来，他想，简东平一定猜到了他接下来要说什么了。

果然，简东平叫了起来。

"我说呢？你一个穷教师哪来那么多钱搞收藏，之前你在广州做美术设计的时候应该收入也不会很高。你就是从他们那里拿走了你最初的收藏。那些纽扣！对不对？"简东平笑了笑，忽然脸色一变，问道，"难道你杀了他们两个？"

"那倒没有。我只不过是拿走了那些小东西而已。"

"怎么回事？"

"听他们说，被杀的那个在吃晚饭时不断向他们吹嘘，他之所以现在会发迹，是因为他无意中发现了一张藏宝图。那张图是他从旧货市场的地摊上淘来的，上面的文字很怪，像符号又像图画，里面还画了很多佛像，小贩说那是他从自己家的猪圈里无意中挖到的。那个人后来用100块钱把它买了回去，起初他也不知道那是什么，后来他翻看典籍，又请教了一些人，才知道那张图是一个晚清海盗头子留下的藏宝图，至少他是这么对他那两个朋友吹嘘的。他说他经过千辛万苦终于研究出了藏宝的地点。于是，每隔两年，他就会去那里拿一两件宝物出来，卖了，过一阵神仙般的日子。他现在出售的古董，大部分都来自那个宝藏。"

简东平全神贯注地看着他，但眼神中充满了怀疑，好像在问，这是真是假？也太玄了吧？会有这种事？

"是不是很离奇？"他问。

"的确很离奇。你说的一大笔钱指的就是这个宝藏？"

"是的。"

"他们两个在吵什么？我觉得，如果真有那张所谓的藏宝图，他们根本就不应该杀那个人，应该胁迫他带路去藏宝地点才对。"简东平很认真地说。

"说得也是。但问题是，他们两个意见不一致，一个相信有这回事，另一个不相信，一个主张把人留下来，押着他去找宝藏，另一个则嫌那太麻烦，还不如杀了他，拿了现钱走人更干脆。其实杀那个人应该也只能算是误杀。两个抢劫犯中的一个，就叫他劫匪乙好了，脾气非常火爆，被杀的古董商又好像是个没心没肺的人，得意忘形的时候,无意中点了这个人的痛处,说起了他在中学时偷女生内衣的事,把这个人惹恼了,于是就一刀捅了他,等劫匪甲想阻止已经来不及了。他们两个就是为这才吵得不可开交的,劫匪甲埋怨劫匪乙不该下手这么快。"

"那后来呢?"

"劫匪乙要求独吞抢来的小古董和现金,因为是他动的刀,他当时说了很多话,我只记得大致的意思是,'你反正想要的是那张藏宝图,那你就光拿这张图吧',劫匪甲当然不肯,他们越吵越凶,后来就打了起来,最后劫匪甲把劫匪乙捅死了,把尸体拖到破庙后面的树林里埋了。因为劫匪甲没办法一只手拉着尸体,一只手又提着箱子,再说,他大概也认定破庙里没有其他人,所以他处理尸体的时候,把箱子留在了破庙里,我就是趁这个机会拿走了箱子。我把箱子藏在我平时常去写生的一个山洞里。后来我发现,箱子里面除了一些衣服外,只有纽扣和鼻烟壶,并没有什么藏宝图。更有趣的是,我后来又去过那座破庙后面的山林,我找到了埋尸体的地方,但那只是个浅坑,尸体不见了。"

"有没有可能是凶手埋完尸体后发现箱子不见了,知道可能有目击者,所以他临时又把尸体转移了地方?"简东平猜测道。

"有可能,但是不能肯定。"

"我还有个问题,埋尸体应该需要挖坑吧?"

"不错。"

"他用什么工具挖的坑?如果他要转移尸体,那就意味着得挖两次,不会是用手吧?"简东平露出思索的表情。

陆劲笑了笑,他之所以喜欢简东平就是因为这个道理,跟这个人说复杂的事非常容易。

"问得好,可惜我不知道答案。那天我没跟着他,我怕被他发现,拿了箱子就跑了,我一回头,因为当时天太黑,我只看见他蹲在那里,其实我也不清楚他是不是在挖坑,这我是猜的。"陆劲停顿了一下,接着说,"我把这件事告诉了我的那位笔友,他非常感兴趣。问了我好多关于那件事的细节,其实我自己记得的也不多,我后来也没把这件事放在心上。"

房间里静默了一分钟,隔了一会儿,简东平问他:

"你觉得'一号歹徒'的案子跟这事有关?"

陆劲看见简东平的眼珠在左右移动。

"他对藏宝图的事坚信不疑,他说他想找到那张藏宝图,然后用挖到的宝藏买下一个大农庄,在那里过上一夫多妻的美好生活,再生十五六个孩子,这就是他的梦想。"陆劲站起身,因为以前腰部受过伤,今天又挨了打,所以久坐让他觉得浑身僵硬,很不舒服。他在屋子里一边踱步,一边说。

"我一直跟他说,那所谓的藏宝图可能根本就不存在,即使存在也可能是假的,哪会真有什么宝藏？但是他不死心。据我所知，他查了很多关于晚清海盗方面的资料，另外，他还查到了那个被杀的古董商，他模模糊糊跟我说过一些关于这个人的事，其余的我都忘了，只有一件事我记得很清楚。他对我说，那个古董商的弟弟后来继承了哥哥的遗产搬到了 S 市，这个古董商的弟弟有个孩子跟他同名同姓。"

"也叫钟明辉？"

陆劲点了点头。

"他说，那个孩子被他杀了。"

简东平似乎吃了一惊，但没有立刻说话。

"我一直以为他在说笑，但现在看起来他真的干了。"陆劲道。

"他有没有说，他为什么要杀那个孩子？"

"也许说过，但我记不得了，那是很久以前的事了，所以我想要看他给我的信。"

"你们，最后一次通信是什么时候？"

"也许是 2000 年底，也许是 2001 年春节前后。"他不太能确定。

简东平面无表情地注视着他，过了一会儿，问道："好吧，你说了这么一大堆，想让我干什么？直说吧。"

"我想让你帮我查一查这个古董商，还有那个死去的小孩。你知道，警方只会让我说说，他们什么都不会告诉我。"陆劲盯着简东平的眼睛，"还有，帮我给元元打个电话好吗？"

"你要用我的电话跟她说话？"

"我想让你给她打，我不能跟她说话，她的电话有可能被窃听。我想约她出来见个面。"

"你刚刚在她的房间没留下纸条？"

"没有，我怕警察发现，会对她不利，我只给她留了个暗号，但不知道她是否能理解。而且，这个暗号只说了一半，接下来，只能由你来补充了。"

简东平笑起来。

"你怎么知道，我一定会帮你？"他问。

"如果你不帮我，我就只好……"陆劲正说到这儿，忽然听到楼上传来开门声，简东平一个箭步奔到客厅，从衣架上摘下一顶帽子扔给了他。

"这也是你抢的。"简东平低声对他说。

白发是他最显著的特征。他连忙戴上，坐回到了桌边。

不一会儿，一个扎马尾巴、穿红毛衣的漂亮姑娘从楼梯上走了下来。她看见陆劲先是一愣，用大眼睛好奇地打量了他一番，随后便当做没看见似的，径直走进了饭厅，从冰箱里拿了个寿司出来。

陆劲和简东平迅速交换了一个眼色。简东平不说话，陆劲知道，现在什么话都得他先开口，这样简东平以后才可以全身而退。

"James,这就是你女朋友吧？"陆劲装模作样地问道。

"是啊。我的女朋友。"简东平道。

"嗯……你说的没错，很漂亮，很可爱。"陆劲点头道。

"本来就是。"简东平笑了笑。

女孩正专心致志地剥着寿司上的保鲜膜，听到他们说的话，她回头看了看他们，但两人都假装没看见。

"我刚刚说的事，你看……"陆劲问道。

"我想想。"简东平断然拒绝。

"现在这世界上，只有你认识她，我们之间的交流就靠你了。"陆劲一边说，一边想，这一语双关、一箭双雕的游戏，只有聪明人之间才能玩得起来，就像现在。

"你要是真的喜欢她，就不应该再找她，我是说真的。"简东平的表情很严肃，忽然又歪嘴一笑，"话说回来，我一直想问你一个问题。"

"你问得还少吗？"陆劲也笑起来，"好吧，请问。"

"你爱她吗？"简东平盯着他的眼睛问道。

圆眼睛女孩拿着寿司站在冰箱边，转过身来看着他们，显然，她对他们现在的话题很感兴趣，她脸上的表情显示她随时准备插嘴。现在，她跟简东平一样，正等着他回答这个超级感性的问题。

但陆劲没准备回答。

"你爱你的女朋友吗？"他反问。

"你没回答我的问题。"

"朋友，有的话，即便是开玩笑，也不能说。再说，我也没资格，你知道的。"

"对，你是没资格。"简东平冷漠地说。

"你也没回答我的问题。"陆劲心道，老弟，你应该知道我在帮你。

简东平明白他的意思了。

"嗯……"他踌躇着，眼睛直盯着陆劲。

圆眼睛女孩刹那间低下了头，她目不转睛地注视着手里的寿司。

"这个……我上次好像跟你说过了，我不想重复。"简东平终于憋出一句话来。

什么意思？你当我是作家吗？陆劲朝他皱了皱眉头。简东平一副欲言又止的尴尬表情。好吧，我先帮你，是这意思吗？臭小子！

"嗯……我记得你说，你想以行动来表达感情，我记得你是这么说的，对不对？"

"没错！"简东平很用力地点了点头，非常赞赏他的回答。

女孩瞥了简东平一眼不说话。

"那用行动来表达一下你对我的感情吧，帮我给她打个电话，越快越好。"

简东平皱皱眉头，没说话。

陆劲把脸转向女孩，微笑着说："劝劝你男朋友，他好冷血。"

"哼!他是的!"女孩回头瞪了简东平一眼,随后又看了看陆劲问道,"不过,为什么你说自己没资格?"

"这可是一言难尽啊,帮我劝劝你男朋友。"陆劲看着她粉嫩白净的脸,忽然感觉有另一张脸覆盖住了这张脸,一样白皙细致的皮肤,只不过,她有一对闪着火花的眼睛,呼吸里总带着热烈的渴望,以前每次靠近她,他总会偷看覆盖在她皮肤表面的那层细细软软的汗毛,他喜欢用鼻子去闻那些小绒毛……那时候他是火,生怕烧死她,只能自己默默燃烧,可现在,当她变成火的时候,他却只能是块冰。

"我不是他的女朋友,我劝不了他。"女孩朝他友善地笑了笑说,"你说你没资格,我想你总有你的理由。如果你不嫌弃,我愿意帮你,我特别希望别人能幸福。"

她的提议让两人都吃了一惊,陆劲看了看简东平。

"你也会幸福的,James,你说呢?"陆劲道。

简东平刚想答话,女孩就开口了。

"不要问他,我的幸福跟他没关系。其实这种事,你不应该求他,他本来就是个大冰箱,冷血动物,跟他说这些根本是浪费时间。虽然,你我不认识,但我担保,我比他更能理解你。你说吧,我怎么才能帮你?"女孩真心诚意地说。

陆劲又看看简东平。

"凌戈,你少管闲事!上楼去!"简东平对女孩喝道。

女孩从鼻子里"哼"了一声,自顾自狠狠咬了一口寿司。

"好吧,下不为例。"简东平看着陆劲,终于不动声色地点了点头。

"谢谢。"陆劲笑着对女孩说,"其实我看他也不算太冷血。"

"算了吧,他就是冷血动物!"女孩没好气地甩出一句,转身正准备上楼,忽然,"叮咚"一声,门铃响了。

陆劲浑身一惊,是谁来了?难道简东平报了警?他禁不住把手伸进口袋,那把警枪就在他的裤袋里,他随时可以掏出来,把简东平和他的女友押为人质,但是,跟警方僵持的绑匪通常没那么容易脱身……

他抬头看了一眼简东平,后者的目光告诉他,他摸枪的动作已经被对方尽收眼底,有些事两人都心照不宣,两人对视着,屋子里的气氛骤然变得紧张起来。

"这么晚了,是谁啊?"女孩见两人都坐着不动,准备去开门。

"凌戈,我去开。"简东平叫住了她。

她有些困惑,回头看着男朋友,站住了。

"请问厕所在哪里?带我去好吗?"陆劲站起身,问凌戈。

现在,我要跟你的女朋友在一起,James。

简东平明白他的意思,横了他一眼,但还是装作若无其事地拍了拍她的肩膀,亲昵地说:"亲爱的,带他去二楼的厕所。晚上有人按门铃,让男人去开比较好。"语调虽然很温柔,但陆劲还是从中听出了紧张和不安。

女孩迟疑了一下，简东平命令道："快去！听话！"

女孩有些不情愿，但还是领着他上了楼。

"好吧。跟我来。"

"别偷看他啊。"简东平又叮嘱了一句，虽然他在笑，但声音却有些发抖。

"去你的！"她回敬道。

陆劲登上楼梯时，简东平迅速向他递了个眼色，他猜那意思应该是，"别伤害她，别冲动，让我来。"

好吧，看你的了，你最好不要耍花招，他用眼神回答了对方。

凌戈把他带到二楼的厕所门口后，说："就这里了。真怪，他为什么不让你上楼下的厕所。不过，他这个人有时候是很不可理喻的，你不要介意。"说完，她朝他笑了笑，转身进了自己的房间。

陆劲在厕所里躲了一分钟后，便悄悄将厕所门拉开一条缝，走了出去，他贴着墙壁站在楼梯口，正好有一个大盆景遮住了他。他听到简东平在客厅里跟一个男人说话，听声音他就知道，对方就是他今天甩掉的两名警察之一，那人叫岳程。

"……对，我们刚刚在元元家见过。我有什么可以帮你？"简东平问道。

"我们在追捕一名非常危险的逃犯，怀疑他是从邱元元家逃跑的，"岳程故意停顿了一下，"他不是普通的小偷，而是一个杀人犯。"

透过楼梯扶手中间的空当，陆劲看见岳程一边说话，一边绕着简东平走来走去，眼神在屋子里瞟来瞟去。

简东平别过头去正好看到另一名警察打开了楼下厕所的门，他的声调瞬间变得不那么客气了。

"噢，是吗？"简东平问道。

"是的。有几个问题想问你。请问你离开的时候，有没有发现周围有什么可疑的人？或者在你的车里有没有发现可疑的物品？"岳程道。

"让我想想……"简东平道。

一阵沉默。

"好，你想一想。你的房子好大啊，简先生，我们可以随便看看吗？"岳程很客气地问道。

"随便看看？"简东平重复了一遍。

"可以吗？"

说话间，那个小警察似乎已经准备上楼，陆劲连忙往后退了一步。

"在没有搜查证的情况下，随便看看，好像不合法吧？"简东平彬彬有礼地说。

"并不是搜查，只是随便看看。"岳程并不打算退让，他还补充了一句，"简先生，我知道你父亲是大律师，但事关重大，我们现在在追捕的犯人……"

"对了，你说你是刑警？"简东平打断了他的话，笑着问道。

"B区凶杀科的。"岳程不想跟他闲扯,语气有些冷淡。

"那么,高竞你认识吗?"

"高竞?"这个名字好像让岳程吃了一惊,接着他说,"对,我认识他,我们可以算是同事。"

"我春节的时候去看过他,去年冬天他侦破了一起警察局内奸的案子,负了重伤,这我想你应该知道。"

"你跟他很熟吗?"岳程问道。

"算是吧。我觉得他是个好警察,那件案子把他害苦了。听说有段日子,他得靠止痛药才能睡觉,真希望他能如愿升职。"简东平叹了口气,忽然话锋一转道,"对不起,扯远了,如果你想随便看看,就请便吧,但可不可以先让我记下你的名字,岳程?怎么写?"

陆劲一开始不理解为什么简东平会突然跟岳程提起这个不相干的人,但听到这儿,他蓦然明白了简东平的意思。凌戈曾经在车上说过,这位岳警官在跟一个姓高的同事竞争同一个职位。在这种节骨眼上,姓岳的当然不会愿意有人去投诉他利用职务之便,擅闯民宅,更何况投诉他的还可能是个精通法律的大律师。

岳程既没回答简东平的问题,也没坚持最初的打算。

"我再问一遍,简先生,你离开邱家的时候有没有看到什么可疑的人?"他客气地问道,陆劲想,他这么问意味着,他对简东平玩的哑谜,已经心领神会,并作出了让步。岳程并不是个傻瓜。

"我确定没有。"简东平道。

"这个人手里有枪,非常危险,如果你想到了什么,请随时跟我们联系。好吗?"岳程说。

"我一定会的。"简东平诚恳地说。

"谢谢。"岳程道,"那我们先走了,打扰了。"

"没关系。"

"头儿!"那个小警察看了一眼简东平,不甘心地叫了一声岳程,但岳程没理他,径直走出了简家,他连忙跟了出去。

陆劲悬着的心终于放了下来。

简东平关上房门后,走上楼来,对站在走廊里的陆劲狠狠瞪了一眼。

"我被你害惨了!"他悄声道。

"谢谢你。今晚我睡哪儿?"陆劲笑着问道。

"他们不会轻易放弃的,也许已经注意我了。"简东平低声道,凌戈正好开门出来,他连忙提高声音问陆劲,"你睡客厅沙发怎么样?"

"行啊。"他道。

下楼的时候,他听见凌戈在问简东平:"刚才谁来了?"

"是警察，果然是那个姓岳的，幸好你没出来，不然让人家看见你跟我住在一起……"

"哎呀，还好我没出去。"女孩好像拍拍胸脯，很庆幸，接着她又问，"他来找你干什么？"

"没事……"

声音忽然断了。

接着，他听到女孩怒气冲冲地说："我哪有偷看他?! 我在自己房间里! 他在厕所!"

"不许看别的男人!"简东平在她关门的一刹那叫道。

陆劲想，很好，她没看见我刚才躲在楼梯口。

五　2008 年 3 月 9 日

"女性，年龄大概四十五岁，中等身材，身穿嫩黄色花边连衣裙，白色高跟鞋，初步判断是被勒死的，死亡时间应该是昨夜十一点至一点之间，从随身携带物中找到了她的身份证，看来是她本人的，她叫罗秀娟，本市人。"刑警小王在向岳程报告现场勘查的结果。

"把那张字条给我。"岳程低头戴上了手套。

今天一早，"110"接到报警称有人在一条小巷内发现一具女尸，本来普通的谋杀案不归岳程管，但"110"接警的警员回来报告说，在死者的随身物品中发现一张字条，好像跟目前岳程负责的"一号歹徒"案有关。得知此事后，岳程马上赶到了现场。

"就是这张条子。"小王把字条递给岳程。

与以往一样，字条是最普通的横格信纸，半透明，很薄，折成了横条，全文用黑色圆珠笔写就，平淡无奇。

字条的内容是：

哈哈哈，我又来了，我又来了。各位好，老相识了，最近心情怎么样？好吗？我心情不错，因为我又杀了一个。她是女人。真的，真的，我没说谎。

为了证明我说的话，我现在列举只有我和警方才知道的事。

1. 女人是被勒死的，凶器是她的腰带。

（好难看好难看的腰带啊！上面居然有个苹果。如果让我的朋友陆劲看见，他会说，让我重新帮她画一根吧。他臭毛病真多，干什么都得讲点情调，可我觉得，凶器美不美有什么关系，还不都一样？）

2. 她侧卧，双手在两边挥开，大腿前后岔开。

（我的朋友陆劲说，死是凝固的美，得有个好姿态。哈哈，他总是这么说。我决定做个实验，想了好久，决定让她以奔跑的姿势结束生命。不过她太丑了，我看不出她变成凝固的东西后，还有什么美的。人的动作很难形容啊。丑八怪做什么都丑。）

3. 她的嘴唇外围涂了一层唇膏。

（我并不是故意要丑化她，不过我真的觉得她的嘴如果大一点会更好看。对男人来说，也许更好用。女人对我来说，没有好或坏，只有好用不好用。哈哈哈，我不应该说黄色笑话。抱歉，有时候我会失控。）

4. 她涂了红色指甲油，有三个指甲断了。

（布满皱纹的老女人的手，涂再好看的指甲油也是枉然。陆劲说，当我亲吻一个女人的手的时候，我希望闻到甜甜的巧克力味。这家伙爱吃甜食，他觉得，这味道能激发他想咬的欲望。可是请原谅，这女人的手，我看到了只想砍掉它，可惜我没那闲工夫。说明一下，她的指甲不是我弄断的，她在地上挣扎，乱抓乱挠，自己弄断了。你们肯定会发现她指甲里的黑泥。嚯嚯，还不少。）

5. 她躺在死巷里，不知道那条巷叫什么名字。

（巷子很深，没有路灯，听说常有人在这里偷情，其实我也看见过。）

6. 头发乱蓬蓬，干乎乎，盘了起来，颜色是红的。

（好难看的头发，如果我的朋友陆劲看到那样的头发，他会怎么说呢？他会说，头发的颜色决定了皮肤的颜色，而皮肤的颜色又决定了穿什么样的衣服，所以头发难看，这个女人肯定不会好看。别怪我总是引用他的话，谁叫他总是说到点子上，哈哈。）

请警方把这封信转给我的朋友陆劲吧，他应该明白我的意思。告诉他，如果他肯把我要的东西还给我，我就会停止这场游戏。要怎么联系我？问他吧。哈哈哈。我去也。

一号歹徒

跟以往的来信笔迹差不多，稚嫩得像个小学生。岳程觉得这种笔迹伪装的成分比较高。不过是否同属一个人，还得经专家鉴定后才能确定。

"信你看了吗？"他问小王。

"看了。"

"他说的这些跟现场情况吻合吗？"

"一模一样。"小王答道。

"还查到什么？"

"现在只知道这女人昨晚十点半左右在斜对面的红眉舞厅跳舞，大约十一点半左右离开。"

"她一个人走的吗？"

"一个人。"

"好吧，先去那家舞厅和舞厅周围查一下，看看她昨晚接触过什么人，跟谁说过话，再去查一下她的家庭背景。"岳程吩咐道。他现在还不明白，"一号歹徒"的杀人目标到底是精心挑选的，还是随机找的，但是不管怎么样，按照惯例，每个被害人都得从头查一遍。

之前，他们已经对二十五个被害人的背景和特征进行了详尽的分析和比较，但至今没发现一个统一的可以被称之为谋杀动机的具体特征。所有被害人唯一的共同点是，他们都生活在 S 市，他们之间彼此没有生活和工作上的联系，年龄、性别、职业都各不相同，体貌特征也没有共同点。如果不是"一号歹徒"来信具体说明现场和尸体的细节，他们可能会认为这些人都是被不同的凶手杀死的。

可是，总有些什么不一样吧，不管是精心挑选还是随机寻找，"一号歹徒"把对方定为自己的屠杀目标，那这个人总该有什么不一样的地方吧。到底是什么地方吸引了他呢？为什么偏偏挑中她？而不是别人？她是不是特别好对付？特别容易接近？还是她身上有某种东西，让他感到特别亢奋？是衣服的颜色还是头发的式样？是走路的姿势，还是说话的语调，或者一个不经意的动作？

这些问题半年来一直困扰着岳程，他觉得整个"一号歹徒"的连环杀人案，就像个大迷宫，一旦走进去，就会身不由己地迷失方向，他们曾尝试用各种方法摸索着寻找出口，但都失败了，不过理智告诉他，不管凶手有多狡猾，迷宫有多深，总有些什么是有联系的，总有些蛛丝马迹会留下。他一直在寻找一根能引领他走出这个迷宫的线。

现在他发现，陆劲很可能就是这根线。

岳程注意到这封信和以往有一个明显的不同，那就是这封信明显是写给陆劲看的。虽然气焰还像过去一样嚣张，但他似乎耐心了许多。在前几封信中，他只是简单描述了现场的部分细节，并没有为每个细节作特别注解。但在这封信中，他不仅大量引用了陆劲说过的话，还讲述了不少自己的感觉，比如"女人对我来说，没有好或坏，只有好用不好用"，以及"这女人的手，我看到了只想砍掉它"。这位歹徒先生，还首次为死者设计了一个奔跑的动作。耐心不仅表现在信的内容上，还体现在杀人方式上。

凶手还说陆劲明白他的意思，希望陆劲能把他想要的东西还给他，并且还说，陆劲知道怎么能找到他。他这些话究竟是什么意思？他跟陆劲之间有什么默契？他们在打什么哑谜？岳程觉得要想解开这个谜，目前最重要的就是要先找到陆劲，即使不能抓到他，也得跟他有某种联系，看来还是得找邱元元。

另外，既然"一号歹徒"跟陆劲曾经是笔友，那么有必要了解一下，当年抓捕陆劲时，有没有在他家搜查到相关的信件。他相信，陆劲是不会把它们扔掉的。

一小时后，岳程驱车回到警局，罗小兵看见他，立刻匆匆奔了过来，低声道："头儿，姓邱的女人昨晚上用固定电话往外打过一个电话。"

"是吗？打给谁？"岳程立刻问。

"就是打给我们昨晚上见到的那个姓简的。"

"大概什么时候？"

"十点半左右。"

"那时候我们刚走。"岳程道。

"是。"

"有什么可疑吗？"

"好像也没什么……"罗小兵说不出个所以然。

"让我听听。"岳程一边说，一边迅速通过走廊，走进一间隐蔽的办公室，罗小兵紧跟在他身后。

这是间隔音设备极好的小房间，屋子里有两名刑警正在听录音，看见他进来，连忙都站了起来。

"头儿。"

"这就是昨晚的录音？"岳程问。

"对。"

"倒过去，让我听一遍。"岳程命令道。

"是。"那名刑警依言把录音带倒了回去，录音机里传来邱元元的声音。

"喂，你好。"这是邱元元。

"你好，你找谁啊？"一个女孩接的电话。

"啊，是凌戈吗？我是元元，James在吗？"邱元元听到那女孩的声音似乎有些意外。

"他在，你等等，他正在跟朋友……"女孩的话还没说完，电话里就换成了简东平的声音。

"嗨，是元元吗？"简东平的声音很热情。

接着录音里又传来简东平跟那女孩说话的声音，他好像把电话机移开了些，"乖，我跟元元说几句话，马上就来。"他对那女孩说。

没听到女孩的回答，隔了会儿，简东平的声音又传了出来。

"对不起，元元。"他道。

"我是不是打扰你们了？对不起，我没想到你们住在一起。因为凌戈刚刚还说她跟你只是普通朋友。"邱元元笑着说。

"她不好意思承认，其实我们住在一起已经有段时间了。"简东平稍微停顿了一下，接着说，"元元，关于她，我正好有件事想求你。不过，还是你先说吧，你有事找我？"

"对。是的。"她道。

"什么事？"

"有警察来找过你吗？"

"有。"

"对不起，他们刚刚硬要你的名字，我没办法，只能说了。没准他们还会去找李震，他们这些人真可怕，真对不起。"她的声音里充满了内疚。

"他们也是为了工作。没关系。而且，我什么都不知道，也帮不了他们。"

"他们有没有跟你说，他们在找谁？"她问道。

"他们说是个危险的罪犯。"

"他们其实是在找陆劲。"

"你说什么？陆劲？不可能！不会的，元元，你一定是搞错了！"简东平好像完全不相信她的话，难以置信地在电话里大叫。

"我没骗你，东平！所以他们才会来找我！其实……"

"我明白了，好了，没关系的，元元，忘了这件事吧。没什么。"简东平宽容地说。

"我就是来跟你说这事，对不起，James。"她的声音听上去有些累，有些沮丧。

简东平却笑了起来。

"你知道刚刚那两个警察来的时候，我跟凌戈在干吗吗？"

"我不知道，难道你们……"

"你不知道有多危险，那两个警察居然想搜查我家，幸亏我用我爸的名号把他们挡住了，也幸好我警告过肉圆，让她穿着睡衣不要到处乱跑。"

邱元元哈哈笑起来。

"你们两个可真倒霉！好吧，说说，你想让我帮什么忙？"她的口气又轻松起来。

"是这样的，我想给她买份礼物纪念我们认识三周年，想请你帮我参谋参谋。"

"好啊，你想买什么给她？"她很感兴趣。

"想买衣服，她的衣服都挺旧的，平时又不让我给她买，她自尊心特别强。"简东平停了一下，"明天陪我去逛第一百货怎么样？"

"第一百货？"她好像愣了一下。

"怎么样？"

"好啊！"她立刻同意，接着低声问，"James，James，为什么要去那儿？是不是，是不是，有人，跟你提起过那里？"

"是啊，昨天我们杂志社的女同事说，那边的衣服又好看又便宜，我以前从来没去过，只知道那地方人很多，怎么样？陪我去吧？明天上午十点半，我来你家接你。"

"没问题，反正我下午才去单位。"元元爽快地答应了。

“那明天见。”

“明天见。”

听完录音，岳程的总体感觉是，简东平是个异常狡猾的家伙，跟他相比，邱元元只能算是个涉世未深的小丫头。电话虽然是邱元元打过去的，但很明显，姓简的家伙牢牢地掌握了电话的内容和整体氛围。这一点，如果逐句分析的话，可以看出端倪。

首先，是他女朋友接的电话，话还没说完，就被他打断了，他女朋友说什么来着？“他在，等等，他正在跟朋友……”，简东平在跟朋友干什么？在跟朋友说话吗？会不会在用另一个电话跟朋友通话？如果没有，会不会有人在旁边？

其次，从两人的对话中，不难发现，简东平认识陆劲。在听说警察是在找陆劲后，他的反应先是极度惊讶，但当他意识到元元可能还会继续谈陆劲这个话题时，他立刻又加以阻止，这跟他开始时的惊讶表现衔接不起来。按理说，如果一件事让你非常吃惊，你会忍不住就这个话题不断追问下去，他应该问，“警察怎么会来找你？陆劲怎么会没死？你怎么知道他们在找陆劲？”等等，可现在，他不仅什么都没问，还主动不让企图告诉他点什么的人别再说下去，这非常不自然。

简东平还说，“你不知道有多危险，那两个警察居然想搜查我家，幸亏我用我爸的名号把他们挡住了，也幸好我警告过肉圆，让她穿着睡衣不要到处乱跑。”

只有简东平和岳程两个人知道，他挡住警察时，用的不是他父亲的名号，而是别的。但是简东平跟他并没有什么交情，他有什么必要在跟朋友的私人电话中，隐瞒这点？他还用他跟女朋友亲热的事，解释了为什么他不让警察搜查他的家。如果连跟女朋友亲热的事都能说，那他用那个理由赶走警察的事为什么却要隐瞒呢？

分析了这么多，岳程的直觉是，简东平知道有人会窃听电话，所以很多话，他都是说给警方听的。他认识陆劲，也知道警方在追捕这个人，惊讶是假的，他不让元元继续说下去，是怕她说漏嘴，虽然岳程不知道她会说漏什么，但简东平肯定知道。在那通电话里，简东平不仅用一个貌似合理的理由解释了拒绝搜查的原因，还高抬贵手地避开了警察离开的真正原因。岳程觉得，后一种行为更像是在向他示好，那意思仿佛是在说，看，我什么都没说，我给足你面子了吧，接下来，你该知道怎么办了。

岳程认为，所有这些都恰好证明，简东平很可能知道陆劲的下落，也许昨天晚上，陆劲就在他家。但是当然，这只是直觉，直觉是不能代表事实的。

听了电话后，他觉得，不管陆劲是否在简家，及时退出都是最妥当的做法。因为，他昨天不知道，除了简东平外，那里还有一个女孩。假如陆劲当时也在简家，他肯定会选择比较隐秘的地方躲藏，相比底楼的客厅，二楼要显得更隐蔽一些，当时女孩也不在客厅，她在哪儿呢？听简东平的意思，那女孩可能在卧室，很多买复式楼房的人，都会把卧室安置在二楼。也就是说，陆劲离她很近，假如他们当时强行搜查,难保陆劲不会狗急跳墙,把简东平的女朋友押为人质,他手里有枪,也许还会伤及无辜,那是顶楼,他又无处可逃,而他们只有两个人……所以,这么一想,他现在很庆幸自己没有贸然闯入。

"查一下这个简东平,我想知道他跟陆劲是什么关系,还有他跟邱元元到底是什么关系?"岳程命令一名下属。

"是。"

"昨晚邱元元给简东平打电话,打的是简东平的固定电话,还是手机?"

"固定电话。"

"查一下昨晚上,在邱元元打电话进来时,简东平的手机是不是正在通话。"

"是,马上去。"

"小兵,跟我去第一百货。"岳程看了看腕上的手表,正好十点。

看见简东平的车里只有他一个人,邱元元觉得非常失望,她本来以为那个人会在车里等着她的!昨天跟简东平通完电话后,她猜想陆劲一定是去找简东平帮忙了。虽然陆劲当年被捕,就是简东平干的好事!但她明白,陆劲内心是喜欢这个对手的。"跟这个人说话有如履薄冰的感觉,可惜他不是我的朋友。"陆劲曾经满怀遗憾地跟她提起过简东平,所以,照这么推算,他去找简东平的可能性不是没有。

至于简东平呢?他天生好奇心重,如果陆劲跟他说起"一号歹徒"的案子,没准真能说服他帮点忙,而且,像简东平这种在穿衣打扮上极为挑剔,并且喜欢买怪鞋子的男人,应该是不会去光顾第一百货的。所以,她觉得简东平之所以会提出让她陪着去第一百货,就是在帮陆劲的忙,可是……难道她猜错了?

"你在想什么,元元?"上车之后,见她快快不乐,简东平问道。

"没什么,你想给凌戈买什么样的衣服?"她意兴阑珊。

"说实话,我喜欢你这条马裤。"简东平笑着说,"不过,我想凌戈穿了未必会好看,我还是给她买条裙子吧。"

"好啊,我们去了再挑。"她心情低落,都懒得说话了,从包里拿出一包烟来。

"小姐,别在我车上抽烟。"

"James。我心情不好。"

"别抽烟。"他警告道。

好吧,算了。她把烟扔进了包里,觉得心情极其烦闷。

简东平回头看了她一眼,忽然笑着问道:

"元元,你昨天穿的也是这身衣服吗?"

"当然不是,你不是看见我昨天穿什么了吗?"

"鞋呢?是昨天那双吗?"

他为什么这么婆妈?她疑惑地看着他答道:

"不是,我昨天没穿这双鞋。"

"那么你昨天随身带的也是这个包吗?"

"不是,是另一个。怎么了?"她不知道简东平究竟想问她什么。

"昨天,你这个包挂在什么地方?"

"在衣架上。"

"好,现在仔细想想,昨天那两个警察有没有碰过你的包?有没有碰过你的衣服,或者鞋子?"简东平的表情忽然变得严肃起来,"好好想想。"

她骤然明白他的意思了,他是在提醒她,会不会有人在她的随身携带物中安放窃听器。她不得不承认简东平比她想得周到。她用极快的速度让脑子平静下来,仔细想了想,答道:

"没有。"

"你再想想。"

"真的没有,昨晚上我一直盯着他们,我不想让他们碰我的东西。"她一边说,一边打开包翻腾了起来,又看了看鞋底,最后她确定什么可疑物品都没有后,她又说了一遍,"没有。什么也没有。"

简东平似乎松了口气。

"好,元元。你听好了,我现在告诉你,那个人昨天在我家。"

"啊……"她差点发出一声惊呼,但她捂住了嘴,因为简东平冷静的声音不容许她做过多的情绪反应。

"听我说完。是他让我打电话给你的,到那里后,我们一起上去,我不知道他会躲在哪里,总之会是监视器看不到的地方。他看见我们后,会给我发条短信,我昨天给了他个手机,如果看见他,你先不要上去招呼,装作没看见,陪我买完衣服后,我们一起走楼梯下去,那是栋旧楼,那里应该没安摄像头……"

"James……"她望着他,心里充满了激动和感激。

"接下来就看你们的了。时间不多,抓紧点。"说话间,简东平已经把车停在了商场的停车场里。

"那么你……"

"到时候,我会在楼下停车场等你。"简东平说。

"James!"她叫了他一声,他回过头来时,她忍不住上前紧紧拥抱了他,"谢谢你。"她轻声说,心想,你大概是这世界上唯一肯帮我跟他的人了。

"别谢我,我在发疯,我知道。"他笑着拍了拍她的背。

"看,他们进来了!"罗小兵叫道。

"我看见了。"岳程注视着镜头里的简东平和邱元元。她看上去心情不错,一直在跟简东平说话。她今天穿的正是昨天晚上放在床上的那身衣服,真是没话说,帅呆了,到哪儿都抢镜!"女装柜台在几楼?"他问道。

"已经问过了,是二楼和三楼。"罗小兵答道。

"哪个是二楼的?"他问保安室的工作人员。

"这个。"那人朝某个荧屏指了一下。

从这个镜头里望过去,岳程没发现可疑的人。他相信他现在应该要找的是一个戴帽子的男人,因为白发是陆劲最明显的标志,所以想必他会戴顶帽子。

邱元元怀着紧张又兴奋的心情跟简东平一起通过自动扶梯来到了二楼的女装柜台,跟往常一样,这里人满为患,顾客们人挨着人在各种品牌的服装柜台里穿梭。她一上楼就忍不住在人堆里寻找起来。陆劲,你在哪里?你看到我了吗?你看到我了吗?她身边的简东平却显得很平静。

"去给我的肉圆买件好衣服去,你帮我挑挑。"他轻松地朝她笑了笑,他的眼神仿佛在安慰他,耐心点。

"你知道你家肉圆的腰围和胸围吗?"她走到一个木头模特前,装模作样地捏了捏模特身上的那条长裙。

"这我不知道,中号吧,只要颜色好看,式样不太土就行。上面最好不要有卡通图案,花边或绣花图案,要大方点。"简东平从口袋里掏出手机,握在手里。看到他这个动作,她的心骤然缩紧了。短信怎么还没来?他在哪里啊?

"别到处看!看衣服!"简东平在她耳边轻声提醒道。

"明白。"

"他们在干吗?"岳程看着荧屏问道。

"像在挑衣服,但那个女的好像有点心不在焉啊。"罗小兵道。

没错,不过,简东平在她耳边亲热地说了几句后,她就显得认真多了。现在,她正一边拿着一条黑色的百褶裙在身上比照着,一边跟简东平谈笑风生。

岳程继续在镜头里寻找可疑的人,但是人好像太多了,现在是3月份,天气寒冷,戴帽子的男人似乎也不少。

"真的会有人在监视我们吗?"她轻声问简东平,脸上仍带着笑。

"当然。你觉得这条裙子怎么样?我的肉圆穿会好看吗?我觉得她穿粉红色最好看,她皮肤白,穿了粉红色,就像朵小桃花。"

"说那么好听,快点搞定她!为什么她还对别人说你们是普通朋友?"她把黑裙子放回架子上,又拿了条米白色的裙子出来,端详着。

"我哪知道?大概是她害羞吧。"简东平说。他话音刚落,手机发出一串刺耳的滴滴声。

就好像心脏被电击了一下,她差点没站稳,连忙扶住了身边的衣服架子,并故意背对着简东平,假装翻动着衣服,只有她自己知道,她现在有多紧张。是他来的短信吗? 他说了什么? 他现在在哪里?

马上就有了答案。

"他已经看见我们了,现在我们买下衣服离开。"简东平轻声对她说,脸上仍带着笑,"要自然些,也许有人在看我们。"

"OK。"她点头,心紧张地怦怦跳。

"他们好像买了件衣服。"罗小兵道。

"是裙子。"从镜头里,岳程看见简东平去了收银台,而邱元元仍留在原地。她现在正百无聊赖地翻看着挂在架子上的其他衣服,不时还看看腕上的手表。她赶时间吗? 她跟简东平来这里,难道真的是来买裙子的?

不一会儿,简东平就笑吟吟地走了回来,他把付款凭证交给了营业员,两人拿着装裙子的塑料袋离开了,接着……

"为什么没有他们的图像了? 他们上哪儿去了?"罗小兵瞪着眼前的几个监视器,急急地吼道。

"不知道。"保安室的工作人员懒洋洋地打了个哈欠。

"这里有什么地方没装监视器?"

"没装的地方可多了。"

"二楼哪个角落没装?"罗小兵问道。

"这个……我倒也说不清,我是新来的。"保安挠了挠脑袋。

"楼梯里有没有装探头?"岳程问道。

邱元元怀着激动的心情,急匆匆跟着简东平走进楼道,却意外发现,她期待的那个人并不在那里。

"怎么回事?"她立刻问。

"别啰唆,跟我走,我们去地下停车场。"他冷静地命令道。

她不说话了,她明白在这种情形下,按他说的做,应该没错。

他们两人一言不发地快步来到停车场,简东平以最快的速度跳上车,将车驶离了第一百货。

"到底是怎么回事? James。"车开出一段路后,她终于忍不住了问道。

"你很快就会见到他了。"简东平平静地注视着前方。

车又行驶了大约十分钟,他终于把车停在一条小马路里。

"到了。"简东平一边说,一边下了车。

她茫然地跟着他下了车,现在她已经完全糊涂了。

只见简东平走到后备厢前用手指一按,后备厢的门立刻弹了开来,一个白头发的男人从里面钻了出来。是他!他竟然一直藏在简东平的后备厢里!他是什么时候进去的?简东平来接她时,曾经往后备厢里放过东西,那时候,她可以肯定他不在,难道就是趁他们买衣服的时候?难道去第一百货购物其实只是一个诡计?

"感觉怎么样?"简东平问陆劲。

"没事。"陆劲一边回答简东平,一边回头朝她看来。

"我去对面买点东西,你们聊吧,时间不要太久。"简东平道。

"明白,多谢。"陆劲道。

"谢倒不用,挖到宝藏分我一半吧!"简东平笑,他朝邱元元点了点头,便信步穿过马路,走进了一家便利店。

她看到他向自己走来,一时间不知道该叫他什么,叫陆劲吗,还是叫陆老师?

"跟我来。"他走到她跟前,牵起她的手,干脆地说。

他们走进了一条小巷。

巷子很深,弯弯曲曲的,另一头不知通向哪里。陆劲拉着她快步向前走,直到确定从马路哪边都无法一眼瞧见他们,他才放心停了下来。

"元元,我有话问你。"他放开她的手,在离她很近的地方站定了。

"什么事?"她望着他。

"我以前给你念过不少信,还记得吗?"他问道,不时朝两边看看,他倒不是想看周围有没有人注意他们,其实旁边一个人也没有,他是不想多看她,他现在需要保持清醒。

"我记得,那是一个笔友写给你的。"

"对,就是那些信。我把它们跟那些素描画放在一起了。你离开我家时有没有带走它们?"

他记得那时候曾跟她说,"你不是个侦探迷吗?如果我死了,这些信你可以拿回去看看,这是最生动的犯罪写照,没准你会觉得挺有收藏价值。"

"好吧,如果我能活着离开,我会带走的。"她当时是这么回答他的。但他知道,说归说,做起来又是另一回事。他没把握她被救走时一定会带上了那些画和信,他不知道她对他是什么感情,也许有点知道,但一旦恢复自由,她还会留恋那段岁月吗?还会保留那些可能象征着痛苦回忆的纪念品吗?他不知道。

但是她马上就给了他肯定的回答。

"画我都带回家了。"她说。

"那信呢?"他连忙问。

"我离开的时候,警察检查了我的东西,他们把信都拿走了。"

这么说,是警方拿走了那些信。但是,这些信跟那件纽扣杀人案毫无关系,结案

后,警方还会保留它们吗?应该会归还给犯人家属吧。会不会……他正琢磨着这些信的下落,就听到她说:

"我后来拜托我家的律师去打听过你,他说你已经伏法了,"她看了他一眼,稍微迟疑了一下才说下去,"我也曾经想要收藏那些信,但是我家的律师说,警方后来把在你屋子里搜到的所有不值钱的东西都还给了你妈妈,当然也包括那些信。"

"还给我妈了?"他茫然地重复了一句,脑袋上好像挨了一闷棍。

"听说她想见你最后一面,被你拒绝了。"她盯着他的眼睛,忽然皱起了眉头,带着谴责的口吻说,"你的心真狠!"

对她的苛责,他不想辩解。

"好吧。我明白了。"他快速点了点头,漠然地说。

两个人同时沉默了下来。

其实他还有很多话要跟她说,但是一抬头看到那双热切追逐着他的眼睛,那头柔软如丝的深褐色长发以及那件裹着她细细腰身的黑色皮衣,他就不想说了。他忽然意识到,这个他连做梦都想回避的人,现在就在眼前,他一伸手就可以触摸到她,但是,理智告诉他,他最好不要碰她,那就好像一个开关,一碰就开了。他不能这么做。他想他得走了,他答应简东平只跟她说五分钟的话,也许现在还没到五分钟,但他觉得还是快点走的好。可是,他刚想说告别语,就听到她开口了。

"陆劲。"她叫了他一声,声音很轻。

他怔住了。

这是她生平第一次这么叫他,以前,她不是叫他陆老师,就是叫他"杀人犯"、"混蛋"、"刽子手",或者干脆叫他一声"喂",可是今天……他不知道该说什么好,那声"再见",他没说出口,他只是不由自主地握住了她的手。

"这些年,你过得好吗?"她望着他,柔声问道,她的手无声无息地从他的手里挣脱开来,反过来握住了他的手,动作很轻,他觉得那应该叫做抚摸,他的心里激起阵阵涟漪,他知道自己该走了,但是,他没能挪动步子,好像有什么东西拉住了他的腿。

"还好。"他终于吐出两个字来。

"你的手变粗了,干了很多粗活吧。"她捏着他的手指,这动作他挺熟悉,以前他们在一起时,她常这么做,然后她会恶狠狠地说,"让我瞧瞧这双沾满鲜血的手!好,今晚就把它煮了吃了!为民除害!"可是现在,她的声音却全然没有了当年的恶毒和任性,反而充满了一种他不太熟悉的温情。她长大了……

"头儿,楼梯里没有,全都找过了!"罗小兵焦躁不安的声音在电话里响起。

"我知道了。"岳程道。

"那么……"

"先回来再说！"

在罗小兵和另两个下属去逐层检查的时候,岳程通过监控器看见简东平驱车飞快地离开了第一百货。其实他心里早就有种预感,他们可能上当了。因为第一百货几乎是个封闭的空间,要想在这里抓住一个逃犯易如反掌,陆劲应该也明白这点,所以按理说,他不会傻到过来自投罗网。

那么他们为什么要来第一百货？难道只是为了跟警方开玩笑？

应该也不是。陆劲不像是有这种闲情逸致的人,虽然他杀了不少人,但他并不算精神变态者,换句话说,他并不是个疯狂的人。那么陆劲到底在搞什么鬼？

岳程想,他现在最需要的是一张市内地图,当然,还有交警方面的协助。

"在里面……嗯,人人都得干活。"陆劲不知道自己在说什么,只觉得脑子发蒙,因为她把他的手放在自己的脸颊上摩挲着,现在他已经真切地感受到了她肌肤的弹性,她的皮肤好光滑啊,还有她的气味,有种说不出来的香,她的呼吸则像小型的野生动物,好急促,他觉得自己已经在不知不觉中靠她越来越近了……不,不行！他猛然把手抽了回来。

"我该走了,元元。"他假装没看见她眼中的惊讶和失望,冷漠地丢出一句话,并说完就走。

他的突然转变,让她愣住了,但她马上追了上来。

"陆劲！你上哪儿去？"她拉住他的衣服问道。

"你别管。"

"你为什么要找那些信？"她问道,还没等他回答,她似乎想起了什么,急急地说,"我忘了告诉你,那个警察让你在二十四小时把枪还回去,否则他们就会……"

"我明白。"他冷笑着打断了她的话,"我会处理的。"

"你真的抢了他们的枪？"

"我需要它。"他避开了她的目光。

"那个警察跟我说起过那个'一号歹徒'的案子,他是不是想让你协助他破这个案子？"

"是的。"

"难道那个给你写信的笔友就是'一号歹徒'？"她好奇地问道。

"应该是他。"

"那你现在打算去哪儿？有什么要我为你做的？"她期待地看着他。

他的心稍稍动摇了一下,但马上干脆地摇了摇头说:"没有。好了,我真的得走了。元元,谢谢你今天回答我的问题,也谢谢你上次给我的钱。谢谢你。"他尽量使自己的口吻显得有距离感,他相信她能从他的态度中悟出他的想法,他不想跟她在一起,她应该明白这一点。他越过她向前走去,双手插在滑雪衫口袋里,他相信他还是有本事表现得若无其事的。

她又追了上来。

"喂！你以为你这样就是对我好吗?!"她跑到他面前质问他,态度变得蛮横起来。

他不说话。

"不要以为你长了几根白头发,就说什么都是对的!如果你知道对和错,就不会像现在成为逃犯了!你其实什么都不知道!"她生气地瞪着他。

他的目光越过她的头顶在天空盘旋了几圈,又飘回来落到她的脸上,他看得出来,她现在既生气又失望,但是他再也不可能像过去那样哄她了。

"元元,我老了。"他道。

"男人老不老,应该女人来说!我觉得……"她停顿了一下道,"你并不老。"

他看了她一眼,冷静地说:

"我没什么需要你帮忙的,元元,你就当我死了,过好你自己的生活,这就算帮我忙了。"

说完,他没理会她,再次越过她,向前走去,他一边走,一边在心里重重叹了口气,元元,我想我这么做是对的,你再也不是我的小鸟了,再也不是了。你我都应该明白这点。

她在原地站了会儿,接着快步跟上了他,并再次拦在了他面前。

"好吧。陆劲。既然你这么说,我也没什么好说的!"她怒气冲冲地说,"你要表现你的大度是不是?OK!我成全你!把你的烂东西还给你!谁要你的东西!混蛋!"她从脖子上摘下一串项链奋力朝他身上扔去。

"亏我这些年一直戴着这破玩意儿!亏我这些年一直惦记着你!原来我只是在浪费时间!原来你就是个懦夫!笨蛋!你根本不算男人!我回去就把你的画通通烧了!"她声音尖厉地朝他吼道,接着转身朝小巷外的马路走去。他低头拾起那串项链,发现项链的坠子是两颗纽扣,那是他当年送给她的。这些年,难道她一直戴着它?

他觉得应该再跟她说几句。

于是,他追上了她,可他刚拉住她的手臂,她就回身给了他一个响亮的耳光。

"滚开!我恨你!"她怒视着他,嘴唇哆嗦着,说不出更多的话来了,他看见她的眼睛里噙着泪水。

跟过去一样,每当她打他耳光的时候,就好像是朝浇了汽油的地板上扔了根燃烧的火柴,火一下子从他的心灵最底层蹿了出来,瞬间烧遍他的全身,没到半秒钟,他觉得自己就像个滚烫的火球般朝她扑了过去,他从背后抱住了她那柔软又带着韧劲的身体,脸贴在她的发际,像过去一样,企图让她安静下来。

起初,她余怒未消,不断挣扎着想推开他,她死命抓住他的手,想把它们从身上剥开,"滚开!滚开!你这头臭猪!死杀人犯!谁要你!"她哭着闹着,踢打着他,但当她转过头,正好看见他时,脸上的神情忽然变了,愤怒消失了,取而代之的是兴奋和一种莫名的惊异,好像她忽然发现,抱着她的人不是别人,而是他,她眨巴着眼睛注视着他,接着没有任何迟疑,她忽然灵巧地转过身,双手捧住他的脸,吻住了他。

野生动物的气息把他包围了。当她的嘴唇朝他压过来时,他浑身有种被针刺的感觉,有点痛有点麻,又有种说不出来的舒服和满足,针针仿佛都扎在他想要被刺的地方,他喜欢这感觉。他已经好久没那么亲近一个女人了,他知道以他的身份,他不该跟她亲热,更不应该在大街上跟她亲热,但是,一想到这是个他冒着生命危险换来的吻,他的热情就比以往任何时候都高涨。他的身体紧紧贴着她,比她更贪婪地吸吮着她的嘴唇,他的舌头像匕首一样插入她火热的口腔,好像要直接刺入她的喉咙,他隐隐听到耳边传来一声声的呐喊,是的!宝贝!是的,我爱你!我要你!现在就要!

终于分开了,简东平长舒了一口气。

他们在小巷口的热吻,他已经尽收眼底,是元元主动的,像羚羊般灵巧的转身很漂亮,但更漂亮的是陆劲的情绪转变,从起初的冷漠拒绝到后来的忘情拥抱,再加上元元的那记耳光,简直就像出热闹的舞台剧,看得他目瞪口呆,这还是他第一次看见这个男人的情感大爆发,他本来以为这个人只会喝咖啡,吃起司蛋糕,然后斯文地朝别人笑笑呢,想不到他还会有这种时候。

虽然他觉得他们的行为很不合时宜,他也不打算去祝福一个杀人逃犯的爱情,但是他不得不承认,他有点被感动了,尤其是当他们分开时,他看见陆劲对着他怀抱里的元元笑了,那是他从来没在这个人脸上见过的幸福的微笑,他觉得心里有点难过,谁都知道,这幸福维持不了多久,他想陆劲心里也很清楚,但是,他还是做了,也许,为一个吻而死,他觉得比什么都值吧。

简东平看了看腕上的手表,快十一点了,不知道那些警察会不会追过来,他不能再给他们时间了,得赶快把陆劲轰走。他快步朝他们走去。

他刚走近,陆劲就看到他了,他连忙放开了元元。

"你们说好了吗?"他板着脸问道。

"好了。"陆劲没看他,为元元拉开了车门,把她推上了车。

"看来你心情不错。"简东平说。

"是啊,这得谢谢你。"陆劲朝他笑了笑。

"有什么打算?"

"打算多着呢。"陆劲答道,他轻轻碰了下元元放在车窗上的手,两人对视了一秒钟,仿佛达到了某种默契,然后陆劲又朝简东平点了点头,说:"我走了。"便转身走进了刚才的那条小巷,他转眼就消失了踪影。

这颗定时炸弹终于暂时在他面前消失了，简东平松了口气，上了车。

"好吧，去哪儿？"简东平把双手放在方向盘上，问邱元元。

"我想去找我们家的律师。"她笑着说，现在她红光满面，情绪极佳。

简东平瞥了她一眼，忍不住揶揄道："你们是不是疯了？"

邱元元扑哧笑了出来。

"没错，是疯了。"她道。

"你们就没考虑后果吗？要是让人看见怎么办？幸亏这条路上人少。"

"我们在接吻，别人看不见他的脸，再说他还戴着帽子呢。"她笑着说。

"切！妇人之见！"

"别这样！James！你也有那种时候的，我还记得你跟江璇的事呢！"她脸红了，不好意思地反驳道。

好心好意提醒她，却被莫名其妙扎了一刀，他现在最不愿意听见的就是这个名字了。

"对不起，我不该提起她。"也许是发现他的脸色突然变了，她连忙道歉。

他想说"没关系"，但没说出口。今年春节前夕，江璇死了，在临死前，她给他写了封信，他后来还从凌戈那里看见了她的遍体鳞伤的尸体的照片。没人知道，除夕那天晚上，当他强颜欢笑地跟父亲和凌戈一起吃完年夜饭，一个人回到房间时，他最终还是忍不住为她哭了，而且哭了很久。他以为他一直都恨她，但是眼泪却止不住地往下流。那天晚上，听着窗外的爆竹声，他躺在床上，眼前一幕幕全是他们的过去，他们的第一次接吻，他们的第一次亲密关系，他们一起过的那个春节，她在他面前掉的第一滴眼泪……他一直在问自己，如果他知道除夕那天早上她来过他家，如果他碰到她，他会怎么样？他会怎么样？他无法回答。他想最大的可能是，他先呆立在那里，然后他也许会，也许会把她拥入怀中。

但他知道，他永远都没那个机会了。

所以他希望永远都不要有人再跟他提起这个名字。

"元元，江璇已经死了，以后别再提她了。"他漠然地说。

"对不起。"她看了他一眼，内疚地再次道歉。

他笑了笑，迅速扭转了自己的情绪，为了证明自己没事，他用轻快的语调问道："好吧，你找你家律师，准备干什么？"

"我想了解，当年从陆劲屋子里搜出来的东西，后来是不是真的交给他妈妈了。他想要确切的信息。"

"那些信不在你这里？"简东平问道。

"不在，都让警察拿走了，后来我家律师说，都交还给陆劲的妈妈了。"她又有些担忧起来，"不知道我家律师是不是在说谎，那时候，他还说陆劲已经死了呢，可是你看……"

简东平忽然想到一个问题。

"陆劲有没有告诉你,他为什么要逃跑?"他问道。

"他只说有些事他需要自己去弄清楚。"

"他昨天告诉我,在入狱后不久,他的母亲就上吊自杀了。"

邱元元一怔,随即叹了口气。

"也许是因为太绝望吧,他那时候拒绝见他妈妈最后一面,老人家一定是伤透了心。有时候他的心真狠。"她的目光投向窗外。

"他为什么拒绝见他的母亲?"

"他没说,不过我知道,他跟他妈妈向来就不亲,虽然他会按时寄钱,但是他很少去看她,他好像不想见她。"

"为什么?"

"他说他妈妈对他太好了,他受不了。"她笑了笑说。

"怎么个好法?"简东平歪嘴笑了,问道。

"这他没说。"她别过头来,白了他一眼,道,"你别想歪了,他妈妈顶多是比较啰唆,跟我妈妈差不多,其实当妈妈的都这样,男孩就是不像女孩那样能体谅妈妈的心。"

"喂,请你不要叫他男孩好不好?"简东平露出要吐的表情。

她不好意思地笑了,打了他一下。

"我是泛指,我又没专指他。"她道。

简东平很想再讽刺她几句,但看到她一脸幸福,他忍住了。显然她现在仍沉浸在那个深吻里,那场地震过后的余震还在她身上起作用,想必她今晚是无法入眠了,陆劲跟她应该也差不多,可怜的家伙。

好吧,不笑话你们了,言归正传。

"你告诉他那些信可能都在他母亲手里,他是什么反应?"他接着先前的话头问道。

"好像受了打击,很震惊,他一直以为那些信在我这里,是啊,本来我是想拿的,但是后来……"她回头看了他一眼,警觉地问道,"James,你这么问是什么意思?难道你觉得他的母亲,跟他的逃跑有关?"

"我只是觉得他没必要逃跑。"简东平直视着前方,"据我所知,他最近几个月,每个月都有两天时间可以自由外出,政府对他已经是好得没话说了,他还想怎么样?他根本没必要逃跑,而且他也跑不了,逃跑只会死得更快。"

她的眉头渐渐皱了起来。

"他在这世界上,没有亲人,也没有朋友,我认为,现在他只在乎一个人。"

"你是说我吗?"她问。

"你说呢?"

她沉默了一会儿，问道。

"你是不是想说，他是为我越狱的？"

这不明摆着吗？他心道，但没说话。

"可是为什么？难道是因为那些信？"她的眼珠一转，"难道他认为那些信在我这里，会对我有危险？所以，他才会不惜越狱，冒险到我家去？他想拿回那些信？"

"我想这种解释比较合理。除非他越狱的理由是想带着你私奔，他提出这条了吗？"他笑着学陆劲的口气说，"元元，跟我走，天涯海角，我也带着你，我们生生世世不分离，我爱你，爱你，爱你，爱你！"

"别闹！James！"她挥了挥手，阻止他再说下去。

他不说了，等着她猜下去。

"就因为那些信，他才会急于想见我，他以前放风的时候也可以来找我，但是他没有，其实他是不想打扰我的，我知道。"她道。

"对，之前，他有自由的时候，却选择了沉默。"

"可是，你刚才说，他妈妈在他入狱不久后就上吊死了？而那些信其实在她手里……"她的脸色骤然变了。

"这只是猜想。"简东平却觉得这种猜想的可能性很大，所以，他相信陆劲的下一站应该会是他的安徽老家，母子虽然好久没住在一起了，但作为从小跟母亲相依为命的儿子，他应该记得母亲藏东西的地方。也许因为那是儿子留下的东西，作为一种精神寄托，陆劲的母亲一直珍藏着那些信。

"关于那些信，他以前还跟你说起过什么吗？"他问道。

"他根本不相信那个人在信里说的一切，他说那个人是吹牛大王。"邱元元的神情很焦虑。

"所谓的宝藏，他有没有跟你说过？"

"那个人曾经写信给陆劲，说他找到了宝藏。"她从包里掏出手机，又放了回去，"但是他说，宝藏的秘密跟他原先的设想有出入，但也已经足够让他过上富人的生活了。这个人的语调很怪，听上去特别狂妄，我觉得他完全是个神经病，绝对有妄想症。我才不相信这世界上还有什么宝藏等着他去挖呢！你相信吗？James？这种事不是应该只出现在小说里吗？"她回头看着他问道。

"他挖到了宝藏？"这让简东平颇为意外。

"他是这么说的。陆劲经常把他的信念给我听给我解闷。但是，我们两个都把他的信当笑话，根本不相信他说的一切。"说到最后半句，她的声音又温柔起来，好像瞬间又回到了那些跟陆劲共处一室，一起读信的美妙时光。

"这人说他挖到宝藏后，还给陆劲写过信吗？"简东平问道。

"有啊，不过好像后来信就越来越少了。他最后那封信应该是 2000 年的年底吧，我记不清了。他让陆劲把他以前的信通通寄还给他，陆劲回信让对方把他的信先寄还,从那以后那个人就杳无音讯了。"

简东平越来越觉得这事有趣,他听到元元在他耳边分析道:

"如果他在信上所说的一切犯罪行为都是真的,那么这就好理解了。他是想把自己的犯罪证据收回去,他知道总有一天,这些信会给他带来麻烦。为什么过去天不怕地不怕,现在却怕了呢? 我想……"她停顿了片刻说,"他没准真的弄到笔意外之财,而那些钱让他成了个体面的人,他有了身份地位,有了自己稳定的生活,就开始意识到,以前写那些信有多蠢,所以他也想收回来。"

"有道理。"他点了点头,又问道,"他应该就是那个'一号歹徒'吧。"

"应该是的。"她点点头,"就是有一点我想不通,假设我刚才说的这些都对的话,如果他有身份又有地位,为什么现在还要冒出来杀人? 他过好自己的小日子不就行了? 好像他作案还特地要让陆劲现身,为什么?"

"不错。他为什么要这么做?"简东平也想知道原因。

"还有,如果,陆劲妈妈的死跟那些信有关的话,他怎么会知道那些信在他妈妈手里?"

"你不是说他有身份有地位吗?"简东平笑着说。

"上次那个警察跟我说,'一号歹徒'自称是我那个节目的忠实听众,他还在我的节目里跟陆劲对过话呢,我当时就觉得他可能是嘉宾之一,我们请来的嘉宾大部分都有点来头。"邱元元仿佛想起了什么,眼睛里闪过一道光。

她今天下午一定会去查嘉宾名单,简东平想。

岳程走出第一百货时,一直在想一个问题,为什么陆劲突然会逃跑? 之前他有很多机会脱逃,但他没有,却偏偏这次跟他一起出来办案,选择了逃跑,这是为什么?照几个下属的分析,陆劲本来就想逃,只不过是在等一个更好的机会?但是在精神病院的那个机会算好吗?应该不算。也有人说,他之所以逃跑,是想跟那个女人私奔。但是元元没跑。

他也不认同陆劲逃跑单纯就是为了跟她在一起。放风的时候,陆劲有的是机会去找她,但他一直没有,那就说明,他本来是打算放弃的,看那天他们两个的情形,也是元元更主动,他一开始打算回避她,但后来还是情不自禁,这个他倒能理解陆劲,他理解这个男人对元元的感觉,爱玩危险游戏的人,一定会喜欢她这种类型。所以,陆劲的逃跑应该不是准备跟她私奔,那又是为了什么呢?难道是为了那个案子?那天是不是有什么话让他想起了什么?以至于他临时作了这个决定?岳程在脑子里搜索着,但是想了好久都没找到答案。

简东平和元元在他眼皮底下的逃脱,他并不觉得意外,相反,他还挺欣赏陆劲和简东平的。很显然,元元最初是被蒙在鼓里的,这一点从她在女装柜台心神不宁的表现,就不难看出来。她一定以为陆劲会在那里出现才会东张西望。简东平付了账后，他们一起从楼梯离开，由于楼梯没安装探头，他们这个举动让警方以为，他们仍躲在这栋楼里，但仔细一想，要想安全地见面，他们完全不必选择这个密封空间。

现在看来，所谓在第一百货见面，果真只是个诡计。

这个诡计的始作俑者，应该就是陆劲。

元元在电话里听到简东平约她去第一百货时，曾经问他是不是有人跟他提到过什么，现在想起来，这句话非常耐人寻味。她为什么会这么问？很可能是陆劲在光顾她家时，给她留下了什么讯号，她知道，他会约她在那里见面，而简东平之所以提到第一百货，也许是为了让她有种感觉，这个约会是陆劲安排的。简东平用车来接她，是怕她的车里被安了窃听器，而且，她在他的车里，行动起来也更容易。

所以他猜想，陆劲要不是趁他们购物的时候躲进了他的后备厢，就是压根儿没来过第一百货。

"头儿，找到简东平的车了。"罗小兵的声音在耳边响起。

"在哪里？"

"在茂名路上。"

市中心的一条繁华马路，不用看地图，岳程也知道那条路离自己所在的位置很近。

"头儿，要不要跟过去看看？"

难道陆劲会在他们的车里？应该不会，他们都应该清楚，要追查简东平那辆车的行踪并不难，对陆劲来说，现在最好的办法就是单独行动。那么他会去哪里？

"头儿……"

"先开过去看看他们要去哪里。"他命令道。

"是。"罗小兵应道。

毫无疑问，第一百货这个计划很周详。但是，费那么大劲不就是为了让陆劲见到元元吗？可是，他为什么非要见元元？

既然他已经有了简东平这么一个出色的帮手，还需要把元元扯进来吗？如果他真的只是在情感上需要她，就更不应该现在招惹她。更聪明的做法是先销声匿迹，等风头过了，再去找她，这对他们两个来说都相对要安全得多。所以，陆劲现在急于找元元，肯定不是因为感情上的事。

难道……是为了那个案子？

可是，警方不是已经在让他协助破案了吗？他为什么要自己去冒这个险？他难道不知道这会带来什么后果吗？A级通缉令会让他无处遁形，更何况，他手里还有枪，他一出现，就会有无数把枪对着他。他真的在找死吗？

他不顾一切，以身犯险，到底是为了什么？难道是在找什么重要线索？

元元曾经被他囚禁了两年零八个月，应该说，在那段时间，她曾是他最亲近的人。那么，她会不会知道些什么？或者曾经拿走什么？

岳程迅速用手机拨通了下属小王的电话。

"小王。"

"头儿,什么事？"

"上午让你打听陆劲的事,打听得怎么样了？"

"头儿,我已经问过了,陆劲入狱后,的确扣留过一些东西,但结案后,只保留了跟那个案子有关的证物,其他的都还给家属了。"小王没罗小兵这么冲动,说话办事都很沉稳,所以岳程一向就很信任他。

"其他是指什么？有信件吗？"

"我刚收到当年的清单,具体物件是六十四封信,十张圣诞卡和一本手抄本。签字领走那些东西的是陆劲的母亲,她名叫董秀芬。"

"手抄本的内容是什么？"

"'书籍抄录',大概陆劲把书里的一些词句抄在本子里了吧。"

"东西被他母亲带走,这事陆劲知道吗？"

小王考虑了一下才回答。

"按理说会告诉他一声,但不会具体说明扣留了哪些东西,归还了哪些东西。另外,我知道,他被判无期后,他母亲曾经提出要见他一面,但被他拒绝了。"

这么说,母子俩没有机会单独说过话,陆劲有可能并不知道母亲带走了哪些东西。他会不会是委托元元打听这事？也或许,他一开始以为那些信是被元元带走的,所以才找她。这很有可能,他们很亲近,她很可能知道有那些信,他是想找她要回那些信！那么假如元元告诉他,她没拿到那些信,他会怎么想？岳程觉得自己的脑子豁然开朗了。

回家！陆劲可能会回安徽老家！

幸好昨晚就已经联系过火车站、飞机场和长途汽车站了。

但是究竟是在他去的路上拦截好呢,还是在目的地等他好？

邱元元刚走出位于茂名路的宝青大厦就看见岳程的车停在大厦门口,岳程站在车外看着她。讨厌！她皱了皱眉头,想假装没看见他,但他已经跟了过来。

"你好。"他微笑着上来跟她打招呼。

她没吭声,径自朝前走,心里却七上八下的。

他跟她并排向前走,也不说话。

两人默默地走了一段路,她终于忍不住开口问他:

"你不去管你的车了吗？"

"终于肯跟我说话了,"他笑道,"我还以为你永远都不准备理我了呢。"

她白了他一眼,心想,谁有空跟你嬉皮笑脸的,有话快说,有屁快放！

"你找我？"她冷冰冰地问道。

"刚才是不是见过他了？"岳程低声问道。

"没有。"

他笑了笑。

"好吧，就算没有。"

"你就是来问这事？"她道。

"我是来讲和的。元元。"

"讲和？"她停下脚步看着他，不知道他葫芦里卖什么药。

"我需要他帮忙，'一号歹徒'在找他。"岳程好像在跟她说悄悄话，一边从口袋里掏出一张字条来，塞在她黑色皮衣的口袋里，"这是那个人在尸体旁留下的信，让他看完后，给我打电话。"

她不喜欢他随便碰她的衣服，但是她对他塞给她的那张字条却很感兴趣，真想立刻就看看凶手的手迹。

"我跟他没联系，怎么帮你？"她顶了一句，并从口袋里拿出那张字条，就在她准备把字条还给他时，他握住了她的手，命令道。

"拿着！"

"你干吗?!"她几乎叫出来。

他立刻放开了她的手，严肃地说："如果你不信，可以看看字条上写的话，看完你就明白了。"

她迟疑了一下，最后还是没看，把字条又塞回了口袋。

"你交给我也是白搭，他不会跟我联系的。好吧，就当给我消遣。"

"元元，你放心，没有第三个人知道我把字条交给你的事。这是你我之间的约定。"岳程低声说，同时回头看了一眼宝青大厦门口，他那辆车已经开走了。

"你这么做就不怕违反纪律？"她问。

"怎么？你也开始关心我了？"他轻松地一笑。

"别误会，我不是关心你，我是怕你在设圈套。"她也笑了笑。

邱元元一回到自己的办公室，就用新买的神州行卡拨通了陆劲的手机。她来不及跟他说些体己话，赶紧把岳程刚刚跟她说的事简单扼要地跟他说了一遍。

"你觉得他是在打什么主意？"她问。

"不清楚，字条你看了吗？"

"看了。那个人在里面引用了很多你说的话，口气也很狂妄，看上去像那个人写的，而且，他在字条的末尾还让警方找你，说你能看懂他在写什么。"同事小菲正好哼着歌走了进来，她连忙压低嗓门，问道，"现在怎么办？"

他没立刻回答，似乎在思考。

"你知道我在哪儿吗？"过了会儿，他问。

"你在哪儿？火车站？"她猜想他接下去会回安徽老家。

"我在你对面的咖啡馆里。"他说。

她的办公室在广播大楼的十八楼，她看不见马路对面咖啡馆里的情形，但她还是下意识地朝身后玻璃窗外的蓝天望了两眼。

虽然听到他离自己那么近，她心里又是一阵兴奋，她真恨不得立刻奔下楼去跟他在一起，但她明白不能这么做，现在她的一举一动都可能被别人看在眼里，轻举妄动只会危及他的安全，所以她只能提醒道：

"你不该在那儿，也许警方在监视我。"说话间，她觉得唇间似乎还留着他的余味。

可他却轻松地笑了。

"元元，我好久没喝咖啡了，好香啊，我还要了块久违的起司蛋糕，上面有层薄薄的巧克力，味道真不错。"他说道。

可他越是这样，她就越紧张，她感到他心里一定有了什么打算。

"你就不怕他们来抓你吗？还没被那家伙打够是吧？"她又想起他被打得弯下身子的情景，不由得一阵心痛。

"别担心，他们现在肯定在盘查旅馆和车站，他们不会想到我这个逃犯会在这里优哉游哉地喝咖啡。"

"噢，真服了你。那你喝完咖啡准备去哪儿？"

"还没决定，我会先打个电话给岳探长，让他跟我一道喝咖啡。"他说。

"你疯了吗？！"她差点叫出来，连忙又捂住了嘴，"你不要命了？你真的以为他会把你当成平常人那样跟你一起喝咖啡？他一定是在设套害你！"她用很低的音量急急地提醒道，同时瞄了一眼在另一张办公桌前自管自忙乎的小菲，还好，她刚才的情绪激动并没有引起小菲的注意。

"元元，我们的确需要见一面。"他镇定地说。

"可是他怎么可能单独见你？……他要是带人来怎么办？"

"我只给他这一个机会。"

"你的意思是……"

"我不会让他有机会骗我第二次。"他道，声音忽然像冰一样冷，接着他又换了轻松的口吻说，"我们大不了同归于尽，但是我知道，即便他死在我手里，即便我没走成，我也没那么快偿命，因为我的命现在比他值钱。"他带着几分得意，咯咯笑起来，但这两句话，却听得邱元元背脊发凉，心口发冷。

他好像马上意识到了什么。

"元元，你知道我是什么人。"他平静地说。

是的，她知道，一直都知道，她忽然好想哭。

"陆劲，我……我……能不能……求你件事？"她缓过一口气来后，艰难地开口了。

"你说。"他柔声说。

"你不要再干那事了,好吗?"她忍住眼泪说,"即使他骗了你。"

他沉默了下来。

"也许你有你的原则,但是,但是我希望你不要这么做。放过他!不要伤害他,就当是为了我。"

"元元……"他想说什么,但她马上就打断了他。

"我爱你。"她道。

他沉默了一秒钟,他声音低沉地说:"好吧。元元,我答应你。"

"你要说到做到。我希望我爱的人,有一双干净的手,以前的脏也许已经洗不掉了,但至少,从现在开始。"她说不下去了,其实她想说,她情愿他杀死自己,也不愿他再去伤害别人,因为那就意味着她也成了杀人同谋。

"我明白了。"

"好的。"她松了口气,觉得自己做了件伟大的事,虽然岳程未必一定会被陆劲伤到,但她知道,陆劲如果真的要害谁的话,一般都能如愿,所以岳程应该好好感激她。这时候,她听到他在电话那头问她:

"元元,你之前说,你怀疑你们的嘉宾是不是?"

听出他并没有怪自己,她很高兴。

"对。"她道。

"有没有名单?帮我弄份复印件好吗?"

"整理起来需要点时间,因为大部分嘉宾都不是我请来的,明天才能弄出来。"

"好吧,我们明天再联系。"

他好像要挂电话了,她连忙叫了一声。

"嘿。那张条子,要不要发短信给你?"

"不用了,让岳程自己告诉我。"他温柔地说,"别担心,我会遵守诺言的。"

她知道他这么做是不想把她扯进来,他要装作从来就没听说过有那张字条,想到这里,刚刚还在担心他大开杀戒的她,马上又担心起他的安危来。

"你把我的号码设定一个键,这样如果有事,你就能马上通知我了。"她抬头又瞄了一眼小菲,轻声说,"我有辆摩托车停在大楼后面的车棚里。"

"不用,我不会骑。"他笑着说。

"亲爱的,我会。"她道。

"你说什么?陆劲的母亲已经死了?什么时候?"岳程吃惊地望着下属王东海,这个消息对他来说,非常意外。

"死亡时间是 2004 年 5 月 4 日晚上十点左右,她是在自己家的厨房里上吊的。

县公安局勘查现场后,定性为自杀,好像没什么疑义。"王东海翻出两张记录来。

"有留下遗书吗?"

"没有。"王东海摇了摇头。

"自杀总得有理由吧?"岳程觉得事情越来越复杂了。

"头儿,理由其实也不难猜。根据陆劲的背景资料,他父母长期分居,他是他母亲唯一的儿子,他被捕入狱对他母亲来说应该是个致命的打击,而且那是在农村,儿子出了这种事,别人免不了会在她背后指指点点,他母亲的日子一定不好过。"王东海道。

岳程想,这理由也说得过去,但他需要更多的理由才能说服自己。

"验尸报告和现场勘查报告有没有让他们传真过来?"他问道。

"还没有。县公安局负责档案的工作人员,中午回家吃饭了,要下午才能来。"王东海笑了笑说,"他们答应,那人一回来,就传过来。"

"那就好,你再催一下。"岳程正想再问几句,手机忽然响了。

他打开一看,是一个陌生的电话号码,看号码应该是公用电话,他心头一震,会是陆劲吗?他连忙找了支笔迅速记下了这个电话号码,接着,他接了电话。

"喂。"

"我是陆劲。"对方答。

"你好。"他一边答应,一边迅速把电话号码丢给王东海,并向后者使了个眼色,让他立刻去查这个电话号码的方位。小王心领神会,马上忙碌起来。

他手里拿着电话,踱到了窗边。

"没想到你会给我打电话。我们一直在找你,你现在在哪里?我们谈谈好吗?我觉得我们应该有很多话题可以谈。"他放慢语速,并尽量显出诚意来。

"行。单独见个面怎么样?"陆劲却语速很快。

"好啊,在哪里?什么时候?"他也干脆地答应了。

"半小时后,在广播大楼对面的 Twenty Pub。"

岳程看了下腕上的手表,现在是一点二十分。

"好。"

"我还想让你带点东西过来。"陆劲道。

"我也想让你带点东西。"

"你是说那把枪吗?"

"你留着没用,这不是你惯用的武器。"岳程看了一眼小王,后者正在查方位,似乎还没查出结果,"你要什么?"他问道。

"我要到目前为止的被害人名单,还有他寄给媒体的信。如果你答应,我可以把枪还给你。"

"你好像没有跟我做交易的资格,陆劲,干吗不自首?我保证你能活命。"他诱惑道。

陆劲笑起来,好像他讲了个大笑话。

"见面再谈吧。记住,单独来。"陆劲提醒道。

他还想说句话,但电话那头已经响起嘟嘟嘟的声音。

"查到没有?"他快步走到小王身边问道。

"查到了,杏梅路的一个公用电话。"

"那条路靠近哪里?"他问完才想起,广播大楼的侧面就是杏梅路。

"靠近广播大楼。"小王也这么说。

陆劲从广播大楼附近打这个电话给他,是什么意思?难道是声东击西?其实他是想搭火车离开本市,却假意把他引到广播大楼对面的咖啡馆?现在是一点半左右,很难想象,他会在那附近待上半小时。这到底是不是个圈套?

还有一个问题,到底该不该单独赴约?

他回头看了一眼另一边桌上,罗小兵正在写检查,因为丢枪的事,目前这个年轻的下属正在承受上班以来最大的一次挫折。

下午一点五十分左右,岳程单独驾车来到陆劲指定的见面地点,广播大楼斜对面的 Twenty Pub。这家咖啡馆隐藏在一家别墅式宾馆的内部,他沿着林荫道将车往里开了大约两分钟,才在一栋别墅楼前看到"Twenty Pub"的招牌。

他一走进光线幽暗的咖啡馆,就看见陆劲独坐在墙角一张靠窗的桌前,正悠闲地翻着电影杂志。他果然在这里!岳程微微感到有些意外,他本以为所谓的咖啡馆约会只不过是个圈套,但谁知他真的在这里!这个人是不是有点自信过头了?难道他真的以为警方会跟他公平交易?难道他真的以为,他的对手会傻到一个人开车来跟他喝咖啡?没错,从表面上看,他是单独赴约的,但其实他早已经安排了两名下属稍后赶到,陆劲不是个能在力量上取胜的杀手,所以他认为三个人绰绰有余。

即便是这样,在看见陆劲的一刹那,他的脚步还是不由自主地停了下来,他在犹豫是不是该立刻通知总部派大批人马来咖啡馆围捕陆劲,但想了想后,决定还是先跟陆劲谈一谈再说。他明白在这种情况下,就算抓住陆劲也毫无意义,因为现在抓住陆劲的目的不是为了惩治他,而是为了让他帮忙破案,如果这个人因此就死活不肯合作,那对这个案子来说,对他来说,都一点好处都没有。更何况,咖啡馆里还有别的客人,陆劲手里又有枪,如果逼得太紧,难保不伤及无辜。他不想因为不必要的伤亡,就被扣上"处事不当"的帽子,最近这段时间对他的前途来说是敏感期,他不想被任何人抓住把柄。

打定主意后,他走到了陆劲的面前。

"嗨。"他道。

陆劲抬头朝他微微一笑。

"你很准时啊。"

"这是我的习惯。"他在陆劲对面的椅子上坐了下来。

"我要的东西带来了吗?"陆劲单刀直入。

"我要的东西呢?"

"现在拿出来不太好吧?"陆劲望了望四周的客人。

中午时分,咖啡馆的客人不多,但至少也有三四桌上有人。

"你还是先把我要的东西给我吧。"陆劲道。

按照陆劲的要求,岳程复印了一份被害人名单。

"你为什么想要这个?"他将那几张复印件丢在陆劲的面前后问道。

"我想知道他们之间有什么联系。"陆劲漫不经心地翻着那几张复印件,翻到最后一页时,他停住了,抬头扫了一眼岳程,"谢谢。"他道。

最后那张是陆劲母亲自杀时的现场勘查报告和验尸报告。

"我才知道你母亲的事,从时间上看,是在你入狱后不久。"

陆劲没说话,眼睛一直盯着那张现场勘查报告。

"看出什么来了吗?"过了会儿,岳问道。

"红烧肉,清蒸鱼。"陆劲喃喃道,眼睛仍然盯着那张纸。

"什么红烧肉?"岳程还没仔细看过那张现场勘查报告。

陆劲把最后那张复印件递给他,并扬手找来了服务员。

"再给我一块起司蛋糕,给这位先生一杯咖啡。"他吩咐道。

服务员应声而去。

岳程很快在现场勘查报告里找到了陆劲刚刚提到的地方,原文是:"饭桌上放有一碗红烧肉、一盆炒青菜、一碗清蒸鱼,都已经吃了一半。筷子一双,米饭半碗,一瓶白酒,已经启封。"

"有什么不对头吗?"岳程看着那行字。

"我们家的厨房从来没酱油,因为我爸嫌她皮肤黑,她老说酱油会让她的脸更黑,还会让她拉肚子。所以,怎么会有红烧肉?"

酱油是烧红烧肉的必需调味料,岳程明白了他的意思。

"而且她很节省,自己平时从来不吃荤菜,只有我回去的时候,她才会去买些鱼和虾。"陆劲声音低沉地说。

服务员端来了咖啡和蛋糕。

"他们这里的咖啡很地道,尝尝吧。"陆劲一边说,一边用小勺子割下三分之一块蛋糕放入嘴里,津津有味地吃了起来。

"你觉得她的死有疑点?"岳程放下了那张复印件。

"你觉得呢?"

"酱油的事,是有那么点说不通……不过,你已经很久没跟你母亲生活在一起了，也许她的生活习惯发生改变了呢，这种事说不准。"

"也许是吧。"陆劲点头道。

"如果你觉得这事有疑点，我们可以委托当地的公安局再作一次调查，我相信，由我们出面去联系，对方一定愿意合作。"他尽量向其表达自己的友善。

陆劲冷笑着朝窗外望去，没搭腔。

他不相信当地的公安机关，岳程想。

"我们也可以亲自调查，"他道，陆劲把头转过来看着他，好像在等他的下文，"但前提是，你必须自首。"他说。

"自首？"陆劲皱了皱眉头。

"自首吧，陆劲，我们好好合作怎么样？"他劝道。

"所谓的好好合作，只是让我单方面地把知道的事告诉你们，你们是不会让我参与的，我对你们来说，好比一个收音机，想什么时候听，就打开听听。"他又舀了口蛋糕慢悠悠地放在嘴里，"这件案子我想自己弄弄清楚。"

"你怎么弄清楚？通缉令一下来，你就寸步难行。你很快就会被抓，到时候，你想再出来呼吸新鲜空气，就没那么容易了。"

"我知道，所以得想想办法啊。"陆劲笑道。

真不知道这混蛋的葫芦里卖的是什么药！岳程很想挥拳过去打烂这张臭杀人犯自以为是的笑脸，他真的以为自己是什么人？难道他真的以为有资格跟警方谈条件吗？

"陆劲，你跑不了的！想什么办法都没用！"他压低声音，不客气地说。

"试试看吧。"

看来劝他自首是浪费时间，岳程决定换个话题。

"'一号'又杀人了。"他喝了口咖啡道。

"是吗？"陆劲显出吃惊的表情。

岳程真想说，妈的，少装蒜！元元肯定已经告诉你了，但他不想在这个人面前戳穿这一点，他不想把她扯进来。

"很吃惊吧？"他道。

"还好。"

"他留了张条子，里面提到了你，想看看吗？"

"好。"

岳程拿出那张条子的复印件交给陆劲，陆劲看了一遍，笑道："看来，他真的很欣赏我。"

"你们是臭味相投。"他看着陆劲的脸，冷冷地问道，"他说你知道怎么联系他，你怎么联系他？"

"我们是笔友，当然是通信才能联系到他。"

这不像假话,但岳程敢肯定,这百分之百是假话。

"他还说如果你把他要的东西给他,他就会停止这场游戏。"他又喝了口咖啡,"你到底拿了他什么?"

"啊,这我得想想。"陆劲低头津津有味地吃着最后一口蛋糕。

他不肯说。

岳程向陆劲身后那排木架子上陈列的旧照片望去,正好看见两个熟悉的人影出现在一张黑白照片的镜框里,那是他的下属小宋和小胡,他们两个是来咖啡馆接应他的。他们事先商量好,如果他进入咖啡馆五分钟后没出来,就说明陆劲在里面,那样他们就会跟着进来配合他的下一步行动。

现在,只要他拿出手机按下任何一个键,他们两个就会迅速走上来围捕陆劲,这是他们之前设定的暗号。

陆劲正低头喝咖啡,也许现在正是好时机,他拿出了手机,正当他准备按键的时候,却听到陆劲语调温和地问他,"咖啡味道怎么样?"

"还不错。"他道。

"我觉得蛋糕如果是冰的就更好了。"陆劲说着话,忽然,手像闪电般伸过来,一把夺过了他手上的手机,这让他措手不及,又惊又怒。

"陆劲!你想干什么!"他低声喝道,右手已经拔下了腰间的枪,只不过拿着枪的手放在了桌子底下。他透过陆劲身后的镜框,看见小宋和小胡仍然坐在那里,他们不时朝他这里望,该死的!他背对着他们!咖啡馆的光线又暗,所以刚刚那一幕,他们根本没看见。现在看起来,陆劲可真会挑座位。

陆劲看了看手机上的时间。

"时间不早了,结账吧。"他平静地说。

"结账?"他被搞糊涂了,开什么玩笑?难道让我付账?

"我哪有钱付账?"陆劲一副理所当然的表情。

妈的,这混蛋当我是冤大头了!岳程咬牙切齿地说:

"你不是偷了小罗钱包里的500块钱吗?"

"你看,咖啡35元,起司蛋糕每块25元,我吃了两块,你的那杯咖啡是28元,价格可不便宜。"陆劲拿着账单一一报给他听,随后笑着说,"那些钱够我喝几次咖啡?我得省着点花。"

岳程注视着陆劲,他们在座位上面对面僵持了两秒钟,最后,他还是屈服了。他心想,也罢,结完账趁机把他带出咖啡馆,到时候周围没有闲人,也不必担心伤及无辜,那时再教训他。陆劲啊陆劲,别以为耍弄警察是件好玩的事,我马上就让你后悔。

"好吧。"岳程忍着气笑了笑,招手叫来了服务员。

陆劲饶有兴趣地看着他掏钱结了账。

"你好像忘了要发票。"他提醒道。

"没关系,我请你。"岳程道。

"谢谢,让你破费了。"

"现在该把我要的东西还给我了吧?"

"好吧。"陆劲点头。

"放哪儿了?"

"你来的时候,看见宾馆草坪里的那几个大盆景了吗?"陆劲懒洋洋地用手指划着下巴。

"有吗?"岳程对此毫无印象。

"我放在其中一盆里了,不过我不记得是哪一盆了。你可以派人去找找。"陆劲笑着竖起食指朝他身后指了指。

原来他早就知道身后有警方的人了,也难怪,从镜框里不难看出小宋和小胡一直在朝他们这桌望,像陆劲这么精明的人一定早就感觉不对头了。好吧,既然如此,也没必要隐瞒了,你本来就该想到,我不可能有这种闲情逸致跟你在这里喝咖啡。岳程转身朝那两个下属招了招手,两人立刻起身走了过来。

"头儿,怎么说?"小宋俯身问道。

"你们两个到宾馆草坪里的那几个盆景里去找找那把枪。"他小声命令道。

"是。"小宋看了一眼陆劲,没说什么便跟同伴一起,健步如飞地跑了出去。

但是他们刚一出门,岳程就觉得自己可能作了个错误的决定。假如那不过是陆劲要的又一个花招怎么办?假如那个盆景里面藏着的不是一把枪,而是一颗炸弹怎么办?假如陆劲只是想支开那两个人,以便可以单独对付他,怎么办?虽然他的枪已经握在手里,体能上也远胜过对方,他一个人也能对付陆劲,但是……

"你真的把枪藏在那里吗?"他问陆劲。

"当然。"陆劲道。

看着面带微笑的陆劲,他越发不安。不,不能相信这个人,那把枪肯定不在他说的地方,而是在他身上!

"走吧,我们去看看你有没有在说谎。"岳程示意陆劲站起来跟他一起走,他现在决定对陆劲进行一次搜身。

陆劲依言行事,没有反抗。

一踏出咖啡馆,岳程就把陆劲往自己车上一推,让他双手伸开趴在车上。

"老实点!"他低声喝道,顺手将已经拔出的手枪插进腰间的枪套。

陆劲很顺从,他任由岳程的手在自己身子两边从上至下快速地摸索。

当岳程的手摸到陆劲后腰时,蓦地一个硬硬的东西让他停了下来。

果然在他身上!

"那不是你要的东西。"陆劲。

可摸起来就是把枪！

他迅速翻开陆劲的滑雪衫和衬衫，那东西被贴肉插在长裤里。妈的！一看见那东西，他就忍不住在心里狠狠骂了一声，那果然不是他要的东西！那居然是把看上去很逼真的玩具枪！妈的！他刚想破口大骂，却听到陆劲冷冰冰地说：

"别找了，你要的东西在这里。"陆劲一边说，一边忽然转过身，岳程已经发现不对，他刚想伸手去摸枪，但已经来不及了，一个黑漆漆的枪口对准了他的胸口，这时候，小宋和小胡早已在宾馆的草坪里消失了踪影。中计了！陆劲谎称枪藏在盆景里的意图其实很明确，就是为了支走小宋他们两个。

"陆劲！我希望你知道自己在干什么！"他喝道。

"上车！"陆劲命令道，灰黑色的眸子里闪过一道冰冷的寒光。

岳程心里一惊，他忽然意识到这个在过去四十八小时里，一直显得温文尔雅的男人，其真实身份其实是个杀过八个人的杀人犯，一个典型的亡命之徒，他不畏惧惩罚，更不怕死，如果他想要大开杀戒，不需要任何理由，对这个人来说多杀一个人就像多喝一口水一样无足轻重，所以现在，他唯一能做的就是见机行事。

"你跑不了的。"岳程提醒道，他现在很后悔把主要人马都调到车站去了。

"少废话！快上车！"陆劲利索地从他腰间的枪套里拿走了他的枪，然后拉开了驾驶座的门。

岳程不敢轻举妄动，只得乖乖坐进了驾驶室。

陆劲很快坐到了车后座，关上了车门。

"开车！出宾馆往左。"陆劲用枪顶着他的脑袋命令道。

岳程踩下了油门。

把车开出宾馆的时候，他看见小宋和小胡急匆匆从草坪的另一头奔出来，想追上他的车，但没追上，他们只能站在宾馆的林荫道上惊慌失措地望着他这辆车的背影，大口喘着粗气。希望他们能明白发生了什么，尽快请求支援，岳程心道。

"往左。"陆劲继续给他指方向。

"你要去哪儿？"他问道。

"市公安局。"

"什么？"岳程简直不敢相信自己的耳朵，陆劲到底在打什么鬼主意？

"市公安局。"陆劲又说了一遍。

"陆劲！你到底想干什么？！"岳程无比困惑，他相信陆劲是不会去自首的，但是他为什么要去市公安局？通过后视镜，他迅速瞥了一眼陆劲，此人脸上毫无表情，他无法从中判断出这个人现在的心情，只能说，他现在面对的是个难以捉摸的歹徒。到底是什么原因使陆劲想去市公安局？那不等于自投罗网吗？他是想去袭击市公安局的警察吗？是不是想借此出名？之前陆劲干的那宗连环杀人案，并没有成为轰动新闻，难道这让他感到失望了？

"丁零零——"一阵尖锐的铃声,打断了岳程的思绪。

不用说,一定是小宋他们打来的。

"接电话!"陆劲命令道。

岳程接通了电话。

"头儿!怎么走了?!"电话那头传来小宋焦躁的声音。

"犯人……"一时间,岳程陷入了两难,他不知道该怎么说,因为不管是说真话还是说假话对他都很不利。如果把现在的情况如实相告,那等于是在向所有人宣告他的无能,但如果什么都不说,又会使他的处境更加艰难。该怎么办呢?

"头儿!头儿!"见他不回答,小宋拼命在电话里叫。

"嗨,刚刚信号不好。"他连忙解释。

"你们在哪儿?"

"我们现在在大通路……"

"头儿?去大通路干吗?我们局是另一个方向。"

"少废话!现在有突发情况,尽快报告总部要求支援!"他说完这句,马上又补充道,"我已经到大通路杏梅路拐角处了,你们马上赶过来!"他还想说两句,陆劲一把夺过他手里的电话,按断了。

"你这辆车上应该有联络设备吧?马上通知他们,犯人准备自首,现在正在开往市公安局途中。"陆劲道。

自首?我没听错吧?岳程根本不相信陆劲说的话。要自首,只要停下车,把枪还给他,乖乖让他用手铐铐住,整个过程就完成了,还需要挟持他开到市公安局吗?陆劲这混蛋到底在搞什么?!

"你到底想干什么?"他气急败坏地问道。

"我怎么能相信你们这些区级警察呢?"

他不理会陆劲语气中故意流露出来的轻蔑,问道:

"为什么不在我手里自首?"

"为什么要在你手里自首?"

"我们可以合作,之前我已经说过了。"

"是啊,我也听过了,也回答你了,不可能。"陆劲呵呵笑着,又命令道,"照我说的做,跟总部联系。"

他没动弹。

陆劲的右手往车门上一按,车窗徐徐降下,他听到陆劲阴阳怪气地说:"这条街上的人真多,不知道从警车里发冷枪射死路人的话,会是什么感觉,"他低声笑着,把枪抵住了岳程的脑袋,"照我说的做!快点联系总部,说犯人陆劲现在要去市局自首,听到没有?你再不说,我就乱射行人了!我现在可是有两把枪——警枪。"最后那两个字,陆劲几乎是贴着他的耳朵说的。

岳程知道这不是玩笑,他不想有无辜路人被射杀,无奈,他只能拿起了对讲机。

　　"0287,0287有事报告。"

　　"0287,请说,0287,请说。"

　　"0287,现在有事报告,嗯……0287现正带一名犯人去市局自首,犯人的姓名是陆劲。"岳程被迫说道。

　　"0287,0287,这类事不需要报告,请自行处理,完毕。"对方冷冰冰地答道,并随即关闭了对讲设备。

　　"好了,现在你满意了吧?"岳程恼火地说。

　　"继续联系,告诉他们,犯人陆劲现正在前往市局自首的途中。"陆劲道。

　　"陆劲!"

　　"照我说的做,你不想有路人受伤吧?"

　　岳程无奈,只得再次接通了总部。就这样在陆劲的威胁下,他跟总台一共联系了四次,报告的内容完全相同,到最后那次时,对方已经明显流露出不耐烦,对讲机里传来女联络员不客气的说话声,"0287,0287,请你不要浪费大家的时间!通话设备不是用来开玩笑的!"接着,她毫不犹豫地切断了联系。

　　"现在你该满意了吧?"他恼火地说。

　　陆劲没回答,通过后视镜,他看见陆劲正在笑。妈的,真想揍扁这混蛋!

　　"现在离目的地还有多远?"过了会儿,陆劲问道。

　　"还有两公里。"

　　"好,继续往那儿开。"陆劲命令道。

　　难道他真想去市局自首?他心里仍然疑惑不解。两公里的路程并不远,在不堵车的公路上,他只花了几分钟就将车开到了离市公安局门口不远的岔路口。

　　"快到了吧?"陆劲问。

　　"前面就是。"

　　"往前开。"

　　"大门在前面,当然得往前开。"他没好气地说。

　　"是让你开过大门。"

　　"你说什么?"

　　"从大门前开过,在前面岔路,往右。"陆劲口齿清晰地命令道。

　　"你不是想去市局自首吗?"

　　"你废话真多!"

　　"你不打算自首了?"他嘲讽道,对这个转折略微感到一丝欣喜,虽然他明知道自己不应该有这样的想法,但他还是不自觉地松了口气,并且一路将车开过了市局门口,他想,真奇怪,他居然害怕别人的目光和误解远胜于这个用枪抵着他脑袋的杀人犯。

"你要去哪儿?"开出几分钟后,他问道。

"朝国道方向开。"

"你要去哪儿?"他又问了一遍。

"你不是早该知道了吗?"

六 2008年3月9日下午

经过一个多小时的颠簸,岳程终于将车开上了国道。现在,他已经知道陆劲的目的地是哪里了,其实跟他最初猜想的一模一样。

"你是想回安徽老家吧?!"开出省界时,岳程问道。

"对。"

"干吗用我的车?"

"你封锁了机场、长途客运站和火车站,我想要离开S市只能这么做。"陆劲往嘴里丢了块薄荷糖。

"你随便找个开车人就可以离开,干吗拉上我?难道你觉得对付我比对付一个普通人更容易?"

陆劲笑了笑。

"如果找别人,我就不得不半途放下他,因为我不想让他知道我的目的地在哪儿,那样他就会报警。这会给我带来一大堆麻烦。"

"你可以杀了他。"岳程冷冷地答道。

"在哪儿杀?"陆劲一边嚼着薄荷糖,一边问道,他把脑袋搁在自己的手臂上休息。经过一个多小时的对峙,这个杀人犯显然已经有些累了,说话的底气也不像先前那么足了。这也难怪,自从逃亡以来,他的日子一定不好过,虽然屡屡得手,但想方设法逃脱追捕的过程一定时时刻刻都在消耗他的体力,估计那块薄荷糖的功用也是为了提神,也许他就快睡着了,岳程想。他相信随着时间的慢慢推移,陆劲的体力会越来越差,对他的警惕也会越来越松,他等待着枪口从他脑袋上移开的那一刻。

"在你觉得最合适的地方,你不是这方面的专家吗?"岳程嘲讽道。

"那就得到目的地。从这里开到目的地,怎么也得七八个小时,如果他失踪那么久没消息,一定会有人找他。"

"为什么一定要到目的地才动手?"

"我赶时间。"陆劲的枪口仍死死抵着他的后脑。

杀个人费不了多少时间,把人杀了扔出车外不就行了?难道……

"你不会开车?"岳程忽然想到。

"我是不会。"

岳程这才想起,陆劲入狱前是个生活俭朴的美术教师,别说汽车,就连辆助动车也没有,被捕时他只有一辆旧自行车。

"你在广州时没学过开车吗?"他随口问道。

"广州?"陆劲愣了一下,岳程忽然觉得脑门上的枪口稍微移动了一下,他立刻决定继续就这个话题聊下去。

"我记得你在广州生活了好几年,你没学过开车吗?"

"我在广州时只是个收入微薄的美术设计师,哪有钱去学开车,连想都不敢想。"

"可我记得你的档案里说,你曾经给你的女朋友买过车,难道我记错了?"

陆劲沉默了一会儿才说:

"她说结婚前先要买车,我把我的积蓄给了她。"

"你有那么多积蓄吗?"

"不多。"

"车买了吗?"

"至少我没看见。"

"这对你的犯罪经历来说,不是件坏事。"他中肯地评论道。

"同意。开车比骑自行车更容易被抓到。"陆劲笑了起来,那把枪似乎又松动了一点。

"看来她骗了你不少东西。她提出分手时,你是不是已经身无分文了?"

"何止啊,我还欠了一身债。"

"像你这么聪明的人,怎么会让她骗得那么惨?"

陆劲叹了口气。

"是让她骗了以后,我才真正变得聪明起来的,如果你碰到跟我差不多的事,没准今天成为杀人犯的人就是你,其实从本质上说,人跟人差别不大。"

"你杀她时是什么感觉?是不是觉得特有快感?"

陆劲的声音骤然响了起来。

"你怎么没完没了了?!"

"旅途寂寞,随便聊聊嘛。"岳程笑了笑。

"那就换个话题。"陆劲道。

"好,那就继续最开始的问题,请你告诉我,你为什么非要用我的车?"岳程问道。

陆劲闷头嚼了一会儿薄荷糖,说道:

"一,我没时间去找别人,我知道如果不跟你见面,你是不会把我要的东西交给我的,而我一旦跟你见了面,你就不会放我走,所以我只好用你的车了;二,我觉得用你的车离开S市最安全。因为你是警察，而且还就是那个下命令封锁路口的警察，所以我想你的车应该不会受到严格的盘查，看来我说对了。"

这事不提也罢，一提起来，岳程就一肚子火。刚刚他们是碰到过一路设卡盘查的警察，但是对方一看见他的证件，马上退后一步，手一挥，放行了。虽然他拼命向对方使眼色，但对方置若罔闻，岳程甚至怀疑，那个警察都没注意到后车座上还有人。

"我失踪太久，也会引起怀疑的，这点你没想到？"

"所以，我先要击溃你跟你的后台之间的信任机制。"陆劲得意扬扬地笑了，"我要让他们不相信你的话。"

妈的，没错！按照陆劲的要求，他曾经连续四次跟总台报告说，要送疑犯去市局自首，但是，结果他没去。他让小宋和小胡去草坪盆景处找枪，没找到枪不算，他却甩开他们独自开车走了！在车上接到小宋的电话，他含糊其辞，说信号不好，最要命的是，他不仅让他们追车，还让他们请求支援，现在看来，这些话完全可以有另一种解释——既然他可以自由地说那么多求救的话，那就说明他没有遭到胁迫，至少可能性比较低——这样的话，他一开始让他们去草坪找枪，完全可以被说成是故意支开他们。天哪！他现在所做的一切足以让所有人都对他的话产生怀疑。说不定还有人会怀疑他跟陆劲是一伙的！如果以后他再发出求救信号，还有谁会相信他？

他现在有嘴也说不清了！

再回头想想他跟总台联络的过程，那简直就是个"狼来了"的翻版故事。

他觉得自己的脑袋好像被人猛地一下按在了水里，一时间，他头昏脑涨，分不清东南西北，只听到耳边有个人在说话，"你还想升职？别做梦了！即使你把这些事都解释清楚，你被挟持的事也是个大污点！你的职业生涯算是完了！完了！完了！"

对，即便是解释清楚了，今天的事也会是个大污点！有污点的人是不可能获得晋升的，没降职就算不错了！也许从今以后，还会有人在背后议论纷纷，每次晋升就会有人出来说三道四。机关是个异常复杂的地方，只要你想获得点什么，就会树敌，只要有敌人，他们就不会放过任何一个摧毁你的机会。今天所发生的一切，对他的敌人来说，是个好机会。他一想到那些人脸上得意的神情，一想到这些年自己为之苦苦奋斗的一切将毁于一旦，他就觉得头痛欲裂……这时候，他听到陆劲在跟他说话。

"呵呵，他们一定认为你是有主动权的，否则你怎么会报告要带犯人去自首？要知道，通常犯人是不会提出这种要求的。现在就算你求救，他们也未必会相信，他们一定会想，岳探长是不是在开玩笑？是不是在搞什么特别的行动？哈哈哈。"陆劲肆无忌惮地大笑起来。

就好像被人兜头打了个耳光，而且打他的还是个他向来瞧不起的人，一个社会渣滓，一个本应该蹲在地上，双手抱头求饶的家伙！

一股怒气直逼上来,他觉得眼冒金星,他真怕自己的双手会忽然同时离开方向盘朝后面那人的脖子掐去,他真想这么做!现在,他终于真真切切体会到了想杀人的感觉,对!应该就是这种感觉,你想亲手扭断一个人的脖子,看着这个人脸上扭曲的表情,欣赏他绝望的眼神,然后在不断抽搐的身体上踢两脚,也许还想用刀不断刺入这个人的心脏,直到他血流满地,停止呻吟……就是这种感觉,他真想杀了陆劲!

　　不,不行!

　　现在需要冷静,冷静!

　　他用一分钟强压下心中的怒气,冷冷地问道:

　　"可以给我块薄荷糖吗?"

　　"可以。"陆劲递给他块薄荷糖。

　　冰凉的感觉立刻让他头脑清醒了不少,现在他有了一个想法。

　　必须扭转局面,把车开回去!

　　"看来你做得很成功!"他脸色铁青地说,看见前面有条岔路,他扫了一眼公路上方的路牌,几乎没多加考虑,便调整方向盘,开了过去。

　　"岳程,你去哪儿!"陆劲发现不对,立刻叫起来。

　　虽然那把枪还顶在他的脑门上丝毫都没放松,可他现在已经不在乎了。去你妈的!陆劲!大不了同归于尽!他这样想着,再次踩下了油门,他的车发疯一般朝路边的小径开去。

　　"停车!停车!"陆劲大吼。

　　"少废话!要杀就杀!"他用更响的声音吼道,他的双手紧紧抓住方向盘,车速更快了。这条小径很荒僻,但也有几个行人,他故意将车开得东倒西歪的,心道,"看你怎么朝路人开枪!你射个人给我看看!"他已经决定了,无论如何也要把车开回局里,相比被当做杀人犯的同伙,他宁愿丢掉一条性命也要找回自己的清白,至少这样可以不必让一直为自己自豪的父母蒙羞,想到这里,他更加不怕陆劲的威胁了。

　　"岳程,你想干吗?!"陆劲的声音还是很冷静。

　　"我不用求救!也能把你抓回去!"

　　"掉头!"

　　"休想!"

　　"快掉头!"

　　"去你妈的!有种就开枪!"他喊道,现在他已经什么都不怕了,他后悔一开始慑于威胁,没有拿出勇气来,不过现在应该还不晚。

　　"你以为我不敢吗?!"陆劲用枪戳了一下他的后脑勺。

　　"哼!"他冷笑一声,继续往前开,他知道这条小路虽然荒凉,但再转几个弯就能开上回去的那条路。

陆劲看出了他的企图,从后座纵身扑过来抢他的方向盘。

"掉头!"陆劲叫道,声音已经有点急了。

"滚开!"他想推开陆劲,但没成功,他们两人很快就在车上撕扯了起来,陆劲在力量上虽然不是他的对手,但毕竟也是个男人,所以也不弱,他想用单手摆脱对方的纠缠和袭击并不容易。陆劲抓住他的手腕,奋力想将它从方向盘上移开,他则腾出一只手来捶打陆劲。

"滚开!蠢货!想出车祸吗?"他骂道。

陆劲用枪把狠狠打了一下他的头,啊,好痛!怒火从他被袭击的地方迅速蔓延开来,他忽然失去控制地破开嗓门大吼道:

"你也配打我?!你这屁股开花的软蛋!"

说完,他腾出右手,往后就是一拳,陆劲轻巧地避开了,但马上就发疯般朝他扑了过来,这次他没有挥拳揍他,而是用胳膊肘死命把他的脖子往后扳,虽然陆劲的力量还不足以要了他的命,但他还是觉得脖子上受到了重压,透不过气来,他本能地想拨开对方的手,一边挣扎,一边抬起头,正好看见陆劲的脸,暴怒已经使这张原本斯文清俊的脸完全变了形。他嘴唇紧闭,双颊像被拔了牙那样瘪了下去,低垂的睫毛下阴冷的目光像刀子一样锋利……魔鬼的脸他终于见识了!没错,这目光,这脸,这表情,就是属于杀人狂的!他杀人时,应该就是这副残忍暴怒又兴奋的表情,想想那些被害人,在临死前,看到他这张脸时是什么心情,刚刚还是温文尔雅的翩翩公子,在一瞬间就变成了恶魔,即使是看过很多凶犯的他,在猛一下子看见陆劲的脸时,也禁不住会心里一凉。

但是真奇怪,陆劲居然没用枪打他的脑袋,在受到如此严重的侮辱后,他为什么还不开枪?按理说,在这样的情形下,陆劲只要开一枪就能立刻解决问题,但是他竟然没有开枪,而是很愚蠢地用了最无效的办法——掐他的脖子,难道他以为现在对付的是个手无缚鸡之力的小女孩吗?看来刚刚那句话戳到了他的痛处,这混蛋完全是被气糊涂了,丧失了思考能力。

陆劲显然不是个会吵架的人,被严重羞辱后,竟然答不上话来。只是用胳膊肘猛地将他的头顶撞到玻璃窗上,发出咚的一声巨响。

妈的!好痛啊!

"难道你害羞了?"他咬牙切齿地说道,一路将车开上了一座颤颤巍巍,没有围栏的小桥,这是回S市的必经之路,小桥前方的路牌已经指明了方向。他还看见离小桥大约两百米的地方,路旁有个巨大的石磙,他相信如果将车开过去,用车尾去撞那个石磙,那么陆劲一定会……

"咚!"他脸上又挨了一拳。

"掉头!"陆劲命令道。

"去你妈的!"他骂道。

他知道车子在东摇西摆,他知道他现在最需要的就是冷静,但是反复被打和被骗的羞辱感让他忘记了一切,他现在只想打击这个让他陷入绝境,还有可能毁了他一生的混蛋。

"你以为别人不知道吗?你也不想想怎么会没人看见?"他扯着喉咙恶声恶气地大笑,"砰!"他的下巴上挨了一拳,"砰!"又一拳打在他的脖子上。

怒气腾地一下从腹部蹿了上来。混蛋!不揍你,以为我是吃素的!他双手放开方向盘,背过身去一拳朝陆劲打去,就在他的拳头要接触到陆劲的脸时,他忽然看见陆劲的身体出现在他的头顶上方,接着他觉得身子和车都在往下坠。糟了!

等他意识到发生了什么时已经晚了,他觉得自己正在坠入深渊。接着,他什么都不知道了。

七 2008年3月9日晚上

"还没通吗?"简东平看了一眼身边的邱元元,半小时前,她就一直在打陆劲的电话,但始终没联系上。

"没通,不知道他上哪儿去了!"邱元元悻悻地挂了电话。

"他跟你说过什么吗?"

"他说要跟岳程单独见一面,也不知道怎么样了?"她忧虑地看着他,低声问道,"你说他会不会是被抓了?"

"你多久没联系上他了?"

"从下午三点我就开始打他的电话了,一直没打通。"

那么长时间了,简东平想,估计是凶多吉少,陆劲八成已经落网了。也许是从他的表情里猜出了他的想法,邱元元看了他一眼后,便拿出手机怒气冲冲地拨通了电话。

"你打给谁?"简东平看她的脸色,不像是要打给陆劲。

"岳程。直接问他最干脆!如果陆劲真的被抓了,那至少也是个结果!我不想像个傻瓜一样干等着!"她的声音里透出随时准备大吵一架的征兆。

"也对。"简东平点头道,他也很想知道结果。

但是邱元元拿着电话在耳边听了很久,最后还是放了下来。

"怎么啦?"

"打不通,电话不在服务区。"

"跟陆劲一样吗?"

"可不是。"

"你再打打看,按理说,警察的手机是不能关的。"简东平觉得这很奇怪。

"好吧。"邱元元再次拨通了岳程的电话,但过了会儿,她又按断电话,朝简东平摇了摇头。

"也许只是个巧合。我让我爸帮忙打听一下,如果陆劲被抓的话,应该不难打听到。"简东平道,

"谢谢你。James。"邱元元有些泄气地把手机放进了包里。

服务员把两人的简餐端了上来。

简东平看见面前的海鲜套餐,才意识到自己真的饿了,中午他在杂志社对面的小饭店吃饭时,坐在对面的人不断擤鼻涕,害他饭吃了三口就扔下走了。

"你中午不是去找你家律师了吗?他怎么说?"他一边问一边往嘴里送了一大口饭。

邱元元拿起筷子也吃了起来,她点的是烧鸭套餐,白米饭上整整齐齐地排列着四块烧鸭,油亮的烧鸭皮看得简东平垂涎三尺。

"我家的律师说,陆劲的东西的确都还给他妈妈了。"邱元元好像一点食欲都没有。

"这么说……"简东平刚想开口,邱元元就接着说了下去。

"我后来一直在想我们中午说的话,假设凶手是跟陆劲通信的'一号歹徒',假设他向陆劲要信是为了要回自己的犯罪证据,假设陆劲妈妈的死跟他有关,我只是说假设。"

"好,就算是假设。"

"那么凶手又是怎么知道那些信会在陆劲妈妈的手里呢?如果他是个在现实生活中跟陆劲完全扯不上关系的人,他怎么会知道这些事?报上连陆劲杀人的事都没登过,正常的情况下,如果是一个跟他失去联系好几年的笔友,恐怕根本连陆劲入狱的事都不会知道,除非他亲自到他家来找过他。"邱元元道。

"你交过笔友吗?"简东平问道。

"我交过,但自从我被陆劲关起来后,就没联系了。你呢,你交过吗?"

简东平摇了摇头。

"我懒得写信。不过,我同意你的说法,笔友一般不会知道那么多,尤其不可能知道信的归属。"他说。

"所以说,我觉得现在应该弄清楚的是,谁有机会知道这事。"

"公安这条线上的人应该最有机会。"

"我也这么想。"

看她脸上的表情,他问道:

"你是不是从你的嘉宾名单里找到了什么?"

"还没有,不过我从近一百六十个嘉宾中整理出十位跟这条线有关的人。我决定就从这十个人中试着找找'一号歹徒'。"她笑着说。

"你接着准备怎么做？"

"调查表。"她朝他挤挤眼。

"你给他们做调查表？"

"有的问题直接开口问会显得很唐突，说不定还会引起误会和反感，但一旦变成一张表格，就没那么突兀了，我决定再准备一些礼品送给他们，这样显得正式一些。"

"等这十个人填完，你就可以根据他们填写的内容决定下一步该怎么做了。"

"对。"

邱元元好聪明，有人说，恋爱中的女人很蠢，看来这句话未必适用于任何人。

"你能不能到时候让我也看看那些调查表？"简东平现在觉得自己如果错过这场游戏，简直就是个大损失。

"呵呵，当然。你现在是我最亲密的战友。"她拍拍他的肩。

"多谢抬举。"简东平笑道，又问，"你中午去看你家律师，他还说什么？有没有说起过陆劲之所以没被枪决的具体原因？我估计他应该知道。"

邱元元摇了摇头。

"我哪敢多问，他要是告诉我爸怎么办？我爸都恨死陆劲了，连听到他的名字都会发火，要是知道我又在拼命打听陆劲的事还不得气疯了？"

"你爸发火也是可以理解的。"

"我爸为了让我忘掉陆劲，还曾经硬要把我送到国外去，还不许我们家任何人提到蜘蛛，"邱元元叹了口气，"如果他知道，我现在又跟他搅在一起，不知道会怎么样。"

她的声音轻了下来。

"为什么不能提蜘蛛？"简东平大惑不解。

"陆劲的外号叫迷宫蛛，是他跟'一号歹徒'通信时自己取的，他们各人都给自己取个外号。后来陆劲进入收藏家俱乐部后，还用迷宫蛛的名字在《收藏》杂志发表过文章。这是他自己告诉我的。"

"你到底喜欢他什么？"简东平吃了一大口饭。

"不知道，就是喜欢他。那次看见他，我都快崩溃了，以前没发现自己有那么喜欢他。"她歪头想了想，轻声说，"不过，我经常梦见他。我有一次梦见他被人打伤了，我到处给他买药，但买完了药，怎么都赶不到他那儿，我好着急啊，都快急死了……"她看看他，骤然从回忆中醒悟过来，不好意思地笑了，"这大概就是所谓的想入非非吧。"

"这种梦每个人都做过，我想他肯定也曾经梦见过你。"简东平道。

邱元元朝他嫣然一笑。

"James，我发现你很会讨女人喜欢。"

"得了吧,我是实事求是。"

梦见喜欢的人实在太平常了,他自己就曾不止一次梦见江璇睡在他身边,最近则经常梦见凌戈双手叉腰凶巴巴地对他说,"简东平!我们局长说我工作能力超过他,让我当局长,所以从明天起,你给我端饭洗衣服!"

真是个噩梦!

岳程向来不喜欢巧克力的味道,这味道总会让他不由自主地想起他很多年前认识的一个女孩。当时他还是个高中生,那女孩是他的邻居,住在他家后面的一排房子里。他们几乎从没说过话,她也不漂亮。在他的印象中,她很喜欢吃巧克力,总是在放学回家的路上买块果仁巧克力,边吃边走回家。有一天清晨,他在去公园晨跑的路上,在一条幽深的巷子里发现了她。她衣衫不整地仰卧在一个垃圾桶后面,双腿张开,眼睛睁得老大,嘴里塞满了未经咀嚼的巧克力块,看上去肮脏极了。很明显,她已经死了,但他还是不放心,想看看她是否真的已经停止了呼吸,于是他俯下身子。当他靠近她时,就闻到那股异常浓郁的混杂着强烈血腥味的巧克力味,后来这股味道一直阴魂不散地跟着他,直到几个星期后才逐渐散去。从那以后,他就再也没吃过巧克力。

他讨厌巧克力。

可是为什么,有股那么浓的巧克力味?

谁在吃巧克力?

我在哪儿?

发生了什么?

他一边本能地抗拒着嗅觉带来的不良感受,一边用逐渐清醒的意识慢慢在记忆里搜索着,他想知道到底发生了什么事。蓦地,一辆汽车出现在他脑海里,那是辆亮着警灯的黑色汽车,接着是后视镜的反光,薄荷糖的味道,枪把的影子,咚的一声,脑袋撞在玻璃窗上的声音,汽车轮胎摩擦地面的尖厉响声,灌入耳朵的汩汩水声,还有……怒吼声,"你也配打我?!你这屁股开花的软蛋!"这是他的声音,接着一张男人的脸出现了,紧闭的嘴唇,狂暴而兴奋的表情,陆劲!他立刻认出了这个人,现在他什么都想起来了,他跟陆劲同坐一辆车,他们在车里打了起来,然后车翻下了桥!就在翻车的过程中,这混蛋还用枪把砸了他的脑袋!

对了,他掉进了水里!耳朵里灌满了水!接着……

他猛然睁开了眼睛。

令他意外的是,首先进入他眼帘的不是河里的水草而是沾满污渍的天花板。这是哪儿?他本能地在内心问了一句,随后便冷静下来。注意观察身处的环境,他发现他很可能正睡在一间宾馆的客房内,屋子里开着空调,暖烘烘的,有电视机、两张单人床和淡褐色的窗帘。他看见陆劲只穿了件薄薄的白衬衫,衣襟敞开着坐在靠窗的桌前不知道在看什么,现在他终于知道巧克力的味道来自哪里了,这家伙正在喝热巧克力!

"嗨!"他叫了一声,发现自己的声带正常,他很高兴。

陆劲转过脸来。

"你醒了?"声音平静而漠然,像是从很远的地方飘过来的。

"我们在哪儿?"他问道。

"在……"陆劲拿起桌上的一本红色小册子,念道,"红星宾馆。"

"什么地方?"

"红星宾馆,据说是这个镇最好的宾馆。"

宾馆的名字对他来说毫无意义,他其实想知道的是,他们现在所处的位置,是在地图上的哪个角落?他们怎么会到这儿的?但他很快打消了继续问下去的念头,因为他觉得头很痛,而且这时候有别的事大大转移了他的注意力,他突然发现盖着厚厚被子的自己竟然全身赤裸。毫无疑问,坠河后他的衣服肯定全湿了,一想到也许是眼前这个混蛋帮他脱的衣服,还把他塞到被子里的,他就觉得尴尬万分,甚至还觉得有些羞耻,但经验告诉他,只要不流露出尴尬的表情,就可以降低尴尬的程度,所以,他用异常平静的声音问道:

"我的衣服呢?"

"送干洗店了,付了加急费,干衣服他们应该就快送来了。"陆劲用同样平静的声音答道。

果然是陆劲做的一切。他不愿意去想那些细节,便问道:

"你在喝什么?"

"热巧克力。"

"真恶心。"

"抱歉,我需要补充热量。"陆劲轻轻咳嗽了一声,并下意识拉了拉衬衫的衣襟,这时候他突然发现陆劲的下身只围了条浴巾,看来这家伙的衣服也全都送去干洗了,至于他为什么敞开衬衫的衣襟,大概是因为衬衫还没完全干。

"现在几点了?"

"九点半。"陆劲看了看腕上的手表。

"九点半?"他记得他们坠河前才不过三点刚过一点,他难以想象自己睡了那么长时间,他问道,"我睡了多久?"

"大概五六个小时吧。"陆劲漫不经心地答道。

"到底怎么回事,我们现在在哪里?我怎么会睡那么久?"

"你难道一点都不记得了?"陆劲回眸看了他一眼,"简短地说,我用枪把砸了你的头,你昏了过去,我把你从河里拖了出来,然后我拦了辆卡车一路把我们两个送到了这儿,J省K镇。我把你安排在这家宾馆的客房,然后我去药店买了止血药和绷带,为你简单处理了伤口。对,你想得没错,你是不该睡那么久的,原因是,我给你喝了安眠药。因为我需要你安安稳稳躺着,才能去做点别的事。"

难道真的是这个人把我从水里救出来的吗?他把我安排在宾馆客房里,还为我疗伤止血,另外还脱下我身上的湿衣服送去干洗?难道这些都是这个杀人犯做的吗?他为什么要这么做?为什么不让我就这样死在水里?这不更干脆吗?不杀他,还费这么大一番工夫把他救出来?岳程发现自己越来越弄不懂陆劲了。他想,唯一解释是,狡猾的陆劲肯定认为他还有利用价值。

"别的事?是什么?"他问道,现在他已经完全清醒了。

"我去车站买了车票,很幸运,从这里到安徽黄山有直达的长途汽车,我打算到了那里后再转车。"陆劲平静地说。

奇怪,他完全可以买好车票自己走人的,为什么还要回来?为什么还要把他的打算告诉我?岳程实在不明白。

这时,叮咚一声,门铃响了。看来是干洗店来送衣服了。果然,陆劲走到门口嘀咕了几句后,便拎了两个大号塑料袋进来。他将其中一个大塑料袋丢在床上,然后自己闪进了盥洗室,五分钟后,当岳程再次看到他时,他已经穿戴整齐了。

"我的鞋呢?"岳程穿好衣服,下床时问道。

陆劲不知从什么地方踢出两只鞋来。

"这不是我的鞋。"他道。

"你的鞋在那条河里,这是我买车票时顺便在集贸市场买的。"陆劲一边说,一边把他刚才在看的那卷东西塞进了口袋。

无奈,他也只能穿上了那双还算合脚的运动鞋,他看见陆劲脚下那双鞋跟自己一模一样。就在他穿好鞋的一刹那,他忽然想到一件最重要的事。

"喂!陆劲!我的证件、钱包和枪呢?"

"跟你的鞋在一起。"

"你说什么?!"他上前一把揪住陆劲的前襟,他不敢想象自己会丢失证件和枪,这对他的职业生涯来说,简直就是致命打击。

"跟你的鞋在一起,我说了。"陆劲冷冰冰地回答。

"我的枪……"他的声音嘶哑了。

"在河里。"

他注视着陆劲,感觉自己正在渐渐滑入深渊,他明白陆劲没有说谎,车掉进河里后,他的证件和枪一定都跟着掉进了河里。按照当时的情况,陆劲能想到把他救起来已经不错了,根本无暇顾及那些东西,而且就算陆劲想到要下河去找,也未必能找到。

"那条河深吗?"他忽然产生了想回去找枪的冲动。

"深浅我不知道,但淹死个把人大概不成问题。"陆劲推开了他抓住自己的手,歪头问道，"你想回去找枪？"

"不行吗？"

"天那么黑，能找到吗？"

"这你管不着！"他怒气冲天，心想如果不是跟你这混蛋搏斗，我也不至于会丢枪！也不至于会沦落到现在这个地步！他真想狠狠把陆劲揍一顿，但一想到就是眼前这个人救了他一命，他攥紧的拳头又松开了。

"别冲动，冲动对你没好处。"陆劲大概看出了他内心的想法，注视着他说道。

"陆劲，你搞清楚，我是不会感激你的。"他冷冷回敬道，"对我来说，你永远是个杀人犯，你做什么都没用！"

"你就是这么对救命恩人说话的？啊，你的家教可真不怎么样。"陆劲笑着说。

"我的家教教我的是明辨是非。"

陆劲走到桌边，回身看着他，道：

"我给你买了车票。当然，如果你想回那个地方去找枪，也随便你，现在我得走了，汽车二十分钟后就开。"陆劲说完，将一次性茶杯里的热巧克力一饮而尽。

"你给我买了车票？你想让我跟你一起回去？"岳程不明白陆劲为什么要这么做。

陆劲对他的问题充耳不闻，匆匆将桌上的面包丢进一个塑料袋，开门走了出去。

岳程身不由己地跟上了他。

"喂！我的手机呢？也掉进河里了？"他在陆劲身后大声问道。

"放心，有我的手机陪着，你的手机不会寂寞的。"

晚上九点四十分，B区公安分局副局长舒云亮还没回家，自从妻子在两年前离世后，他把很多时间都花在了工作上。他发现跟工作相伴，比跟生病的妻子在一起更开心。此刻，他正在自己的办公室研究"一号歹徒"的案卷，这是最近在S市爆发的一起连环杀人案，由于案发地点大多都在B区，所以目前该案交由B区公安分局刑事科办理，主办警官是该科的副科长岳程。

岳程，一想到这个名字，舒云亮的心里就掠过一丝深深的不安。

这小子上哪儿去了？为什么目击者说，有个白发男人把另一个人男人背上了河？陆劲就有一头白发，难道是这个逃犯救了他？很奇怪，如果真是这样，陆劲为什么要救他？而且，陆劲的档案中曾提到，他不会游泳，那条河又很深，为什么陆劲会没事？难道是良心发现？不，不可能。虽然在监狱里，狱警总是不厌其烦地教育这些犯人重新做人，总是想让他们认识到自己的罪行，但他很清楚，他们这些人在根子上是很难改变的。他在监狱见过陆劲，那张冷漠苍白的脸曾经留给他很深的印象。虽然他没跟陆劲说过话，但当他路过陆劲的囚室时，那双盯着他后背的眼睛让他禁不住打了个寒战,由此他觉得,这个人是不会为自己的所作所为感到内疚的,他就是个杀人犯,而要他这样的人,学会从内心去珍惜别人的生命几乎是不可能的。

那么,他为什么要救岳程?

"丁零零……"一阵电话铃声打断了他的思路,他拎起了电话机。

"喂,我是舒云亮。"他道。

电话那头先是一片沉默,隔了两秒钟才传来岳程的声音。

"报告副局,我是岳程。"

一听到这个熟悉的声音,舒云亮心头就一阵兴奋。从今天下午起,他就一直在等这个电话。他很想知道为什么陆劲会救他,作为岳程的上司,他还想知道,岳程为什么要带陆劲去市局自首,结果为什么又没去?他们现在在哪里?

要问的问题实在太多,该不该信任这个刚刚被他推荐晋升的年轻探长也是个问题。虽然他认为像岳程这么聪明的人,按理说不会在这个节骨眼上犯如此严重的错误,但是人心有时候是难以捉摸的,所以,还是得小心。

"副局,我是小岳。"岳程又报告了一遍。

他稳住情绪,点上一支烟,平静地问道:

"小岳,你现在在哪里?"

"我现在正在前往陆劲家乡的路上,现在还搞不清楚在哪里。"岳程道。

谎话,明显的谎话。舒云亮想,这又不是在外国,在没有语言障碍的中国,想问个路还不容易?

"你在那里干什么?"他不动声色地问道。

"我在查'一号歹徒'的案子,我预计大概明天晚上或后天白天就能回来。"

"你跟谁在一起查案?"他试探地问道。

"我一个人。"

"一个人?"

"当然,还有犯人,就是陆劲。我要求他配合我的工作,他同意了。"岳程道。

舒云亮吸了口烟。

"干得好。"他声音低沉地说。

岳程似乎并没有从他的口气中听出什么异样来,他道:"副局,我有件事想报告。"

"说吧。"

"我出车祸了,出事地点应该在离S市八十公里左右的国道附近,车掉进了河里,"岳程顿了一顿才说,"我跟犯人在车上有过一次激烈的搏斗,结果翻车了。"

"我们早就找到了你的车,正在担心你呢。你受伤了吗?小岳?"他假装关切地问道。

"没事,一点小伤。"

舒云亮看了看腕上的手表,现在是九点四十五分,他们发现那辆车的时候是下午三点四十五分,前后正好相差六小时。问题来了,出事后,岳程为什么没有及时报告?为什么前后竟要耽搁六小时?

"你哪儿受伤了?小岳?"他在黑色玻璃烟灰缸里磕了下烟灰。

"头部。可能是被车玻璃的什么东西撞到了,流了点血。"岳程轻描淡写地说。

可是来报告的下属说,没在那辆车里发现血迹。

"那犯人呢?"

"他也没事。"

这应该是句实话,舒云亮想。

"你准备带他回安徽?"

"他说在那里也许能找到一些跟'一号歹徒'案有关的线索。"岳程道。

"需要支援吗?"

"暂时还不需要,"岳程忽然正儿八经地叫了他一声,"副局。"

"听着呢。"

"我觉得陆劲肯定知道些什么,我准备相信他一次,给他一个机会,我是说,想给他一个较宽松的环境。"岳程好像鼓足勇气才说了下面的话,"所以,可不可以暂时不要抓他?"

舒云亮没有马上回答。

岳程立刻道:"我想暂时给他点自由,有助于发挥他的积极性。他说他之所以会逃跑是因为我们没给他公平参与的机会。"

"公平参与!"他笑了起来。

"副局,我知道这很可笑,但这就是他的想法。不管他怎么想,我们只是废物利用而已。您放心,他始终在我的掌控中。我保证,我会把他带回来。"岳程信心十足地说。

"小岳,那你要小心,可别被他的温和外表骗了,他是个手上沾满鲜血的杀人犯。"

岳程沉默了一下答道;

"可是他没有杀我。"

舒云亮深吸了一口烟,笑道:"这倒也是。"

他很想知道原因。

当天晚上差不多同一时间,简东平在小区门口碰见了怒气冲冲的凌戈。

"简东平!你为什么要骗我?为什么要把一个逃犯带到家里来?你知不知道窝藏犯人是犯法的!"一见面,她就用小布包甩在简东平身上嚷道。

"轻点!"他低声喝道。

被他这么一说,她立马收了声,她朝四边望望,发现自己的话并没引起路人的注意,这才放下心来。

"我听说岳探长很厉害,审问起犯人来,没有搞不定的,要是那个陆劲被他抓住了,把你供出来怎么办?"她盯着他的脸,紧张兮兮地说。

简东平看了她一眼,问道:

"如果我坐牢,你会来探监吗?"

"不会!"她没好气地说,接着又跺脚,"如果你坐牢,我都没脸见人了!你整天到我们局里来瞎说,说我是你女朋友,你要是坐了牢,我就只好辞职了。那样的话,我可被你害苦了!要是我找不到工作怎么办?就算找到,也未必是个像样的铁饭碗,要是我被人解雇怎么办?那样我就没办法退休了,没办法退休就没办法养老了……"

"凌戈!我发现你真是无情无义!行,我明天就到你们局里来当着大家的面跟你绝交,这样等我出了事,你就撇清了!"简东平恼火地打断她的话,随后转身就走。

见他真的生气了,凌戈心慌意乱地追上了他。

"喂,你不要这么生气好不好!?我说不来看你,也就是说说而已,你说我这样的人会不来看你吗?我是那么势利的人吗?也许还给你带好吃的呢。"

简东平回头瞄了她一眼,心想也对,凌戈倒真不是个势利的人,没准他真的坐了牢,她会哭得比谁都伤心。

"你到时候给我带两个肉圆来就行了。"他口气缓和了下来。

她瞪了他一眼,板着脸说:"简东平,这种时候别再开玩笑了好吗?如果他真的把你供出来怎么办呢?你总得想想办法吧。"

"我能怎么办?就说他用枪顶着我呗,事实上,他也的确是这么做的。"简东平平静地说,"他胁迫我,还拿走了我那件英国产的蓝色滑雪衫和帽子。"

"他还抢了什么?"

"没别的了。"

凌戈松了口气道:

"那天你装得可真像,我根本就看不出来你们原来是仇人。"

"对啊,你想想,当初就是我把他送进监狱的,我怎么可能帮他?"看见她真心在为自己担心,他心情又好起来,忍不住勾住她的肩,亲热地凑近她的脸,轻声说,"要不是为了你,那天晚上,我就把他送给岳程了。"

"为了我?"她很吃惊。

"如果那天我不帮他逃过去,他就会开枪杀了你,别忘了,岳程来的时候,你离他最近,你说我能怎么办?难道我眼睁睁看着你死在他手里?所以,我当时只能这么做。还记得我说你偷看他的事吗?"

"我哪有偷看他?!"

"我是故意让你说这句话给他听的,为的就是消除他对你的戒心。"

听了他的话,她的气消了一大半。

"那你应该过后就把事情都告诉我。"她嘀咕了一句,又道,"老实说,他看上去可真不像个坏人。对了,他真的有个女朋友吗?我记得那天他让你跟他的女朋友联系的。"

"有的。"

"谁会喜欢一个杀人犯呢?难道她不觉得害怕吗?"凌戈很不理解。

"淤泥里也能开出美丽的荷花。"简东平的眼前浮现出陆劲和元元在巷口忘情拥吻的情景,不禁轻轻叹了口气,"虽然陆劲是个杀人犯,但是他对他喜欢的人还是有情有义的。"

"你好像很同情他。"凌戈道。

"我是同情那个女孩。"

"那个女孩我认识吗?"凌戈问。

简东平正想回答,他的手机突然响了,是条短信。

翻开手机,他发现短信竟然是陆劲发来的,内容是:

"J省K镇澎湖路28号,用你的名字存了个包裹,请尽快帮我去取一下,对不起,本不想打扰,只能以后报答了。陆劲"。

他立刻将这条短信转发给了邱元元,并在短信后又加了句,"我去过之后给你消息",他知道她一整天都在等陆劲的消息,他也知道陆劲应该不会把这条短信发给她,因为既然找到他帮忙,就意味着他不想打扰她。

"谁来的短信?"凌戈见他神色不对,担忧地问道。

"是元元。"他随口答道。

他话音刚落,邱元元的电话就打了进来,简东平一看那号码便知道,这是她新买的手机。

"James,我去吧。"邱元元说。

"可是……"

"成全我!我只想为他做点事。"

简东平有点后悔给她发这条短信了,但又一想,能够为自己喜欢的人做点事,也未尝不是一种幸福,应该给她这个机会。

"要我陪你吗?"他问。

"不要。你把身份证给我就是了,你在哪儿?"她好像正在开车。

"我在小区门口,这样吧,我在小区对面的便利店等你。"

"OK。五分钟后到。"她说着,干脆地挂了电话。

他收线后,凌戈好奇地问道:

"是邱元元吗?她要来找你吗?什么事啊?"

"她要办信用卡,要我帮她作担保,所以来向我借身份证。"他道。

凌戈顿时停住了脚步，一脸凝重地回头望着他说：

"给人作担保，要慎重啊。尤其是办银行卡。"

他看着她脸上严肃的表情，扑哧一声笑出来："你放心吧，肉圆，我是什么人？"

她想了想，点了点头道："嗯，那倒是。"

他觉得现在的她特别可爱，于是搂住她的肩膀，轻声问道："今晚陪我看电视好吗？今天'午夜剧场'有美国大片。"

"我怎么能半夜三更待在你的房间？你爸看见会怎么想？"虽然嘴上这么说，但他看得出来，她有点心动。

"我爸才不管这些呢。这样吧，我允许你穿着毛衣，不穿袜子，坐在我床上看电视，怎么样？"他觉得自己已经够有诚意的了。

她立刻白了他一眼。

"哼！谁稀罕！"她说着自顾自朝马路对面的便利店走去，看着她的背影，他心想，今天无论如何也要说服她跟自己一起看电视，因为今晚他肯定是睡不着了。

八 2008年3月10日早上

"吱……吱……"

来短信了！

一阵轻微的振动把简东平从睡梦中惊醒，他立刻睁开眼睛，看了下沙发旁边的钟，现在是凌晨四点一刻，他已经猜到是谁发来的短信了，其实他整夜都在等她的消息，要不然也不会把手机放在贴身的地方。

他翻开手机，邱元元发来的短信内容是："我已经拿到了包裹。"看来她是连夜赶过去的。

简东平蹑手蹑脚地从沙发上爬起来，拿着手机悄悄走出了房间。一来到客厅，他就拨通了邱元元的电话。

"对不起，James，把你吵醒了吧。"电话一通，邱元元就抱歉地说。

"其实我没睡着，一直在等你的短信，你现在在哪里？"简东平来到冰箱前，拿了罐冰咖啡出来，倒在一个玻璃杯里。

"我在开往他家乡的路上。"

简东平喝了口冰咖啡，问道："包裹里是什么？"

"是个带锁的箱子和一封留给你的信。"

"你没撬开箱子看看里面是什么？"简东平觉得按照邱元元的脾气，她不太可能不去钻研箱子里的秘密。

"本来想这么做，可是看了信后，我改变了主意。他信上说，让你把箱子送到J

省H市的斧头镇，用他的名字寄存在长途汽车站。我刚刚在网上查过了，斧头镇有条长途线路是从他家乡直通过来的。我估计他从家乡回来时，会经过那里。"

"假设是我把箱子寄存在那地方的话，寄存单我怎么给他？寄东西总该有寄存单吧？"

"他说到时候只要报个号码给他就行，他能处理。"

不用说，陆劲肯定去过那里，他熟悉那地方，知道小镇长途汽车站寄存处的管理是什么状况，也知道怎么钻空子。

"你真的没撬开箱子吗？"简东平再次问道。

"没有。他信上说，不要打开箱子，否则对你没好处。他这么说肯定有他的理由，所以……"邱元元忽然话锋一转，"当然，我掂过分量，不轻。"

"好吧，那你现在准备去哪儿？你不会是要去他的家乡吧？"

"我想在斧头镇等他。从这里开过去大概还要四个小时。"

"有没有人跟踪你？"简东平有点担心这件事。

"放心，这事我特别留意，晚上从家里出来的时候我女扮男装，戴了胡子和假发套，没人能认出来，而且，我也没开车，我打的去了广播大楼，骑了摩托车到郊区我朋友那里，向他借了辆车才开到J省的。"

"你小心点，如果等不到他就赶紧回来吧，你的陆老师可不希望你掺和进来。"简东平顿了一顿，又说，"如果你碰见他，跟他说一声，他让我打听的事，已经有眉目了。"

"真的吗？"邱元元很兴奋。

"对，等我有确切消息后再告诉你。"简东平又想起件事来，"你后来还给那个警察打过电话吗？"

"很奇怪，还是没打通。算了，别管他了，也可能是他换了手机。好了，我挂了。"

"拜拜，注意安全。"

邱元元笑着挂了电话，大概是要看见心上人了，她的心情听上去非常好。

她的笑声感染了简东平，他本想打完电话，就到外面去散步的，但现在他又蹑手蹑脚地回到了自己的房间，此时凌戈还窝在他床上酣睡。

昨天"午夜剧场"的那部电视剧实在播得太晚了，等他看到结尾时，凌戈早已经在他旁边睡着了。看见她娇憨的模样，他舍不得叫醒她，更舍不得她离开自己的视线，于是他只能偷偷溜进她的房间抱来了她的被子。幸亏昨天老爸又出去开会了，家里就剩下他们两个，否则凌戈是怎么都不会同意洗完澡后，穿着睡衣在他房间陪他看电视的。

他把她在床上安顿好后，自己睡到了沙发上，他实在不敢离她太近，不过给她盖被子时，他还是偷偷看了一眼她那双看不见一点骨头的小肉脚。每次看到她的脚，他都觉得这是上天赐给他的玩具，可惜他一次都没玩过，相反自从发现他特别钟情于她的脚后,她就学会躲躲藏藏了。昨天最开始还硬是穿了双绣着卡通图案的无比难看的袜子坐到了他床上,被他狠狠讽刺过后,她终于脱掉了那双袜子,但还是很贞洁地把脚藏到了一个靠垫下面。简东平一想起昨晚上她藏起脚丫子时的表情就想笑。

通过电话后,他觉得有点累,于是他和衣爬到凌戈的身边躺了下来,心里恶作剧地想,不知道凌戈醒来后,发现他睡在自己身边会是什么反应,哈哈哈。

"我们还有多久能到?"岳程问道,一觉醒来后他发现天已经亮了,身边的陆劲正望着窗外一晃而过的景色发呆。

"大概还有一个小时。现在是凌晨五点半。"陆劲看了下手表。

"你这表也是新买的?"岳程瞥了一眼陆劲腕上的电子表。

"对,30元,很划算。"

岳程很想问自己的手表哪里去了,但想了一想,还是决定不问了,它肯定跟他的鞋、证件和手枪在一起。想起那把他丢失的枪,他就觉得懊丧,他在给舒云亮副局长报告的时候,曾经想告诉上司,自己的枪就在那条河里,能不能麻烦打捞一下?但是他没有勇气说这句话,他想还是等抓了陆劲回去后,再将功赎罪吧。

"你家可真够远的,下了长途汽车,还要乘那么长时间的车。"岳程一想到那把枪就心情低落,说话也有气无力的。

"农场的地理位置是很偏僻。"

"你在县城上的中学,对不对?"岳程打开了一瓶矿泉水,随口问道。

"对。我平时住在学校,每周回去一次,那时候交通还不像现在这么方便,我周五下午三点放学,回到家差不多都快七点了。"

岳程觉得口干舌燥,于是咚咚咚连喝了三口水,喝完水后,他问道:

"最初你跟'一号歹徒'通信时,你念几年级?"

"高一下半年学期。那时候我大概是十六岁,1985年。"陆劲百无聊赖地望向窗外。

"你怎么会想到要找笔友聊天的?"岳程始终觉得给一个素不相识的陌生人写信谈心事是件既傻又很幼稚的事,如果不认识对方,能有什么好说的?

"我当时想找个陌生人聊聊,我信不过周围的人。"陆劲满脸倦意地把头靠在车窗上,岳程怀疑他整夜都没睡过。

岳程知道陆劲的父亲是农场的大厨,多年前曾经跟一个年轻厨工在当地闹过一场轰轰烈烈的恋爱,这事后来以失败告终。自那以后,他父亲就与他母亲长期分居,直到陆劲出事,警察找到陆劲的父亲时,他仍旧独自住在农场简陋的单人宿舍里。父母分居时,陆劲还是个十二岁的小孩子,有心理专家指出,这件事一定对他后来的成长造成了严重的影响,也可能这件事就是最终导致他成为连环杀人犯的最初诱因。

"你当时找笔友,有没有具体的目标?还是纯粹碰到谁就是谁?"岳程认为像陆劲这样的人是不会像无头苍蝇那样乱飞的,所以又问,"你总有个具体要求吧?"

陆劲别过头来,笑着说,"其实我当时是想找个女的。"

"女朋友?"岳程有点意外。

"可以这么说。那时候我对异性很好奇,"陆劲拿出个甜面包来咬了一口,"征友广告具体怎么写,我早忘了,不过我记得一句——我希望你是个喜欢刺激和冒险的女孩。"

"那你找到没有?"岳程发现今天陆劲很肯说话。

"我一共收到六封信,其中四封是女的,两封是男的。我把钟明辉归在男的那一边,我到现在还不知道他是男是女。我是先跟那几个女的通的信,后来觉得没意思,才搭理'一号歹徒'先生的。"

"对了,我一直想问你,你一听'一号歹徒'这个名号,就承认自己认识这个人。为什么?他是不是以前跟你通信时就用过这个名字?"

"对,他一直自称'一号歹徒'。"

"那你的外号是什么?"岳程估计陆劲也有自己的外号,果然,陆劲笑笑说:

"迷宫蛛。"

"迷宫猪?一种猪吗?"

"是蜘蛛。"陆劲纠正道。

岳程从来没听说过这名字,但他知道那肯定是一种擅长捕杀猎物的昆虫,为了避免让陆劲太得意,他故意岔开了话题。

"你认识童雨吗?"他问。

陆劲嘴里嚼着面包没有说话。。

"精神病院的探视记录显示你曾经去看过她两次。一次是 2001 年 3 月份,另一次是同年 4 月。这是怎么回事?"

"我只去看过她一次。"陆劲道。

"什么时候?"

"应该是那年 3 月份。"陆劲道。

"你为什么去看她?"

"因为钟明辉在 2000 年的年底,曾经给我写过一封信,让我把过去他寄给我的信通通寄还给他。"

"哦?"岳程觉得这条线索非常有趣。

"你有没有寄还给他?"

"没有,我写信给他,让他把我写的信先寄还给我,结果从那以后他就再也没来过信。"

"他说你拿了他某些东西,指的是不是这些他写给你的信?你这次回家是不是就是找这些信?"

"我的确是去找那些信的,但还不知道他指的到底是不是这东西。"陆劲的回答模棱两可。

谎话,他肯定知道,岳程想。

"你觉得那些信还能找到吗?"

"应该能找到。"

"你那么肯定?你妈可已经去世好多年了。"

"我能肯定。"陆劲这次回答得很干脆,这让岳程放下了心。

丢枪后,岳程时时刻刻都期待着能将功赎罪,所以他很担心自己此行会一无所获。昨天跟舒云亮通过电话后,他心里一直七上八下的,因为对方的口气很明显跟平时不太一样,这让他很不安。

他跟舒云亮认识快一年了,但他对这位副局长的了解却相当有限,在他的印象中,他比自己的顶头上司李汉江更欣赏自己,但是却没有李汉江那么坦率,有点让人捉摸不透。有时候,他会下些莫名其妙的命令,你根本不知道他这么做的用意何在。举个例子来说,一年前,他刚到分局上任的第一天,他就下令让驾驶员开车送他去监狱,驾驶员回来后说,副局大人只是在陆劲的囚室里逗留了十分钟,但一句话都没说就走了。这事后来传到他耳朵里,他怎么都想不明白,他觉得唯一的解释就是,副局大人久仰陆劲这位杀人犯的大名,所以特地跑去观赏一下。除此以外,还能有什么别的解释?

说起来,这位副局长最近似乎特别关心"一号歹徒"的案子,几乎每天都要亲自听他的单独报告,这让岳程多少有些为难,他生怕顶头上司李汉江会因此不高兴,所以就只好两头都跑。机关的生存之道,就是要一碗水端平,哪个领导都不能怠慢。

"你觉得你妈的死跟这些信有没有关系?"岳程一边问,一边指了指陆劲身边的袋子,陆劲把袋子递给了他。

"不知道。"陆劲漠然地回答。

岳程翻开塑料袋,发现里面竟然全是甜食,两个鲜奶夹心面包,两个巧克力面包,一块葡萄蛋糕,一块巧克力还有一包薄荷糖,他忍不住抱怨道:

"喂,为什么都是甜的?"

"因为我爱吃甜的。"

"可我爱吃咸的。你也太自私了吧!"他把袋子扔还给陆劲。

"我这儿有两根火腿肠是咸的,你要不要?"陆劲从口袋里拿出两根火腿肠来。

火腿肠虽然味道不怎么样,但是他现在很饿,也顾不上这些了,他一把抢过陆劲手里的火腿肠,正巧看见陆劲从袋子里拿出了个奶油面包,忍不住讥讽道:

"你不觉得一个男人当众吃奶油夹心面包很可笑吗?"

"不觉得,我喜欢吃奶油。"陆劲若无其事地咬了一口面包,美滋滋地吃了起来。

岳程狠狠咬了一口火腿肠,问道:

"你为什么去找童雨?"

"因为钟明辉说过,他的女朋友在1999年被关进了那家精神病院,所以我想看看是否能从她那里了解一些关于钟明辉的事。那时候我们两个已经不通信了。我打电话去精神病院问了一下,对方告诉我,1999年,他们只收治过一个年轻女病人,就是那个童雨。"

"你跟她聊过吗?"

"聊过。"

"结果怎么样?"

"假的。"陆劲说道,他掏出张纸巾擦去嘴角的奶油。

"什么意思?你认为那女孩是在装疯?"

"对。"

"你是怎么判断出来的?"岳程对此非常感兴趣。

"她自始至终都背对着我,我说什么她都答非所问。虽然我不是精神病大夫,但我也接触过精神不正常的人,其实我叔叔的儿子就是个精神病。有一年,我来S市过暑假,就住在我叔叔家,我跟这个堂弟待过一阵。我觉得精神病人是一种完全沉浸在自己的世界中的一些人,他听到的东西,我们听不到,他想到的东西,我们想不到,他的大部分感觉和反应都来自于他体内的一个……嗯,怎么说呢,一个接收器。在他犯病的时候,这个接收器的功率很强,让他无暇接收外部世界的其他讯息,他大部分时候都只能听到他内在的声音,这时候他的语言和行为就会显得很不正常,但即便是这样,他也并不是听力不好,当你问他时,他其实还是听得见你在问什么的,只是不耐烦听,有时候说自己的事,有时候又会正儿八经地回答你,虽然回答得不是很正常,但他至少在回答你的问题,不会句句都答非所问。举例来说,我问我堂弟,你吃过饭了吗,我堂弟的反应往往是,吃过了,吃过了,关你什么事,或者,他重复我的问题,你吃过饭了吗?但是童雨的反应却是,我今天很累,昨晚看书看得太晚了。"

"这不能肯定她就是装的吧。"岳程觉得陆劲这么说有点武断。

"如果单纯一句话答非所问也就罢了,但句句都这样,就很可疑。再说,我后来做了个试验。"

"什么试验?"

"很简单的试验,我说我走了,接着,我走到门边,拉开门撞了一下,其实我没走,我只是躲到她房间一个屏风后面去了。你猜接下去发生了什么?她立刻就跳下床跑到门口,拉开门朝外张望,看我是不是真的走了。当她一回头看见我时,差点吓昏过去。"

这确实可疑。

"后来呢？"

"后来她就扑到床上哭天抢地起来，这就惊动了护士，接着我只能走了。"陆劲回头看了他一眼，笑着说，"其实我是一无所获。"

岳程听得紧张，都忘了吃火腿肠了，他问道："那你有没有找过童雨的主治大夫？"他觉得陆劲肯定找过。果然，陆劲答道：

"我找过。"

"医生怎么说？"

"他说怕见陌生人是她的典型症状之一，听这个医生的意思，她好像受过性侵犯，所以很怕被认为是水性杨花的女人。"

"这也解释得通啊。"

"没错，所以我也接受了这种说法，不过自从我在名单里看见他的名字后，我就觉得事情可能没那么简单了，也许这位精神病大夫没有我那么了解罪恶。"陆劲将吃了一半的奶油面包塞进塑料袋。

"什么名单？"

陆劲掏出来的是岳程给他的那几张"一号歹徒"的被害人名单。

岳程发现那几张纸并没有湿透后又晒干的迹象，他惊讶地问道："居然它们没有被弄湿？你是怎么做到的？"

"我也很惊讶，后来发现这件衣服的内侧口袋有防水设计，也很密封。"陆劲指了指身上那件不算很新的蓝色滑雪衫。

"这件衣服你哪儿来的？"

"持枪抢劫呗。"

"是吗？运气真好。"岳程冷笑道，决定不拆穿他，这件衣服要不是简东平给他的，就是元元给他的。

说起精神病大夫，岳程想起一个人来，在那张"一号歹徒"的被害人名单中是有一个精神病大夫，名叫周子键，可他记得，精神病院李院长给过他童雨主治大夫的名字，那完全是另一个名字。他正在纳闷，却看见陆劲点了点周子键的名字。

"这个人就是童雨的主治大夫。"陆劲说。

"你肯定吗？"

"我跟他见过面，就是他。"

"可是据我所知，童雨的主治大夫姓王。"他一时想不起那个人的名字了。

"是不是叫王新文？"

"你知道？"岳程一惊。

"那人在这里。"陆劲的手指沿着复印纸一直往下，在复印件的最后一排点了一点，一个名字跃入岳程的眼帘，"顾新文"。

"喂,这个人姓顾!"岳程提醒道,而且他立刻发现"顾新文"死的时候,他的职业也不是精神病医生,而是一家社区医院的内科大夫,虽然同是大夫,但两者之间还是有很大区别的。这可能是同一个人吗?

"他们就是同一个人。"陆劲好像看出了他的心思,斩钉截铁地说。

"他是内科大夫。这怎么解释?"

"我接触过这个顾新文,2001年时,他还只是个刚刚从医科大学毕业的学生,在那家医院实习,整天跟在周子键的身后,我那次跟周子键见面,他也在场,我去看童雨的时候,周子键仍然是童雨的主治医生,不过,几个月后,周子键就调到别的医院去了,在那之后顾新文就成了主治医生。"

"那么姓氏为什么不同?"

"总是有原因的吧。我跟他聊过一次,大概是2001年9月份吧,那时候童雨已经出院了,我跟他见面纯属巧合。"陆劲说到这儿停了下来。

"你们在哪儿见的面?"

"百货公司的女性睡衣柜台。"陆劲笑着说,"他当时想给他女朋友挑件衣服,我给了他点意见,所以走出百货大楼后,我们就聊了起来。他告诉我,他本姓顾。你知道男人在那种场合相遇,是有些尴尬的,但也很容易建立起对彼此的信任。"

岳程心想,没错,你去女性睡衣柜台肯定是去给元元买东西的,那时候她还是你的小鸟。混蛋!

"他为什么用另一个姓?"他没好气地问道。

"因为他是那家精神病院院长的侄子,在外地读的医科大学,大概因为学习成绩不怎么样吧,他又想在S市工作,所以他通过叔叔的关系,进那家医院实习,想增加一点分值,他和他的叔叔都不想被别人知道他们的关系,所以医院的医生都只知道他姓王。"

"可是我认识的那个院长姓李。"

"那大概是换了吧,原来的院长的确姓顾,按照年龄来说,应该已经退休了。你可以去调查一下。"陆劲喝了一大口水。

"但这种事难道人事科的人不调查的吗?"岳程觉得在正式的单位就职,要隐瞒一个人的真实姓名并不容易。

"实习经验好像是不需要进正式人事档案的,再说人事干部也可能跟院长早就串通了,这些事我不清楚,你别问我。"陆劲不耐烦地说。

"还有,他为什么要把这么隐秘的事告诉你?"

"因为在购物的时候,他女朋友打了个电话给他,他顺口说,我是小顾,所以我就问起他了。当然,我答应替他保守秘密。"

"你们两个有没有谈起童雨?"

"他说童雨很乖,从来不闹事,所以他很少注意她,虽然他是她的主治医生,但也只是查房的时候接触一下。童雨出院后,他曾经打电话给她,想问她服药的情况,但她已经搬家了。"陆劲平淡地说。

岳程隐隐觉得陆劲并没有把知道的都说出来,但他也明白,如果陆劲不想说,盯着问也没用。这时候他发现,在不知不觉中,他已经把那两根火腿肠通通消灭了,但他还是觉得饿,出于无奈,他只好从陆劲的塑料袋里拿出了那个葡萄蛋糕,勉强咬了一大口,大概是因为太饿了,味道倒是比想象中要好很多。

"你吃了我的最爱。"陆劲笑着说。

"最爱你个头!我真奇怪你怎么没得糖尿病,你吃的东西就是一包糖。"岳程皱着眉头抱怨道。

陆劲平静地说:

"我杀的第一个人是我的女朋友。"

"我知道。你还是在情绪最高涨的时候干的。"

"没错,但其实,杀了她后,我的心情就一落千丈,糟糕透顶。那天晚上,我把她丢在房间里,自己跑出来,想透口气,也许还想自杀……"陆劲的叙述停了下来,他望着窗外,玻璃窗上映照出他的脸,岳程好像看见了很多年前的陆劲,一个刚刚杀完人,在深夜里跌跌撞撞寻找出路的绝望的年轻人,岳程很想嘲笑他,但看到他脸上的表情,他决定听下去。

"后来呢?"他问道。

"那天我的心情糟透了,走了很多路,也不知道自己跑到哪儿了,后来就跑进了一条小巷,那里有个卖红豆沙和八宝粥的路边摊,摊主看见我,拼命劝我吃一碗,我那时候已经累得走不动了,就坐了下来,我连吃了三碗红豆沙,不知道为什么,吃完后,我的心情就平静了很多,觉得完全放松了。脑子也完全清醒了,我回去后就有条不紊地处理了尸体。从那以后,我就爱上了甜食。"陆劲回头瞄了他一眼。

岳程注视着他,有一瞬间,他有种错觉,自己正跟一个红豆沙推销员坐在一起,待了半秒钟后,他才醒悟过来,没好气地问道:

"你是想让我表扬你的临危不乱吗?"

"那倒不是,我只是想告诉你,紧张的时候不妨吃颗糖,有好处的。"陆劲若无其事地说。

要命!被他说得,真的想吃颗糖了!

"这件事你有没有跟'一号歹徒'探讨过?"岳程板着脸问道。

"啊……我们探讨过。他完全赞同。"

"这么说,他也是个嗜糖者?"岳程觉得这是条新线索。

"他跟我不同,他是在办事的过程中吃糖的,平时从来不吃。对他来说,糖就是一种兴奋剂。"陆劲又指了指那张被害人名单,"瞧,不少被害人的身边都有糖,比如这个,她包里有半块黑巧克力。"

这个被害人名叫奚小云,二十岁,是一名女大学生。

"得了吧,在这样的小姑娘口袋里发现半块巧克力很正常。"岳程觉得这不能算是条共性,因为有的被害人身边有,有的被害人身边却没有。

陆劲说话的积极性好像受到了打击,马上就收了口。

接着就是一分钟令人尴尬的沉默。

岳程有点后悔自己说话的口气了,他解释道:

"我只是提醒你,因为这不是被害人的共性。当然,也许你说得对,我再研究研究。"

陆劲没说话,他好像突然之间失去了说话的兴趣,神情非常落寞。

"陆劲,你在想什么?"隔了至少十五分钟,岳程再次打破沉默问道。

陆劲装作没听见。

"我有个问题想问你。"

陆劲仍然不说话。

"你的档案里说,你不会游泳,为什么你能把我救出那条河?"岳程问道,同时用胳膊肘撞了一下陆劲,他希望这次他的问题能得到一个明确的答复,哪知被他这一撞,陆劲立刻痛得呻吟了一声。

"你怎么啦?"岳程吃了一惊,看到陆劲捂着自己的胳膊,他很想拉开陆劲的衣服看一下是怎么回事,但又觉得这么做有点肉麻,所以只好又问了一声,"你到底怎么了?"

陆劲没回答,岳程看见他脸色苍白,额角上渗出了几滴汗珠,他猜测汽车坠河时陆劲可能也受了伤,想到体格比他瘦弱不少的陆劲在自身受伤的情况下,还把他从河里拽上来,他不禁觉得有些不好意思,他也不知道该怎么说,但什么也不说又好像有点说不过去,磨蹭了一会儿,他才终于开口问道:

"那……你要不要吃块糖?"

陆劲回头看了他一眼,笑了笑说:"你刚才在问我游泳的事,是吧?我的原则是,我自认为做得不好的事,就说不会。"

"哪有你这样的人!你就不会推醒我?干吗让我睡在你床上?你不是最讨厌别人睡你的床了吗?莫名其妙!"凌戈脸红脖子粗地嚷道,并重重关上了车门。

简东平一想到今天早上她看见他躺在她身边时的表情就想笑。

"你……你……你怎么会在我床上?"她瞪圆眼睛看着他,又羞又怒。

"这是我的床。"他提醒她。

她看了下屋子里的陈设,脸顿时涨得通红,她惊慌失措地摸摸身上,他马上看出了她的心思,呵呵坏笑道:

"放心,你只不过没穿袜子罢了。"

"下流!"她气急败坏地骂道,顺手抓了个靠垫扔到他头上,接着掀开被子跳下床,以最快的速度离开了他的房间。

"好了,别生气了,不是跟你说我只是在被子外面躺会儿吗?再说家里又没别人,这事你不说,我不说,谁会知道?"他笑嘻嘻地发动了他的吉普车,他今天的任务是,先把凌戈送到警察局,然后去父亲那里拿资料,有可能还得去拜访两个人,陆劲托他打听的事终于有了眉目,他深深觉得有个八面玲珑的老爸真管用。

"你为什么要把我的袜子藏在你车里?!"凌戈气愤地嚷道。

"为了让你上我的车呗,我怕你一生气就不上我的车了。"他不敢回头看她,生怕一看她,自己就会禁不住开怀大笑。

"算了吧,你就是想……哼,不说了!"凌戈把头扭过去,恼火地说,"哼!反正,简东平你就是个道貌岸然的下流胚!"

"喂!这话好像有点过了!为了保住你的名节,昨晚上我可是一直睡在沙发上,睡得我脖子都扭了,我还不够好吗?天下哪有像我这么正派的男人?"他抱怨道,还故意转了转脖子,以表示他的脖子出了问题。

"活该!谁让你不叫醒我?"凌戈骂了一句,好像自己报了仇,接着她又嘀咕道,"都怪你,害我早饭都没吃。"

"请你吃早茶怎么样?"

"不用,我办公室抽屉里有饼干。"她道,听口气已经没那么生气了,于是他问她:

"凌戈,昨晚我跟你说的事,你还记得吗?"

凌戈回头看看他,一脸茫然。

"记性真差。是不是我的龙床太舒服了?"看见她准备顶嘴,他马上说了下去,"我是让你去找一下你们那个岳探长。"

"好像是有这事。"她点点头,随后问道,"可我要是找到他,我跟他说什么呀?"

"就说你要给他提供点线索。"

"我能有什么线索提供给他?"凌戈回头看着他,没等他回答,又问道,"是不是你有什么线索要给他?"

"对,你约他出来见个面,到时候,我会教你怎么说的。"

"你为什么自己不去跟他说?"

"傻啊!我又不在警察局上班!你给他提供点有价值的线索,他会记得你的。老实说,我觉得跟高竞相比,他获得晋升的可能性更大。"简东平说。

"为什么?"凌戈有点吃惊,随即就反驳道,"高科长是我们系统的英雄,光2007年就办了两个大案,现在又受了伤,大会都表扬他好几次了,这样还不给他升职?岳探长虽然也厉害,但是名气就是没高科长响。"

"可是我觉得岳程比高竞更懂得人情世故,更精明,而且工作能力也不差,"简东平笑着回头望了凌戈一眼，"不管怎么说，你给岳程一个积极破案的印象没什么坏处，这也是一种姿态。凌戈，你记住，在机关，适当的时候显示姿态比工作能力更能说明问题。"

"你应该自己到机关里去混。我最讨厌拍领导马屁了！"凌戈很不情愿。

"你以为我不讨厌吗？哈！"简东平不想在这个问题上继续纠缠，他道，"如果岳程不在，你务必要打听一下他去了哪里，明白吗？"他现在最想知道的是，岳程是不是换了手机，如果没换，为什么打不通电话。

"麻烦！"凌戈皱皱眉头。

岳程发现陆劲的家比想象中还要远，他们清晨七点十分左右下的长途汽车，随后根据路牌沿着公路笔直前行，在步行了将近二十分钟后，陆劲忽然带他拐进了一条岔道，他们又步行了将近两公里，越过两座桥和一座矮山，才终于看到了陆劲家的旧址。

"为什么不走刚刚那条平路？为什么不走近路？"下山时，岳程忍不住问陆劲。

"我带你走的就是近路。"陆劲步伐轻快地从陡坡上走下来。

这也算近？算了吧。

"你是不是怕被人认出来？"岳程问道。

"我已经很久没回来了，这里能认出我来的人不多。"陆劲一边走，一边自言自语道，"不知道，我原来住的地方现在有没有其他人住。"

"你妈住的是农场分配的房子吗？"

"嗯。"

"我一直想问你，那时候你为什么拒绝跟你妈见面？"

"没什么好见的。"

"为什么？那时候政府也同意你们见面，认为你妈来见你有利于你的改造，你为什么不肯见她？"岳程是个孝子，在那种情况下，拒绝跟母亲见面，他无论如何都无法理解，也无法接受。

"我不想看见她。"陆劲冷漠地说。

"为什么？"

"因为我是没有人性的变态杀人狂。"

岳程曾经在陆劲的档案里读到过这句话，他觉得再没比这句话更虚伪的回答了。看起来，这似乎可以解释一切，但换个角度看，它又等于什么都没说。他认为陆劲其实是想用这句话来掩饰他不想看见母亲的真实原因，那就是，跟很多从农村出来的孩子一样，他打心眼里瞧不起自己的母亲。

"你是几岁离开家的？"岳程看着陆劲矫健的步伐，心想这家伙一定从小就在这些山川河流之间跳来跳去的。

"十九岁那年考上大学后，就很少回来了。我不想回来，这里没什么东西可让我留恋的。"陆劲声音低沉地说。

这句话让岳程听得心里很不是滋味。其实他一直觉得，罪犯的家属比被害人的家属更可怜，因为她承担的不仅是失去亲人的痛苦，还有来自社会的压力，以及周围人的白眼。想当年，考上大学的儿子一定也曾让这位孤单可怜的母亲风光过一阵，她一定也曾期望，有一天等儿子成家立业了，她能跟儿子住在一起，享受天伦之乐，普天下的母亲大都是这样想的吧，但是后来，希望一个接着一个破灭，辛苦一生，付出了一切，最终却一场空，连死都不太平。这一切还不是拜这个儿子所赐？如果陆劲争气点，他的母亲也许还活着！想到这里，岳程的口气就变得生硬起来：

"喂！你说什么？这里没什么可让你留恋的？那你妈算什么？你有没有想过你妈的感受？本来我已经觉得你有点像个人了，可现在我发现，你根本就是个畜生！"

陆劲好像没听到他说话，自顾自往前走。

"我看过你的资料，你老爸根本不管你，你就是你妈一手带大的，你这么说，对得起她吗？你自己也说，只有你回去的时候，她才弄点荤菜吃。你不在的时候，她的日子是怎么过的，你应该很清楚！你他妈的根本就是忘恩负义的畜生！"因为想到了自己的母亲，他越说越气，他简直不敢想象有人会如此冷酷无情地对待自己的母亲。

陆劲走在他前面，听到最后一句时，忽然站定了，回过身来，岳程看见他脸色铁青，目光如炬地走向自己，他心想，魔鬼的脸又重现了，不过现在我可不怕你，陆劲，如果单挑，我不费吹灰之力就能把你撂趴下，更何况你的胳膊还受了伤。

"你少管闲事！"陆劲怒道。

"想叫别人少管你，干吗要当杀人犯？"他吼道。

陆劲盯着他看了会儿，说道：

"回家的感觉，对我来说，从来就不好，所以，你最好不要刺激我。"

说完，陆劲转身继续朝前走去。

他追了上去。

"你就是看不起她，对不对？"他问道。

陆劲没理他，当他还想继续再问的时候，陆劲忽然站住不动了，一间简陋的农家院落出现在他们面前。

"就这里吗？"岳程问道，他看见院子里有个年轻女人正在扫地，一个男孩在她身边绕来绕去，嘻嘻哈哈地笑着，看上去真是一幅惬意温馨的画面。

"对，就是这里。"陆劲凝望着那个院子，冷冷地说。

"那女人是谁？"

"农场财务主任的女儿。"

"那她应该认识你。"

"对。希望我不会吓到她。"陆劲说着深吸了一口气,大步向院子走去。

院子没有锁门,陆劲直接跨了进去,那年轻女子看见他先是脸上一呆,随后便惊恐地从凳子上跳起来,一把将那个男孩拉到了身边,护在怀里。

"你……你怎么……会来?"她惊惧地望着陆劲,声音发抖地问道。

岳程本来以为陆劲会借着跟孩子打招呼来缓解气氛,但不承想,陆劲回身关上了院门之后,便直接朝那个女子走了过去,那女子看见他朝自己逼近,连着倒退了三步。

"这话应该我问,你为什么在我家?"陆劲面无表情地问道。

"我……这是农场的安排……你已经……你已经……"她可能是想骂他,但又没有勇气,踌躇了一会儿后,她的态度软了下来,用可怜巴巴的口吻说,"你好像瘦了呀,陆劲,没想到你还活着,我们都以为你……嗨,这是上级领导的安排,其实谁想来这里?你妈,可是在这屋里上吊的呀,我们住在这里不是福气,是晦气啊!你可千万别以为我们喜欢住在这里啊。"她一边说一边小心翼翼地观察他们两个的表情。

岳程很想直接告诉这个女人自己的身份,但苦于身边没有证件,所以他只能站在一边。

"你放心,我们看过那间屋子就走。"陆劲道。

"哪间屋子?"女人问道。

"就是我妈……"陆劲说了一半停下来,喘了口气才说下去,"我们要看看厨房。"

陆劲说完话,自顾自地走了进去,那女人忙不迭地跟了上来。

"可是,可是,那间屋子,已经是我们的了呀,有啥可看的啊……"那个女人半是胆怯,半是厌烦地说。

岳程走到陆劲身后,低声道:

"这样不太好吧。"

"这是我家,有什么不好?"陆劲低声回答。

岳程不说话了。

根据当年县公安局的现场勘查报告,陆劲的母亲是在自家的厨房里上吊自尽的。现在,这个原先的厨房已被改成了一个杂物间,虽然原来的灶台还在,但看得出来,这里已经不是生火做饭的地方了,里面堆放了农具、柴火和长凳。

陆劲走到一根横梁下,抬头看着那根梁,许久许久才说:

"她应该就是在这里挂的绳子。"

"很高。"岳程道。

简东平刚从父亲的事务所出来,凌戈的电话就打了过来。

"喂,简东平。"她的声音偷偷摸摸的。

"有消息了？"他连忙问。

"原来岳探长跟陆劲一起失踪了，他们出了车祸，车掉在了一条河里，现在已经被捞上来了，但车里没人。"凌戈停顿了一下，简东平想象她正在四下张望，看周围有没有人在偷听她说话，隔了一会儿，她的声音又响了起来，"现在这个案子已经交给岳探长的上司负责了。我还听到一个议论，他们好像怀疑岳探长跟陆劲是串通的，他故意放跑了陆劲。"

"不会吧。"简东平觉得这种怀疑纯粹是无稽之谈，岳程给他的印象是，成熟干练，有强烈的成功欲，像这样的人是绝对不会冒着牺牲前途的风险跟犯人合谋的。

"我也不相信，但他们分局都在议论这事呢。"

看来，岳程很可能是跟陆劲一起回家乡了。

"那他们下一步准备怎么做？"简东平问道。

"他们准备去陆劲的家乡，今天下午就派人去。"

"他们应该已经通知当地警方了吧？"

"通知了，让对方配合，这是老规矩了。那是人家的地盘嘛。对了，他们还说，上面下了命令，如果陆劲这次还不肯自首就当场击毙，然后把岳探长抓回来审查。"

当场击毙?！简东平心里一凉。

"你的消息可靠吗？"

"当然可靠了，我的同学小梅你还记得吗？"

"就是满天星斗那个？怎么啦？"

"不要那么刻薄！人家脸上的雀斑又不多！她在跟岳探长的一个手下谈恋爱呢。消息肯定没错。"凌戈的声音忽然小了下来，"同事来了，我得挂了。"

"谢谢你，小戈，晚上我给你买五香鸭脖子。"简东平笑着说。

"要麻辣的。"凌戈匆匆说了一句，挂上了电话。

简东平立刻拨通了邱元元的手机。

"他们出车祸了？"她大惊。

"放心。他应该没事，不然他也寄不了那个包裹。再说我给他的那件外套在必要时可以充当救生衣。"

"他水性不好，不知道那条河深不深，我怕……"隔了一会，她说，"你知道他是怎么学会游泳的吗？有一次他女朋友跟他吵架，趁他不注意，把他推下了河，他拼命游上来，这才学会了游泳，之前他说他就是个旱鸭子。"邱元元的声音愤怒而忧伤。

他的女朋友真不是个东西！简东平在心里骂道。但他还是以轻松的口吻对她说：

"元元，过去的事就别再提了。我打电话给你，是想告诉你，他们已经派人去他的家乡了，而且也已经联系了当地的警方，"他顿了一顿道，"如果，陆劲肯自首当然最好，但如果这次他不肯，他可能会被当场击毙。"

"她立刻紧张起来,"他是不会自首的,如果要自首,当初就不会逃跑。"

"我也这么认为,可是警方一定会把整个农场都包围起来。所以他们想逃过这一劫不容易啊。"

"那怎么办?"邱元元有点慌了。

"陆劲一定知道怎么逃出来,他从小在那里长大的,你可以联系一下他。我不是把他的短信转发给你了吗?那上面有他的手机号。"

"我已经打过了,那不是他的手机,他是向别人借的。"

"他的手机一定是掉进河里了,"简东平想了想道,"你先别急,让我先联系一下安徽那里的驴友,看看能否想到办法。"

"不用了,我知道该怎么做。"邱元元忽然冷静了下来。

"你怎么做?"

"他曾经把他家所在的地理位置,画了幅油画送给我,他说等他死了以后,如果我想他,可以去他的家乡看看。他在那幅画上用不同的颜色标明了他曾经走过的路,"邱元元道,"我去过他家,而且不止一次。我知道他的习惯路线,也知道怎么才能从农场里跑出来。"

"元元,现在能救他的就只有你了。"听了她的话,他觉得很感动,他没想到在过去的几年中,她曾经偷偷去过他的家,那时候她是什么心情,他完全可以想象得到。

"我想也是。"邱元元似乎点了点头,接着又道,"不过真奇怪,为什么突然要这么对他,他们不是还指望他协助破案的吗?"

"所以我觉得我们上次的设想是对的,也许'歹徒'先生是个有身份有地位的人,也许还披着一身警服。"

"哼,想叫陆劲死,没那么容易!我一定要揪出他的狐狸尾巴!"她恶狠狠地说,"我已经设计好调查表了,等我一回来就发给他们去做。"

"小心点,最好来个女扮男装,别让人认出你来!"他提醒她,没想到她反驳道:"我去见他,怎么能扮成个男人?"

"真受不了你!干脆你一见到他,就把岳程打昏,然后拉着陆老师去宾馆大干一场,说不定来年还能给他生个宝宝。"他嘲笑她。

"哈哈哈。主意不错,James。"邱元元大笑。

"我是开玩笑的。"

"知道吗,你的玩笑让我流眼泪了!混蛋!"她骂道,随后又轻声说,"我不知道这一生还能见他几次,所以,能见几次,就几次吧。"

"我真的只是开玩笑,元元。你别太冲动。"他觉得心里非常难过,但这时他又想起了那句印在野营俱乐部章程首页的箴言——人生重在体验,是啊,哪怕时间再短,曾经体验过就是一种收获。现在他发现这句话用在邱元元和陆劲的身上,也挺合适,于是他说:

"得了，憋着也不好，你想冲动就冲动吧，我也不劝你了，总之，注意安全。当然，我说的可不是你们两个在一起时的那种安全。"

"我知道安全的意义何在，哈哈哈。"邱元元又大笑，但简东平怀疑她在哭。

简东平挂了电话后，看了下手边的地址，接下去他要拜访的人名叫钟平，十一年前他的儿子、三岁的钟明辉被人杀害了。

"你上哪儿去？"岳程看见陆劲从那个杂物间里拿了根锄头走了出来，便问道。

"去找我要的东西。"陆劲一边答，一边快步走出院子，在出门的时候，他回头对那个惊慌不安的女人说，"这东西是我家的，就不还给你了。"

"没关系，没关系，你拿去吧，不就是根锄头吗？其实原来坏了，我们都修过了……"那女人说着已经走到了门边。

他们刚跨出院子，她就立刻砰的一声关上了门，岳程还听到插上门闩的声音。

"那东西真的是你家的吗？"岳程问。

"那间屋子里大部分东西都是我家的。"陆劲道。

他们一路朝屋子后面的斜坡爬去，越过一片沼泽，不一会儿就来到了一片草丛，岳程觉得这里真有点像《聊斋志异》里鬼魂出没的荒郊野岭，四周静悄悄的，一个人也没有，也没种庄稼，野草长得都可以当裤子穿。

"这是哪儿？"岳程问。

"我的墓地。"陆劲答道。

岳程跟着陆劲穿过这片茂密的草丛，在两块墓碑前停了下来，拨开杂草，岳程看见其中一块上写着"爱子陆劲之墓"，另一块上则没有写名字。

"这块是谁的？"岳程问道。

"是我妈的，但里面是空的，她的骨灰被我爸葬在公共墓地了。"陆劲漠然地说。他弯下身子，拔掉了墓碑旁边的杂草，然后抡起锄头朝自己的墓碑下面砸去。

难道那些信被他的母亲藏在了这个墓碑下面？岳程想了想，觉得这非常有可能，陆劲的母亲一定认为自己此生都见不到儿子了，所以她把儿子的随身物品放在这个假想的墓里寄托哀思，就好像有些人为没有骨灰的亲人建的衣冠冢一样。如果陆劲的母亲把那些信藏在这个墓里，"一号歹徒"是肯定找不到的。

墓穴并不深，他们轮流用锄头扒了几下，里面很快就露出一个印有嫦娥奔月图案的铁盒子。岳程看出那是个月饼盒子，看来入狱前，陆劲曾经在中秋节给母亲寄过月饼。

"她喜欢吃月饼。"陆劲无缘无故说了一句，好像在向他解释，又好像在自言自语。

岳程没有说话，默默看着陆劲从泥土里扒出这个已经锈迹斑斑的月饼盒子。盒子里有一包用塑料袋层层包着的东西。岳程凑上去瞧了瞧，那包东西包括一叠信，几张陆劲小时候的照片,一双新袜子和一条还没拆封的男式内裤。为什么里面会有条内裤?把这个放在墓里好像不太体面啊,而且看样式和牌子都是很多年前的了。那是你的吗?他很想问陆劲,但想想没问,因为觉得这么问有点像在窥探别人的隐私,他觉得现在还是来关心一下"一号歹徒"的信更为明智。

"这些信是你要找的吗?"他问陆劲。

"就是它们。"陆劲从那叠信里抽出一封来交给他。岳程看见信封上果然写着"陆劲收"的字样,他立刻想到可以把这些信送去刑侦研究室,到时候说不定能采集到凶手的指纹和别的生物样本。想到这些信也许会让他很快逮住凶手,他不禁心头一喜,但随之而来的又是一阵不安,不知道局里现在是什么情况,离开太久,会引起各方面猜疑的,所以他很想尽快把事情搞定后回S市,于是他说:

"这个我们过后再研究,先把这儿填上吧。"岳程把信交还给了陆劲。

"好。"陆劲把信塞进了滑雪衫内部。

岳程想,这件衣服的内侧肯定有个巨大的口袋,否则怎么能装得下那么多信?

陆劲凝望着铁盒中的袜子和内裤,深吸了一气,然后他把铁盒盖好,放回坑里,接着把锄头递给了岳程。

"麻烦你。"他道。

意思是让我填坑了?!妈的,你算老几啊?还让我帮你修墓,那要不要我以后给你来扫墓啊?他恼火地想着,恨不得踹陆劲两脚,但一抬头看见陆劲的脸色,他又忍住了。任何人都看得出来,这位连环杀人犯现在心情不佳,所以最好还是不要去惹他。

陆劲在母亲的墓碑前坐了下来,目不转睛地盯着那块没有一个字的石头发呆,直到岳程把他的墓填好,他还一动不动地坐在那里。想到陆劲有可能此刻正在悼念亡母,岳程决定等一等,但过了五分钟,见陆劲仍没有起身的意思,他忍不住了,终于开口催促道:

"喂,我们得走了吧。"

"好的。"陆劲低声答道,却没有马上起身,岳程看见陆劲伸出他那双瘦棱棱的手放在那块冰凉的石头上,那动作温柔而有力,就像是搭在某个朋友的肩膀上,他闭着眼睛,像在沉思,又像在用心里的眼睛凝视那块石头,接着他忽然俯身亲了一下石头的顶端,岳程看见他嘴唇嚅动,像是在说什么话,根据口型他猜想,那应该是——"安息吧"。

在之后的五分钟里,陆劲一直没有说话,岳程也没问,他只是不断回头去看陆劲的眼睛,虽然每次看到都是干的,但他从心底里肯定,这个人肯定哭过,而且还是放声大哭。

"你是……"那个头发梳得油光锃亮,身上穿着格子布睡衣的男人站在门口,满怀狐疑地盯着简东平。

"我就是刚刚给你打过电话的简东平。"像以往一样，他显得彬彬有礼。

这个名叫钟平的男人挠了挠头，打量了他一番，问道："你就是那个美国华侨的儿子？"

"对，我就是。"

那人仿佛松了口气，他退后两步，让出条路来："进来吧，进来吧，我正等你呢，你瞧，下午觉都没睡。进来吧。"他打了个哈欠。

这是一套很普通的旧式公房，两室一厅，一间朝南一间朝北，客厅仅八九平方，放着张铺了花布台布的方桌、几张椅子和一个旧柜子。

"来，这儿走。"那人说着，把简东平带进了那间朝北的卧室，这里看上去像是女孩子的闺房，床上有小熊图案的床罩和褐色的玩具熊，墙壁还挂着大幅的男明星照片。

根据简东平的了解，钟平是该有个女儿。

警方的资料显示，1997年，钟平的儿子、三岁的钟明辉在无人看管的情况下，掉进了离家不远的一个未加盖的窨井内，据说，这次事件是因孩子的母亲疏忽大意造成的。因为当时她正在跟邻居闲聊，根本没注意到孩子已经离开了她的视线，等她发现孩子不见时，悲剧已经酿成。

钟明辉去世后不久，钟平便以照看孩子不周为由与妻子离了婚，两个月后，他娶了邻家一个长相漂亮的离婚女人周艳，这个女人身边还带着一个上小学的女儿。据传，钟平的妻子听闻此消息后，犹如五雷轰顶，在离婚的头一年中，她曾经不断吵上门来，不仅当众在弄堂里与钟平大打出手，还戳着鼻子辱骂钟平是"杀死亲生儿子的凶手"，周艳是"勾引别人丈夫的贱货"。传言说，钟平早在离婚前就跟周艳关系暧昧。对此，钟平和周艳都矢口否认。但有人回忆，周艳离婚前，她的丈夫也曾经来她的住处闹过，虽然两人没在大庭广众之下撕破脸皮，但好事的邻居还是听出了一些端倪，周艳的丈夫似乎是发现孩子不是自己的才提出的离婚。

"你爸跟我哥是什么关系？"钟平给简东平倒了杯水，然后摇着身子坐到一个软趴趴的沙发上，简东平发现钟平虽然打扮得邋遢，但身材和外形却保持得不错，1952年出生的他，现在也该是五十六岁的年纪了，可看上去顶多四十出头。

"他们以前是高中同学，我爸现在在美国，特别想见见钟叔叔，可惜我到公安局查了下，发现他已经不在了。"简东平一边说，一边观察钟平的表情。

"是啊，你来得不巧，他早就不在了。"钟平满不在乎地说，"对了，你爸住在美国什么地方？"

"纽约。"简东平随口答道。

"好地方啊，发达的大城市"钟平又挠了挠头，过了会儿，他说，"……其实我女儿一直想去美国，可惜没人介绍，你看，那就是她。"钟平指了指简东平身后的一个相架,那里面放着一张长发女孩的照片,女孩侧着脸似在做沉思状。

"是吗,她想去美国念书?那我几时帮她问问。"简东平道,他父亲有不少朋友在海外,他打算帮钟平打听一下。

钟平立刻露出了感激的笑容。

"呵呵,那可太谢谢你了。没办法啊,谁叫我是她爸呢?"钟平亲热地拍了拍简东平的肩膀。

"没关系,举手之劳。"简东平道,说到这儿他觉得该切入正题了,于是他话锋一转,"其实我这次来,就是想打听一下钟叔叔是怎么死的,他原来一直住在安徽吧?"

"没错,我们都住在安徽,我住芜湖,他住在黄山附近的鹿角镇。"

"你们老家一直在芜湖吧,他也是在那里上的学,为什么后来会去那个小镇?"

"这谁知道?我这哥,脑子有点问题,没人知道他在想什么,以前我爸妈在世,就说他脑子有病。"钟平的手指在脑袋旁边转了转。

"据说他那个小镇的治安一直很不错啊,怎么会……"

"沾了霉气了呗!嗨!"钟平重重叹了口气,说,"我们家也不知道是碰到什么晦气了,先是我哥,后来又是我儿子。霉运啊。"

"这案子其实我也去公安局查过,但因为已经过去二十年了,我怕当时的记录不完全。遗漏了什么,所以特地想再打听一下。"看见钟平面露疑惑,他连忙说,"主要是我父亲很想知道,年纪大了,好奇心重,毕竟他们是老同学嘛。"

"哦。"钟平点了点头。

"我记得他的死因是上门抢劫,是不是这样?"

"就是上门抢劫。我哥是做古董生意的,警察说,家里都被翻过了,抽屉里能拿得动的小古董都被拿走了。"

"那后来找到凶手了吗?"

钟平摇了摇头。

"有几个邻居说,看见两个男人那天晚上八点钟左右进了我哥的屋子,但天太黑,他们楼道里路灯又正巧坏了,没人看清那两人的长相。"

钟平的叙述跟简东平手里的警方档案几乎如出一辙。中午他大致浏览过一遍"钟乔于家中被杀案"的资料,没有从中发现什么有价值的线索。没人见过两名嫌疑人的脸,没人听到他们说话,虽然有人看见他们进入钟乔的家,但没人看见他们离开,邻居们也没听到钟乔的惨叫,在钟乔家的楼下也没人看见过可疑的车辆,那时候是1988年,在那样一个偏僻的小镇,根本就没有出租车、私家车、摩托车或助动车。

在整个案件的侦讯过程中,唯一对警方来说,稍微有点价值的线索是钟乔楼下的邻居提供的。这位邻居说,那天晚上大约九点半左右,他到阳台上去吸烟,听到住在上面的钟乔大叫了两声:"流氓!臭流氓!"这句话后来被警方看做是钟乔临死前的挣扎和反抗,也因为这句话,警方后来把案发时间确定为当天晚上的九点半左右。

但是简东平却对此产生了两个疑问，第一，为什么只有这个邻居听到钟乔说这句话，别的邻居却什么都没听见，而这个人还是住在钟乔的楼下；第二，按理说垂死的挣扎应该叫的是救命，而不是"流氓，臭流氓！"。

"我知道那天晚上曾经有邻居听见钟叔叔喊过两声"流氓"，我觉得很奇怪，他为什么不叫救命呢？会不会他叫了但别人没听见？"简东平做出想跟对方探讨的姿态。

"就那个人听见，这事我后来也挨家挨户问过，但怪就怪在，就他一个人听见。老实说，我也不知道我哥为什么喊那句话，按理说，他就应该喊救命。"钟平摇头叹息，"所以，我说他脑子有病！到死也还是有病！"

"钟叔叔家应该也有阳台吧？"

"有的。"

"他那房子的隔音效果怎么样？"

"他们那个房子造得早，质量好得很，那个墙比我这里的墙厚出那么多，隔音效果好得没话说，"钟平用手指比画出一个距离后，又跑去敲敲房间里的一堵墙，"哪像我这里，完全是偷工减料，隔壁吵架我听得一清二楚。"

简东平忽然想到，钟乔被杀时是那年的1月。那么会不会是这样？他心里忽然冒出一个新的猜想。

"有人看见两个人进了钟叔叔的房间，那么会不会这两人是钟叔叔认识的人？"他继续问道。

钟平清了清喉咙，喝了口浓茶道，"警察觉得最有可能是他的两个客户，他们说这两人跟他约了第二天见面，交易什么字画，我不知道是什么，反正警察觉得这两人最可疑，但审问了一阵后，把人放了，也没下文了。"

"会不会有新的嫌疑人？你后来有没有去问过？"

"嘿，我说小阿弟，你大概在国外时间待得长了，不了解我们这儿的情况。我们这儿人多，警察忙不过来。再说，我们都是平头老百姓，没下文也就没下文了，还能怎么地？还能去吵？拉倒吧，还是过两天太平日子要紧。"

简东平记得资料上说，在钟乔出事后没多久，钟平就继承了哥哥的遗产，迁居S市了。

"钟叔叔没有成家吧？"他问道。

"嗬，没有。"钟平掏出根牙签来一边剔牙，一边笑着说，"他没女人缘，以前我也给他介绍过，但都没成功，他这个人长得不怎么地，爱吹牛，又小气，哪个女人肯跟他。我估计他自己也早就死心了，打算打一辈子光棍了。"

"我父亲说，钟叔叔在没出事前曾经给他写过信，说他挖到宝藏了，发了大财，还说等我父亲回国后，他请我父亲去云南旅游。您知道这宝藏的事吗？我父亲觉得这不可能是真的。"简东平道。

"你爸还真了解他,他哪儿挖到什么宝藏啊。"

"这么说,他真的在吹牛?"

"他对我也是这么说的,什么挖到宝藏!屁!他死了之后,除了在他屋子里找到几个不太值钱的花瓶外,其他什么都没有,银行存款也没多少。那我只好认为他是在瞎吹了!"钟平又喝了口浓茶,"其实我平时住在芜湖,跟他接触很少,我也不知道他在搞什么,只知道,忽然有一年他就搬到那个小镇去住了,然后没多久,他就做起古董生意来了。"

"他没说原因吗?"

"他说他觉得他的财运在那里,呵呵。"钟平笑了起来。

"他原来在芜湖是干什么的?"

"他呀,就在一个街道工厂干活,你爸应该告诉你了,他是个独眼龙,残疾人,小时候太皮玩毛线针扎瞎了一只眼睛,所以中学毕业,他就在工厂当小工了。"

"那他是哪一年去的鹿角镇?"

"大概是1984年吧。就在那以后,他开始常常跟我吹什么古董、宝藏之类的破事。其实他懂个屁!"

"不懂怎么做生意啊?他肯定还是掌握一些古董的专业知识的吧。"

"他从小对这些东西就有兴趣,中学时还参加了个什么古董兴趣小组,但后来人长大后,就没玩这个了,家里也没这条件啊。"

可是小时候的兴趣爱好,往往会延续一生,有时候还会决定一个人的命运,简东平想。

"他跟他那个兴趣小组的朋友后来还有来往吗?"简东平问道。

"不知道,他这人太抠门,没啥朋友。"钟平显出一副不屑的表情。

"他的古董小组成员都是他的同班同学吗?"

"是同班同学。"

"你认识他们吗?"

钟平摇了摇头道:"我上中学时住在伯父家,所以他的事我不太清楚。"

简东平想起了一件事。

"那么,能不能找到钟叔叔的中学毕业照?我爸都遗失了,他特别想翻拍一张。"

"应该有的,他的照相簿还在,你等等啊。"钟平一摇一摆走进了内屋,不一会儿就拿出一本沾满灰尘的厚厚影集来,简东平在其中很快找到了他想要的照片。

岳程望着面前这个腰粗膀圆,满面风霜的中年女子,不敢相信她竟然比陆劲还小两岁,如果有人告诉他,她是陆劲的姐姐他完全不会怀疑。

"小月,你放心,哥不是来找你麻烦的,这趟来我是有公干。"陆劲又亲切又温和地对她说。不知道为什么,听陆劲自称"哥",又叫这女人小月,岳程浑身起了鸡皮疙瘩。

"公干？"小月好像没听明白，茫然地看看陆劲，又看看他。

"人民政府对我很宽大，让我戴罪立功，帮着干点事。"

"哦。"小月点点头。

"你男人呢？"陆劲问道。

"他去浙江了，后天才回来。"小月答道，顺手撩开篓子上的白布，露出十几个热腾腾黄灿灿的馒头来，"吃吧，你们还没吃饭吧，这是玉米面做的，刚蒸好的。"小月说着，转身又到外屋，给他们倒了两杯水，"没茶叶了，将就着喝吧。"

"谢谢你，小月。"陆劲说着，拿了个玉米馒头递给岳程，对他说，"吃吧，这是真正的农家菜。"

岳程接过馒头咬了一口，味道还真不赖，至少不是很甜，他刚想到这儿，就见小月从外屋拿来一碗黄澄澄的东西。

"哥，你爱吃甜的，这是蜂蜜块，你蘸着吃吧。"小月一边说，一边在陆劲对面的椅子上坐下，手上开始忙乎着打起毛衣来。

这女的对他还真体贴，他们是什么关系？岳程忽然恶作剧地想，应该把这事告诉元元，虽然两者差距无法估量，但看看她那副吃干醋的模样，也很有趣。

陆劲望着那碗蜂蜜块好像一时怔住了，他没说话，拿了个玉米馒头默默地蘸了点蜂蜜咬了一口，随后笑了笑说："嗯，是这味道。"

小月好像得到了极大的满足，她笑逐颜开地说：

"哥，有什么事你就尽管说吧，你知道，我从来没把你当外人。"

陆劲看了她一眼，问道：

"你是不是常去照顾我妈？"

她点了点头，道："你知道我男人在外跑运输，我也常常是一个人，我不照顾她，谁照顾她？本来我怕她寂寞，想让她来我这儿住的，不瞒你说，我还想给她养老呢，但她不肯，硬要住在那里，她说那儿有你的影子。"小月说到这儿，忽然哽住了，她用手背擦了擦眼睛，隔了会儿才说，"本来，她每天都拿个凳子在院子里等你，说想看着你远远走回来，你以前上学的时候，她不也是这样的吗？可你出事后，她就不那样了，整天闷在屋子里发呆。"

这几句话，听得岳程心里真难受，他禁不住回头看了一眼陆劲，发现后者垂下了眼睛。小月好像也注意到了陆劲的神情，好像是怕他生气似的，她连忙说：

"你别瞎想，我这不是怪你啊，我也就是跟你说说阿姨的事，阿姨真的很想你……"小月胆怯地瞅了陆劲一眼，见他没说话，又说道，"我知道你有你的难处，我多少年没见你了，其实也不该跟你啰唆这些……我知道你有你的难处……我多少年没见你了，哥，你看你头发都白了，你以前可不是这样的，都多少年了！"小月颠三倒四地说着，抬头注视着他，忽然捂住嘴低声抽泣起来。

等她哭了会儿,陆劲才声音平淡地安慰道:

"别这样,小月,人老了总会有白头发的。"

小月擦干了眼泪,自责道:"瞧我这人,你是有公事,我都忘了。说吧,有什么事?"

陆劲指了指岳程道:

"这位是刑警,他想了解一些关于我妈的事,你能说说她死那天的情况吗?"

"警察?"小月有些怀疑地看了岳程一眼。

岳程有些恼火,心想没证件怎么证明我是警察?你问她不就完了?自己不想跟她说话,就推给我!但是话既然已经说出来了,他也只好配合陆劲,再说,他本来就是警察。

"对,我是 S 市 B 区公安分局刑侦科的,现在负责看管陆劲,我叫岳程,你可以打电话去我们局里问,要不我写个电话号码给你吧?"他很期望小月能去查他的底细,可是她却摆摆手道:"不用,不用,我相信你。"

岳程也不知道她是真相信还是根本就不在乎,就听到陆劲对他说:

"你问吧。"

于是他喝了口茶,打着官腔问道:

"李小月是吧?"

"是。"小月温顺地点点头,又胆怯地看了眼陆劲。

"没事,小月,知道什么就说什么。"陆劲鼓励道,接着又津津有味地咬了口玉米馒头,小月见他吃得欢快,马上又高兴起来,岳程刚想问下去,她就一闪身出去了,不到两秒钟,她拿了个小篓子进来,这次里面装的是炒花生。

"吃吧,自己家种的,你也好久没吃了吧。"小月热情地说。

"嗯。"陆劲点了点头,没说话。岳程觉得此刻的他就像《大红灯笼高高挂》里的那个老爷,正在享受小妾的服侍,看他那副得意样,真想搡他!

"好吧,李小月,我想知道,在陆劲母亲去世的那天,你有没有去过她家?或者是见到过她?"岳程想尽快切入正题,免得继续看她拍这个杀人犯的马屁。真是让人看不下去!

小月好像终于把注意力转到他身上来了,她道:

"我早上去过她家,她那段时间眼睛不好,看什么都模模糊糊的,腿也不好,根本抬不起来,我就帮着干了点活,跟她聊了会儿天。"

如果她腿不好,身高 153 厘米的她又是怎么站到凳子上去挂上吊用的绳子的?

"那天她有没有说起有客人要来?"岳程问道。

"客人?我不知道,我在她那儿吃完午饭就走了。"小月放下手头的毛线,起劲地给陆劲剥起花生来,她把剥完的花生都放在一个盆子里,陆劲也毫不客气地拿起来就吃,像个被宠坏的弟弟。

"可是，我发现你这儿离她家算是比较近的，从你这儿能看见她那里吧？"岳程不看陆劲，继续问道。

"能看见。"小月点了点头。

"你们两个午饭吃的是什么？"他问。

"找点青菜下了面条，她爱吃这个。"

"那如果你不在，她晚饭吃什么？"

"我给炒了青菜，还做了点米饭，她晚饭就吃这个。"

"没有荤菜吗？"

小岳摇摇头道："她不吃荤菜，我哥出事后，她就全吃素的了，说是给我哥赎罪呢。"

"那么……"岳程觉得下面这问题可能问得不太合适，但还是得问，"她会不会在你走了之后，偷偷做点红烧肉什么的自己吃？"

"偷偷吃红烧肉？这什么话呀！！阿姨怎么会这样！说啥呢！！"小月有点生气了，她狠狠瞪了他一眼，他有些尴尬。

"小月，你觉得我妈死得怪不怪？"陆劲插嘴道。

"也怪，也不怪。"小月听到"哥"发话，马上又阴转多云，"她这心情，要说想不开，也没啥不能理解的，但是要说怪吧，就是有一件事我想不明白。"

"是什么事？"岳程忙问。

"她那天睡得特别晚，半夜两点多屋里还亮着灯，从我这院子正巧能看见她那里，我本想去看看的，但刚走出门，她那里的灯就暗了，我想她大概是睡了，所以就没过去。嗨，都怪我，要是我去就好了，如果我去，她就不会……"小月似乎又要哭了，陆劲马上说：

"小月，这不怪你，是我妈命不好，如果她没生我，她不会死得这么惨。"

小月看着他，还是掉下两颗泪来。

"哥，我到现在都不相信你会做那些事，我永远记得，那会儿你是怎么帮我的，当初，要不是你帮我，我肯定都死了，你的心那么好，怎么会做那些事？所以我老跟阿姨说，是他们冤枉你了，阿姨说我是傻子，可我就是不相信啊，你瞧，我这儿到现在还留着你给我画的像呢。"小月向墙上一指，岳程看见一幅少女的肖像画，画中的女孩梳着两条长辫子，眼睛大大的，年约十七八岁，他怎么都看不出画里这个健康漂亮的农村姑娘，跟眼前这个苍老憔悴的中年妇人有一丝相像。岁月真无情，他想。

"别提了，小月。那些事都已经过去了。"陆劲道。

"我不知道该怎么说……"小月望着他，好像欲言又止，她轻声问道，"你在这儿能待多久？"

"待不了多久。"陆劲闷头吃着花生，问道，"小月，最近有没有人来你这儿打听我的事？"

小月脸上一呆,没出声。

"小月,我说的最近,指的就是今天。"陆劲盯着她的脸,一字一句地问道,"今天有没有人来打听过我?"

小月有点惊慌地摆摆手:"没有,没有。"她说。

陆劲笑了笑,继续低头吃花生。

"哥,真的没有。"她又说了一遍。

陆劲仍然低头吃花生。花生就那么好吃吗?他到底在想什么?不知道是因为小月越来越低的声音,还是因为陆劲忽然变得冷淡的态度,他觉得这房间的气氛好像已经不像最开始那么温馨了,有什么东西起了变化,但他不知道是什么。

过了会儿,陆劲终于开口了。

"小月,我记得那一年,大家冤枉你偷东西,你为了这个差点跳河,后来是我出面说服了大家。其实我知道就是你偷的。"陆劲的声音非常平静,但是却听得岳程浑身直冒冷汗,他回头再看李小月,她抬起头望着他,眼睛里满是惊恐。

"哥,我没有……"她几乎是本能地叫了一声,但马上被陆劲打断了。

"别跟我争,我后来在你家找到了那些东西。"陆劲继续说道,"我从上班起,每月寄给我妈一笔生活费,我知道你经常会从中抽取一些,你别不承认,我跟我妈对过账,她糊涂,我可不糊涂。"

岳程简直不敢相信,那个在陆劲离家时,每时每刻都在关心照顾着他妈妈的善良的妹妹,居然长年都在克扣老人的钱!他带着三分茫然,七分惊骇回头朝她望去,只见她面如土色,浑身发抖,眼泪扑哧扑哧往下掉。

"哥,我……"她说不下去了。

"因为你一直在照顾我妈,所以我从来没跟你提过这事。"陆劲的声音依旧平静,过了会儿,他道,"农场保卫科的老王,家里长年养蜜蜂,你的蜂蜜块就是从他那里得来的吧。小月,我一看见这些蜂蜜块,我就知道他来过了,他家离你家那么远,没事不会来找你。还有这些花生!你家没人吃花生,你是特意为我准备的!馒头也是!你知道我要来,是吗?"

农场保卫科!岳程的心往下一沉。

他的脑子飞快地转动起来。为什么农场保卫科会突然来找李小月?听陆劲的意思,对方好像是来打听陆劲的情况的。为什么?在这些人心中,陆劲不是应该已经死了吗?莫非!局里的同事已经跟这里的公安局联系过了?不用说,他们一定是要来围捕陆劲的!农场保卫科的人其实只是来打个招呼,接着自己人就要到了!可是,我不是已经打电话说,要先缓一缓了吗?领导也答应了啊。为什么他们还会追过来?

不好!岳程心道,看来他们不相信我!他们在怀疑我。一想到"怀疑"这两个字,他的心骤然缩成了一团。

"小月,他来过了,是吗?"陆劲还在问。

小月摇头流泪，却说了句好像完全不相干的话：

"哥，我男人不想跑运输了，想调到保卫科，他们那里要人。"她说完，转身就要走出屋子，陆劲猛然从椅子上跳起来，抓住了她的手腕。

"小月！"他没再说下去，只是拉着她的手腕不放，就像一个痴情的男人想拉住一个执意要分手的情人那样紧紧地握着。

不知道过了多久，小月终于回过身来。

"哥，他是来过。他说你可能会来找我，还说，要是你来，"她顿了一顿，咽了口唾沫才说下去，"就想办法绊住你，然后打电话给他。"

妈的，果然来了！速度真快！

"你打过电话了吗？"陆劲放开她，轻声问道。

"我……我，我还没打，……"她忽然抓住他的衣襟，颤声说，"我对不起你，哥，你快走吧，他们看来是盯上你了。"

岳程也想催陆劲快走，不知道为什么，他觉得如果现在不离开这个是非之地，局面就会变得越来越难以控制，越来越尴尬，至少对于他来说，就是这样。于是他边朝屋外走，边拉拉陆劲的袖子，急促地说："我们快走吧。"

陆劲没搭理他。

"小月，你跟我妈在一起那么多年了，你也照顾了她那么多年。我知道你对她是有感情的，"看见小月拼命点头，陆劲接着说，"你跟她最亲，也最熟悉她的生活习惯，所以我想，既然你对她的死有疑问，你一定去到处打听过，我说得对吗？"

岳程又被这问题吸引住了，他停下脚步，想听听小月是怎么回答的，但她却答非所问。

"我一直把阿姨当亲生妈的，哥，要不是孩子生病，我不会……"

"你打听到了什么？"陆劲显然不想听她的解释。

她迟疑了一下，道："我，我是追着老王问过这事，可，可是……"她没说下去，粗壮的手指绞在了一起。

"是不是有人看见我妈家里来了什么人？"陆劲进一步问道。

岳程不明白，陆劲为什么还要继续刨根问底，即便这女人开了口，她的话能信吗？自从这女人被揭穿克扣老人的钱后，岳程对她的信任就消失殆尽。他觉得现在最明智的做法就是立刻走人，因为这女人说没打过电话，这很可能也是句谎话。如果对方那个什么老王来了，他又没证件，他怎么证明自己？就算有电话，但现在这种情形，局里会给出干脆的证明吗？他们会不会玩踢皮球的游戏？他想来想去，还是觉得自己回去跟领导当面解释最为妥当。

"老王跟你说了什么？"陆劲又问。

小月再次沉默了下来，好像非常为难。

"小月！你想叫我死是不是?!你想看着我妈死得不明不白是不是?!"陆劲终于

爆发了,他怒目圆睁地朝小月大吼了起来,她被吓得连着后退了好几步。

"不,不,不,不是的,哥,你别发火,我一直把阿姨当亲妈的,你相信我。"她好像快朝他跪下了,又踌躇了一会儿,才抽抽搭搭地说,"哥,不是我不肯说,是老王让我,让我不要瞎说。"

"快说!"陆劲不耐烦地催促道。

小月抹了下眼泪,终于开口说道:

"你说得对,哥,我是打听过,因为阿姨那天睡得那么晚,我觉得怪得很,我认识她多少年了,她从来没睡得那么晚过,更不会点那么亮的灯,她怕费电。再说,那张高脚凳平时就放在她床边,那凳子重得很,她自己根本拿不动,我刚刚说过了,她腰不好,拿什么都费力,所以我觉得,她没法拿那个凳子去厨房,要是她真有那个心,她应该白天就让我给她拿过去呀……"

这个村妇的脸对岳程来说,就像条变色龙,一开始是愚蠢,后来是善良温柔,接着是卑劣无耻,现在却显得精明能干。

"接着说。"陆劲坐了下来,他示意她也坐下。

小月依言在他旁边坐了下来,现在的她似乎已经渐渐消除了戒心,她打开了话匣子。

"我觉得这事挺奇怪,而且老王跟我说,在阿姨的屋子里,警察还找到了红烧肉和鱼,我当时就说,这根本不可能是阿姨的,她自己不吃荤菜,老王说,可能是她买了放在冰箱里了,我说她虽然有冰箱,可自从我哥买给她后,她还没用过,就我哥回来那几天才打开,因为她怕费电。再说,我一直在她家,都没见过鱼和肉,她腿脚不好,又没去买菜,哪儿来的这些东西呀。我说这一大堆,结果老王根本听不进去,他让我不要瞎说,还问我,你怎么知道她没偷偷准备些肉送自己上路?我答不上来了。"

"你有没有找别人问过?"陆劲问。

"我找过赵家的小四。"小月说起自己的发现,微微有些兴奋,"不是小四看见的,是他的媳妇看见的。那天晚上七点左右,她吃完晚饭骑车回娘家,路过阿姨家的时候,被门口的一辆车绊倒了。事后,她跟她婆婆说那是辆助力车,好像是比自行车快的那种。我不知道,她说她本来想骂人的,可朝院子里一看,有个警察在屋子里,她听到阿姨在招呼他,很高兴的样子,还一直说'感谢政府,感谢政府'。"

警察?有警察在陆家?岳程心里一凛。

陆劲倒很冷静,他问道:

"后来呢?"

"后来小四媳妇就回去了,阿姨出事后,她也没跟警察说。我也问过她,她说她不想惹麻烦,还说……"小月瞥了一眼陆劲,"谁让她生了个杀人犯的儿子。"

"那你有没有把这件事告诉警方?"岳程插嘴道。

小月羞愧地低下来了头,但随后又争辩道:"我说了有什么用,他们都不听我的。"

"助力车?什么助力车?是不是电瓶车?"陆劲盯着小月的脸问道。

"嗯,对,是电瓶车。这我不懂。"

"车上有什么标记吗?"岳程问道。

小月摇头:"天黑了,看不清。但是……"

"但是什么?"陆劲道。

"但她说,两天前,她也看见过这样的电瓶车,她说很像,就停在农场入口的那个小卖部旁边,但是她不记得是上午还是下午了。"

"小卖部?"岳程完全没有印象。

"我们走的是另一条路。"陆劲对他说。

"他肯定是在问路,你家这么偏僻,不问明白,肯定找不到。看来这人是有预谋的,很可能在正式开工前,先来了趟彩排。"岳程分析道。

"我觉得就是这样。"陆劲道,又问小月,"你有没有去问过小卖部的人?"

"我问过了,小卖部不就是我男人他姐姐的婆家开的吗?可她们说,那时候是'五一'长假,进出农场的人特多,每天都有人来问路,都不记得了。我后来问,有没有人来问怎么去陆劲家呀?她说她记得有两个人来问过,一个是女人,另一个好像是送货的,她也不记得是哪一天了。"

岳程忽然想起,陆劲母亲的死亡时间是2004年5月4日,的确是长假期间。

"送货的,是送什么货?"他问道。

"不知道。"小月摇头。

"那女的是什么样子?年轻的还是年纪偏大的?"岳程又问。

"不老,年纪说不上来。"小月回头看了眼沉默下来的陆劲,岳程总觉得她看他的眼光中有点害怕,又有点想亲近的意味。

"哥,就这些了,"小月咽了口唾沫,小心翼翼地说,"就这些了。"

陆劲站起身来。

"我知道了。"他冷淡地说。

"其实我把我知道的这些都告诉老王他们了,但他们不管,说那案子已经定了,叫我不要管闲事。我男人也不让我管,说我要管了,就跟我离婚。"她望着他,哽咽了,"再说,你又不在了,我以为你没命了……再去说,还有什么意思?要是知道你还活着,我一定来看你!你相信我。我是什么人,哥,你应该是最清楚的!"

她几乎像在表白,但陆劲却只是轻松地一笑,说:

"是的,小月,我们从小一起长大,我知道你是什么样的人,跟我相比,你才是真正的好人。谢谢你一直以来照顾我妈。这给你孩子买点吃的吧。"他从口袋里掏出200块钱来塞在她手心里,接着朝门边走去。

捏着那钱,她呆了半秒钟,忽然像被人从后面猛推了一把似的直冲到陆劲的身后,她拉住他的滑雪衫下摆,用哀求的口吻说:

"哥,你能告诉我一件事吗?"

陆劲回头看着她,等着她说下去。

"当初,当初你为啥非要跟我解除婚约?是因为你知道我偷,偷了别人的东西?还是因为看不起我是个乡下人?"她望着他,眼神无比焦灼却又充满渴望,仿佛这问题困扰了她大半生,她问不出口,却如此想知道答案。

他们还有婚约?岳程竖起耳朵专心听下去。

"你爸本来就反对,你忘了?"陆劲把目光投向别处。

"我知道,可是……"

"这些陈年旧事,就别再问了,小月。"陆劲有点不耐烦。

"我知道,我不该问,可,可我总想有个答案,"她声音颤抖地说,"那时候,我一直坚持着。"

"你坚持有什么用!"陆劲厉声道,却没说下去。

"你瞧不上我,嫌我长得丑,那也是个理由,你不能就这么不明不白地让我糊涂一辈子,哥,我求你告诉我吧,就算让我安个心!我求你了,看在我服侍阿姨这么多年的分上,今天,你就给个明话吧!"小月扯着他的衣服,哀求道。

陆劲扫了她一眼。

"哥,我那时候都差点上吊了!你连句话都没有,连封信都没有!"她愤怒地叫了起来,眼睛里进出了泪花,她扯着陆劲的袖子像撒泼似的,摇晃着,被陆劲一把推开。他说:

"你爸说如果我不解除婚约,就把我妈的事都抖出来!他那时候已经给你找了另一个人家。"

她没听明白,岳程也是。

"哥,你在说什么?你说阿姨有什么事让我爸抓了把柄?"她问。

"对。"

"你,你说阿姨她……"她没问下去,只是像被吓到了一般茫然地盯着陆劲的脸,她的表情告诉岳程,她已经猜到了答案。

"你知道我上高中以后的学费都是哪儿来的吗!你知道我妈为供我上学干了什么嘛!一次又一次,她也不想的,可是干了一次就有第二次,每个人都威胁她!每个人都这样!但是她还是很高兴,因为她的目的达到了,儿子有了路费!学费!买油画颜料的钱!现在你满意了!都知道了!你爸就是用这件事威胁我!"陆劲说不下去了,他闭上眼睛,沉默良久,岳程看见他的嘴唇和身子都在微微发抖。

他们就像在说一个三个人都懂的哑谜,不用明说,但谁都明白。

岳程看着面容憔悴、浑身打颤的陆劲,生平第一次产生了想过去扶他一把的冲动,他想把手放在这个人的肩膀上,对他说,兄弟,都过去了,忘了它吧,他还想立刻把陆劲拉出这个女人的屋子,因为他觉得这伤疤是不能再往下扒了,到目前为止,陆劲一直把自己的情绪控制得很好,但是他毕竟是个杀人犯,这说明在特定时候,他就会失控,所以,这话题不能再继续下去了。

"陆劲,我们走!"他像好哥们一样,拽着陆劲想往外走,李小月挡在了他们前面。

"哥,你说过那些钱是你爸城里的亲戚给的。"她说话像在大喘气。

"我亲眼见过。"陆劲低声道。

她说不出话来了,目瞪口呆地看着他,好像快疯了。

"好了,我真的得走了。"过了一会儿,陆劲说,他的声音里充满了疲倦,但似乎已恢复了平静,这让岳程微微松了口气,他发现他现在跟这个女人一样,很怕看到陆劲发火。

陆劲摇晃着身体再次走向那扇门,李小月却又一次拉住了他的袖子,她说了句让岳程大跌眼镜的话。

"哥,我打过电话了,就在我上厕所的时候。"她眼泪汪汪地说。

"我知道。"陆劲笑了笑。

妈的!这女人真是条变色龙!岳程在心里骂道,虽然揭发逃犯是理所应当的,还应该被看成是"觉悟高",但是在现在这种情况下,他还是觉得这女人的行为应该被称为"背叛"。背叛是世上最可耻的罪行之一。他狠狠瞪了李小月一眼。

可是变色龙又变了,这回的话更让岳程没想到。

"哥,你得赶快走。"小月用袖子一抹眼泪,爽利地说,"我家有个地道可以通到那个废井,你还记得吗?那还是我们两人一起挖的,你画的图,我在这头挖,你在那头挖。"

"它还在吗?"陆劲立刻眼睛一亮。

"在,我从没告诉过任何人,我男人也不知道。跟我来。"小月一边说,一边朝窗外瞄了一眼,"老王他们来了!哥,得快走!"她紧张地叫道。

岳程顺着她的目光望去,看见离院子五十米开外的地方,有三个穿警服的人朝院子这边走来。三个人!只有三个人!这不可能。抓陆劲绝对不会只有三个人,至少也会有三十个人,也许他们只是打前阵!那别的方向会不会还有人?他正想朝另一边张望,陆劲却毫不犹豫地拽着他进了李小月家的储藏室。

这是间没有窗的小屋,低矮潮湿,里面堆满了乱七八糟的杂物,小月走到墙角,麻利地搬开一堆箩筐和两张旧竹椅,那里赫然出现一个用柴草堵着的洞。

小月迅速把那堆柴草扯下来。

"从这儿能爬到那口废井,哥,你还记得那个地方的,对吧?"

"当然记得。"

"行,你等等。"小月忽然站起身,转身跑了出去,不一会儿,她就从外面拿了个布包进来,交给陆劲,"哥,这些吃的就是给你准备的,你带上吧。"

陆劲接过布包刚想打开,小月就心急火燎地催道:

"别看了,哥,来不及了! 你快走吧!"

"谢谢。"陆劲的手在她肩上重重按了一下,随后捧着布包,转身就钻进了那个地洞。

岳程很想提醒他,也许地道是个圈套,也许布包里的食物被下了毒,但这时候,外面传来了敲门声。

"他们来了! 你们快走!"小月紧张地叫道。

他还愣在那里,就听到陆劲在喊他:

"喂! 你在干什么?!"

叫什么叫! 跟这家伙在一起,现在我都快成逃犯了!妈的,还要钻地洞!真倒霉! 岳程本想骂几句的,但看了一眼陆劲后,他又觉得,钻个地洞其实也没什么大不了的,世界上比他倒霉的人多了。

跟着陆劲在又黑又湿的地道里爬了一阵后,岳程打着喷嚏问道:

"喂,这条地道到底有多长?"

"快了,我没计算过长度。"陆劲在前面回答他。

"这破洞不是你设计的吗?"

"我只是画了方位而已。"

方位!

"到底还有多久可以爬出去?"他不耐烦地问,他耳边传来衣服跟泥土摩擦产生的吱吱声,他知道,等爬出这条地道的时候,这件外套差不多也该报废了。

"我不知道。"

"你怎么会不知道? 别跟我说,你一次都没爬过。"他没好气地说。

"我真的没爬过。"

"你拉倒吧!"

"她爬过两次,因为家里不让她出来。我是没爬过。"

"挖那么辛苦,不就为了约会吗,你会没爬过?"岳程根本不相信。

"不是为了约会。那时候年轻,看了《地道战》后,就老想着挖条地道,我跟她一说,她就同意了。"陆劲的声音里带着笑。

说起来,这部电影岳程也看过。

"呵呵,怪不得当年到杂志去征女笔友,后来就没下文了,原来是找到真女朋友了。"岳程笑道,"不过,我真服了你们两个,你们就不嫌累吗?"

"挖这地道的时候,我才十七,哪会觉得累,只觉得刺激。"

"你那时候就爱吃甜的?"

"是啊,不过以前吃糖是因为嘴馋,自从干了第一票之后,才发现了糖有药的效果。"陆劲咳嗽了一声,看来是呛到了一口灰。

"喂,你真的跟她订过婚?"岳程忍不住又问。

"那时候我有个叔叔从S市来我家做客,给了我爸妈不少东西,她爹觉得我们家还可以,就跟我妈商量要结亲。我妈挺喜欢小月的,觉得她能干,人好。所以就这么定了。"

"媒妁之言哪!想不到你还有这种事。那你喜欢不喜欢她?"岳程感觉有个东西飞快地从手边爬过。

"不喜欢我跟她挖什么地道?"陆劲又咳嗽了两声,"不过那时候可能挖地道挖得太累了,挖完后,都没精力干别的了,我不知道她怎么想,反正我就想回去洗澡、吃饭和睡觉。"

"算了吧,你敢说你跟她什么都没有?"

"没有实质上的关系,哈哈,你这大探长怎么这么八卦?想知道更多,等我写自传吧。"陆劲大笑。

"居然还能挖条地道。陆劲,我发现你的初恋还挺浪漫的。"岳程感叹道。

"我哪次恋爱不浪漫?"陆劲道。忽然声音又低沉下来,"只不过,每次都不会有好结果而已。"他叹了口气。

也对。前两个就不必谈了,就说元元吧,他们的恋爱可真是够浪漫的,如果他们现在的状况真的可以称之为恋爱的话,可是,他们有未来吗?岳程想都不敢想。

又有个什么东西飞快地从他手边爬过,这小家伙似乎非常讨厌他这不速之客,它愤怒地发出两声吱吱的叫声。

"老鼠!"他一惊。

"前面还有,这里大概有个老鼠窝。"陆劲道。

在所有的动物中,岳程觉得唯有老鼠的肮脏和令人恶心的程度可以跟腐烂的尸体相抗衡,所以听到陆劲这么说,他的心情马上就坏到了极点。

"老鼠窝!"他烦躁地嚷道。

"没错。"

"妈的!我真不知道我为什么要跟你爬进来!"他抱怨道。

"因为你别无选择。"

这话说得他哑口无言。

没错,他是别无选择,如果他留下,而陆劲走了,那就等于告诉别人,是他放了陆劲。当然,他可以阻止陆劲逃跑,但逮捕陆劲现在对这案子来说毫无意义,因为陆劲如果闭嘴,案子就会陷入僵局,而如果他强行阻止陆劲离开,这家伙肯定又会闭嘴。最要命的是,他刚才还想到一种可能性:如果他现在已经失去了上司的信任,那么警方对陆劲的态度也会出现巨大的转变,他们将不再把他视为一个可利用的棋子,而是一个巨大的威胁,所以如果陆劲被发现,前景很不妙。他知道陆劲还没自首的打算,可如果他顽抗到底的话,迎接他的肯定不是人民政府的宽大处理,而是几十颗坚硬的子弹。

然后,陆劲的死就会给他带来一大堆麻烦。因为死无对证,他将无法解释清楚自己被陆劲挟持后的情况,他还丢了枪……所以,陆劲的命对他来说至关重要,陆劲不能死,他需要这个人,需要这个人活着,他思路很清楚,只要能破了这个大案,他就能将功赎罪,就能让一切重回原点。

所以,他别无选择,只能跟陆劲走。

又一只老鼠在旁边飞快地跑过,这次他好像已经没那么抵触了。

他们又爬了三四十米,终于看到了前方的亮光。

正如李小月所说,这条地道绵延曲折,一直延伸到距离陆劲家旧址大约五百米的地方,那里有一口废井和一棵柿子树。

"哈,我们快到了。"他听到陆劲在前面说。

"你的小月会不会找人守在那里?"他道。

"不会。"

"你居然还相信她?"

"那就等着瞧吧!"陆劲笑道。

洞口果然没人,他们很顺利地从地道里爬了出来。

"接着怎么走?"岳程看了一眼外套袖子上被磨出的破洞,拍了拍身上的灰泥,问道。

"翻过这座山,就可以离开农场的管辖范围了。"陆劲指了指他们身后的那座高山。

"很高啊。"岳程叹道。

"不算高。"陆劲拨开树丛,向前望去,忽道,"嘿,你看,他们在那边。"

岳程朝他指的方向望去,看见三五个警察站在不远处的一个凉亭下面抽烟,脸很生,明显不是他的同事。

"他们是哪儿的?"他问。

"应该是县公安局的。"

"怎么在这儿?他们不是应该去李小月家了吗?"岳程刚问完,就发现凉亭旁边有个小卖部,"这里是农场的进口?"

"对,那就是小月说的小卖部,农场只有这一个小卖部。"陆劲说。

他们是在等人吗?是在等陆劲吗?为什么都穿着警服?按理说,围捕特别危险的犯人,为了避免打草惊蛇,一般都会穿便衣,可他们全穿着警服,蓦地,岳程意识到是怎么回事了。

"他们是在等我,看来大批人马都来了,农场已经被包围了。"陆劲干笑了一声,尾音里带着吱吱的磁性。

"没错。"岳程冷静地回应,这种场面他并不陌生,只不过,他没想到有一天自己会跟一个杀人犯一起逃亡,成为被追捕的对象。

"喂,我们走吧。"陆劲说着灵巧地矮下身子,嗖的一声钻进了树林。

岳程很快跟上了他。

"你能保证山那边没人等我们?"他问完后才发现这句话很像是逃犯在问同伙,不禁心里有些懊丧。

陆劲答道:"不能保证,但至少得试试。这里地方大,地形很复杂,我们现在走的这条路,是我以前自己摸索出来的。所以几乎没人知道。"

"我们翻过这座山,还要多长时间?"

"至少两小时。"

"两个小时?"

"至少。"

岳程觉得自己必须补充点能量,于是他对陆劲说:"喂,打开那个布包,我想看看你的小月都给你准备了些什么吃的。"

陆劲打开了那个布包,岳程凑上去一看,里面有十几个白煮蛋,六个玉米馒头,一些花生,还有陆劲给她的那200块钱。望着这两张百元大钞,两个男人都沉默了下来。确实,有的人就是让你无言以对,不知道该说什么才好,似乎任何评价都不适用于她。

"至少我们不会饿肚子了。"走出一段路后,岳程才说了一句,他已经吃了一个玉米馒头和两个白煮蛋了。

"鸡蛋还热着,她煮好了一定一直捂着。"陆劲幽幽地说。

"嗨,毕竟是女人哪。"岳程叹息了一声。

他们又走了一段路,岳程在陆劲身后,忽然发现陆劲身上那件滑雪衫经过这么长时间在泥地里的摩擦,竟然毫无破损,他禁不住走上前去捻了捻料子。

"是哪个混蛋送给你的?质量真不错。"他羡慕地说。

"跟你说是抢来的。"

"是抢简东平,还是元元?"

"是抢……"说话间,陆劲猛然停住了脚步。

"怎么啦?"岳程连忙问。

他看见陆劲定定地注视着前方,他朝那个方向望去,发现一棵树的枝叶上,有人用蓝丝带扎了个蝴蝶结。

"这是什么？"岳程不明白。

陆劲的表情显得异常紧张，他朝四下张望起来。

"这是什么意思？谁扎的丝带？"岳程又问。

陆劲没有回答，猛地扯下树枝上的这根蓝丝带，放进了口袋，神情很是烦恼。

"到底是谁？难道是你的小月坐宇宙飞船赶到了我们前面？"岳程拉住他问道，现在这女人如果突然再次背叛陆劲，他一点都不会吃惊。

可是，陆劲好像没听见他说话，只顾自己闭着眼睛直摇头，一副痛心疾首的模样。

"陆劲！冷静点！女人就这么回事！"岳程很同情他，都反过来想安慰他了。

可陆劲的回答却让他大吃一惊。

"岳程，元元来了。"陆劲说。

岳程听见了，但他没搭腔，也没朝陆劲看。

"元元来了。"陆劲又说了一遍，他拨开挡在面前的树叶，向上爬去，脚步声沙沙作响。

岳程说不上是什么感觉，也许什么感觉都有点，有些欣喜有些失望，有些兴奋又有些恼火。他本不想作出回应，但既然陆劲说了两遍了，他总得表个态，不然这人也许还会说第三遍。于是，他走到陆劲前面，从他口袋里掏出那根蓝丝带看了看，问道："这玩意儿是你们约定的暗号？"

"我曾经把我家的地理位置和我常走的路线画给她看，还跟她说，如果哪天她来爬这座山，就留下蓝丝带，那样我的鬼魂就能找到她的足迹，我没想到她真的……"陆劲叹了口气。

岳程也想叹口气，但又觉得自己没资格，于是他只好说："希望她是开车来的，这样我们就能尽快回 S 市了。"

"她肯定是开车来的。"

岳程茫然地点点头，没有答话。他现在又想到一件百分之九十九可能发生的事，那就是元元看见陆劲，一定会花痴般献出自己热情的拥抱。他可真害怕再次面对这样的场面，因为他既不想在她面前扮演一个魔鬼，也不想忍受这种煎熬，所以他忍不住回头，有些没好气地问陆劲："如果她来，我会不会碍你们的事？"

这句话把陆劲逗笑了。

"哈哈哈，你放心，在你面前，我们会尽量克制的。"陆劲腾出一只手像个老大哥似的拍拍他的肩。

"呵呵，克制，但愿如此。"

岳程当然希望在那个时候，陆劲能够掌握分寸，坚决拒绝她的柔情，但是在这方面，他一点都不相信陆劲。因为他发现，只要遇到元元，陆劲身上的某种坚硬的东西就会渐渐融化,换句话说,他对她根本没办法。不过,如果换作是他,大概也没什么办法,嗨,岳程终于在心中叹了口气。

陆劲好像听到了他心中的这声叹息,他道:"岳程,要不我们分开走怎么样?"

"什么分开走?"岳程没懂他的意思。

"你跟着元元的车一起走,我从另一条路离开。看刚刚农场门口的阵势,说不定路都给封了,沿途还有人盘查,没有我,你们两个离开就没什么麻烦了。"

这话听上去似乎颇有几分道理,但是岳程并没有被迷惑。

他早就想好了,只要不是大规模的围捕,就不怕,只要陆劲不被射杀就行。什么盘查!如果有盘查,那才是好事,那他就可以向所有人证明,不费一枪一弹,他已经把陆劲带回来了,所以,陆劲必须跟他在一起!

"陆劲,你搞清楚,"他故意停顿了一下,以便引起对方的注意,"虽然我的警察证丢了,虽然我现在跟着你在翻山越岭,但你的身份不会因此改变,我仍然是个警察,你仍然是个逃犯,对我来说,如果你没跟我在一起,那才是真正的麻烦。所以你休想找借口离开我的视线。"

"岳程,你打电话的时候,我就在旁边,你说的每句话我都听得很清楚。你让你的上司给我们时间,他同意了,可是今天的情形你也看见了,你的上司食言了。"陆劲锁定他的目光一字一句地说,"他已经不信任你了,岳程。"

最后那句话仿佛一个锤子重重砸在岳程的心上。他很想说,所以我才要把你抓回去!不然怎么证明我的清白?但是他还没来得及说,就听到陆劲在问他:

"你那个上司叫什么名字?"

"舒云亮。"岳程说完,马上问,"你认识他吗?"

"不认识。"

"但是他特地跑到监狱去看过你,你记得这个人吗?"岳程顺便问了下去。

陆劲又从树枝上扯下根蓝丝带来塞进口袋,他道:

"想起来了,好像是有个当官的特别来看过我,是他吗?"

"如果是一年前的话,应该就是他。你真的不认识他?"

"有点印象,这个人确实……有点不一样,他看我的样子好像想亲手杀了我……"

"他跟你说过什么话吗?"

陆劲摇摇头。

"小月说,我妈死的那天有个警察在我妈家里,小四媳妇如果能一眼看出对方是警察,那说明他穿了警服。"

"所以很可能这人不是警察,不然穿警服不是太明显了?"岳程觉得假冒警察的可能性更大。

陆劲冷"哼"了一声没有搭腔。

"怎么,你不同意?"

"我妈的死亡时间是5月4日晚上十点多,可小月看见我妈房间的灯在半夜还亮着,后来又熄灭了,为什么? 我妈死了怎么关灯? 这说明当时他还没走,他为什么还不走? 还要开着灯? 因为他在找东西! 他就在找那些信! 如果这人不是警察,他怎么会知道信在我妈那里? 就因为他,'一号歹徒'没找到信,所以后来,也就是现在,才会来招惹我!"

岳程知道他说得有道理,但是他还是不由自主地顶了一句:"李小月的话你也信!"

陆劲摔了布包,一转身揪着他的衣服将他重重地撞到一棵树上,树枝摇晃着,落下几片叶子来,一只不知名的彩色小鸟扑翅飞去。

这种威胁岳程丝毫都不放在心上,他知道无论是在体力还是搏斗技能上,陆劲都不是他的对手,所以,是否有必要把这个企图攻击自己的男人掀翻在地,他还得视情况而定。他一动不动盯着陆劲,冷冷地问道:"想干吗?!"

"李小月的话足以证明我妈是被谋杀的,可是你们这些当警察的都在干什么! 干什么? 难道就因为我杀了人,我妈也是罪人? 她就活该被人杀了? 你们是不是这么想的?! 就凭这事,你还要我相信你们警察?"陆劲愤怒地盯着他,神情就像只发疯的狮子,说到最后那句时,他的声音就像个摔坏的吉他,完全变了调,他不是习惯怒吼的人,也许在杀人的时候,他仍在笑,但是现在,他却风度尽失。刹那间,岳程仿佛又看见了那块无字的墓碑,又看见陆劲俯身在亲吻那块石头,于是,他打消了准备反击的冲动。

"陆劲,我理解你的心情,你能不能先放开我?"他平静地说。

陆劲迟疑了一下,最终还是放开了他。

"我觉得你妈的案子……"他刚开了个头,就被陆劲打断了。

"我跟'歹徒'通过信,我知道他是什么人! 他非常容易发火。连他自己都说,他是个一点就着的汽油桶。我妈十点多就死了,他两点多才走,可是却一无所获,想想他该有多急! 多生气! 他在屋子里翻来翻去,一定发过火,也许还摔过东西! 也许还在院子里挖过! 他一定在那里留下了很多痕迹! 即便戴了手套,也会留下纤维的痕迹! 他在那里待了那么长时间,就没喝过水? 那些食物显然是他带来的! 他不可能在那里烧菜,也没那闲心! 那么这些菜哪儿来的? 当然是买来的! 哪儿买的? 当然是饭店! 在离农场不远的路上,就有好几家小饭店! 还有那辆电瓶车! 哪儿来的? 他会乘着自己平时上班的电瓶车去杀人现场吗? 不会! 他一定是在这附近买了辆电瓶车,专门去现场的! 因为电瓶车没声音,晚上离开动静不大,而且速度又很快,这可以让他尽快离开现场! 他骑完那辆电瓶车,一定把它扔了,还肯定是扔在农场附近的交通线路上,这样他扔完车,就可以乘长途汽车离开。他只要把车钥匙留在车上,车马上就会被人骑走。我相信,只要警察真的想查,就一定能查出来! 可是警察去查了吗? 警察去查过出售电瓶车的商店了吗? 去查了小饭店了吗? 没有! 你们警察就他妈的都是吃干饭的！"

陆劲说完这些话，捡起地上的布包，转身朝前走去。

岳程知道他的话没错，但是他觉得因此就苛责所有的警察有欠公允。他追上陆劲，跟他并肩而行。

"陆劲，我承认你妈的案子，当地的警方是疏忽了。但是……"

"疏忽？"陆劲怪叫一声。

"好吧，是失职。"

见陆劲不说话，他道，"不管是真警察还是假警察，你妈看到的应该就是个警察模样的人，既然如此，你妈为什么不把那些信交出来？另外，为什么这个人还要带着菜去见你妈？这不是多此一举？"

"我妈是绝不会把我的东西交给别人的，她怕我怪她。"

"如果说那些信可以给你减刑，她也不乐意吗？"

"她一定会先来问我的意见。她一定也是这么跟对方说的。"陆劲的情绪好像平静了一些，"我想，他去过不止一次，小月不是说，出事前两天有个送货的男人也来打听过我家的地址吗？他一定先去探过路，摸清了我家怎么走，也许还跟我妈聊过，知道我妈眼睛不好，知道我妈不会轻易把儿子的信交给别人，也许前面那次，他是冒充我的朋友，发现不行，后来才换了个身份。也许我妈以前就见过他，后来认出他来了，不然，他应该不会杀了我妈，他以为一个人眼睛不好，记忆也会不好，其实这是种错觉。"

"那么他为什么要买那些菜？"

"他可能真的没吃过饭，不吃饱饭怎么干活啊？当然大概也是为了体现警方是多么有人情味，多么关心犯人的家属吧。呵呵呵，"陆劲冷笑了一阵，自言自语道，"那两个办案民警叫什么来着？张建国，李竹果，公安处的老王，王充新，小四媳妇……"

这串名字，听得岳程心惊肉跳。

"闭嘴！陆劲！"他吼道。

陆劲闭上了嘴。

"陆劲，我知道你妈的案子确实办得不地道，"他缓和了下口气说道，"但你想一想，你妈的死，你自己也要负很大的责任！如果你没干那些烂事，你妈至于有这样的结局吗？！你真正的敌人应该是杀你妈的'一号歹徒'，而不是那些人。"

陆劲回头看了他一眼。

"我觉得他们跟'一号歹徒'没什么差别，只不过是一个拿刀杀人，另一个听之任之而已。其实我可以跟'歹徒'先生做个交易，让他出面干掉那几个人，然后，我再把信还给他。"

就好像有一股地狱的风从下面吹来，岳程觉得脚底发冷。他知道陆劲的话绝非儿戏，而且按照"一号歹徒"的个性，陆劲如果提出这个建议，对方的答复，很可能是"哈哈哈，哈哈哈，太好了，太好了"。妈的！跟杀人狂真不能共事，他动不动就想走极端。

"等'歹徒'杀完了，我再杀他！人生就是杀来杀去，因果报应！没什么了不起！"陆劲自暴自弃地说。

岳程猛地从树枝上扯下一条蓝丝带来。

"那么她呢？"他把那根丝带丢在陆劲面前，"你也不在乎她，是不是？你杀人，她就得帮你逃脱！我知道她会的！如果她帮你，她也跑不了！你想害她坐牢是不是？是不是？你想一想，你他妈的给我用脑子好好想想！"他用两个手指大力地戳了下脑袋。

"所以我们最好分开走，不要让她看到我，我也不想把她牵扯进来！"陆劲冷冷地说。

"不行！"

陆劲走到他旁边，眯着眼睛朝前面的树林一指，说："看见没有？你往这个方向走，沿途只要找蓝丝带就能下山。"话音刚落，他就敏捷地跳过一个树桩，钻进了一片树林，转眼就消失了踪影。

不好！他跑了！

岳程完全没想到陆劲会在这种毫无征兆的情况下突然丢下他，自己跑开。这个混蛋难道真的不想见她了？他下一步想干什么？是想回去复仇？还是想去找"一号歹徒"的线索？不行，一定要追上他！他来不及细想，赶紧朝陆劲那个方向追了过去。

在这片分不清东南西北的林子里，他知道只要反应稍微慢点，熟悉地形的陆劲就可能真的从此蒸发。所以，他只能一边倾听前方的声音，一边不断对自己说，快，快，快！不让这混蛋有喘气的机会！不让他有把滑雪衫脱下来做假标记的机会！

他庆幸自己的动作还算快，在追了几分钟后，他终于在一大片树叶的缝隙里看见了陆劲一晃而过的蓝色身影，于是，他顾不得旁边的树枝拉碎了衣服上的料子，像头扑向猎物的老虎一般，用最快的速度冲了上去，一把揪住陆劲的胳膊，上去就是一拳，正巧打在陆劲的下巴上。

"哦……"陆劲发出一声痛苦的呻吟，倒了下去。

痛也是活该！岳程心里骂道。

"你给我听着！陆劲，直到把你送回监狱，你才能甩掉我！"他怒吼道。

"你以为你看得住我吗？"陆劲说。

岳程正火气很大地在检查自己外套上的破洞，听到这句，忍不住走上去想再揍他一拳，但当他看见陆劲的痛苦模样时，挥起的拳头又放了下来。陆劲闭着眼睛靠在树上，哆嗦着用右臂捂住左臂，显然，胳膊上的伤很痛。

"你受的是什么伤？"他问。

陆劲不理他。

妈的！还给我装蒜！岳程不顾一切上前拉开了陆劲的衣服，后者好像也无力跟他抗争，略微挣扎了一下就放弃了，于是他左边的滑雪衫袖子很快就被脱了下来，岳程撩起他的衬衫袖子，发现他的胳膊上缠着纱布，纱布上还有血，好像在往外渗。

"这是怎么回事？"他问道。

"你打了我一枪。"

"你说什么？"岳程大惊。

"车子掉下去的时候太突然，我得腾出一只手来抓住靠椅，没法拿住两把枪，其中一把从手里掉了下去，你拿到了打了我一枪。你不记得了吗？看来你被我打得失去了记忆。"陆劲自我解嘲道。

"那我为什么没听见枪声？"问完后，他才想起自己并不是完全没听到声音，当时，好像是有个声音，"扑"的一声，但好轻，好遥远。

陆劲回答了他的问题：

"因为开枪的时候，你的脑袋已经在河里了，耳朵里灌满了水，所以你才什么都没听见。再说，我又砸了你的头，大概你昏过去了。"

"那么……"一时，他不知道该说什么。

"我已经自己取出了子弹，但是伤口好得没那么快。"陆劲哆嗦着身体，用右手扶着树站起来，他看起来似乎略微好了一些。

两人同时沉默了下来。

"你为什么不杀我？陆劲，我一直想问你这个问题。"过了会儿，岳程问道。

"我本来想借助你，也就是警方的力量抓住'歹徒'先生，但是现在我对警方的能力死了心。好了，别争了，我跟你不同路，警察先生，快闪开。"陆劲精疲力竭，但他还是想走，岳程跑到他面前，拦住了他。

"陆劲，我承认你妈的案子，警方做得不够好。我知道你很生气也很失望，但是我敢跟你打包票，并不是所有的警察都是这么不负责任的。如果当初你妈的案子落在我手里，我绝对不会这么轻易放过。你想一想，你妈的案卷资料，还是我给你的，知道为什么吗？因为我也觉得有疑点，你妈知道你活着，按理说不会自杀，这就是为什么我要把案卷资料复印给你看的原因，我相信只有你才能看出问题。你了解你妈。"

这番话让陆劲停住了脚步，他抬眼注视着岳程，但没有说话。

"我想做个好警察，我想破这个案子。对，陆劲，你想得不错，我也想通过这个案子升职，我想升职，我不否认，因为我想让我父母为我感到骄傲。再说，哪有不想当元帅的士兵？你那么喜欢画画，曾经有三年时间在广州画画，你难道不想成为一个画家？你难道不希望自己成为一个画家后，让你妈过上好日子？让那些狗娘养的看得眼睛发直？倒过来拍你妈的马屁？我不相信你没想过。"他紧紧盯着陆劲的脸，继续说下去，"陆劲，你能不能相信我一次，让我跟你一起抓住这个杀你妈的混蛋？你能不能给我个机会，让我向你证明，我是个好警察？"他觉得自己现在更像是在跟一个朋友说话，这感觉让他觉得很新奇。他希望自己的诚意能够打动这个昔日的杀人犯。

可陆劲仍旧没说话，目不转睛地盯着他，好像在琢磨他说的话是真是假。

"陆劲，跟我走原路下山，我们一起离开，怎么样？"他道。

"我不想把她牵涉进来！"

"我也不想！"岳程断然说，"但我更不想看到她千辛万苦地赶来，结果是一场空！我不想看到她失望。"

"为什么？"

他跟陆劲对视了两秒钟，随后他听到自己很清楚地回答道：

"因为我喜欢她。"

岳程并不是害怕表白的人，只是到现在之前他还没找到值得他说这句话的人。他不知道这场合是否适合说这句话，他只是很想一吐为快，因为他相信眼前这个人能够理解他的感受，也会被感动。于是他接着说了下去："我很喜欢元元。但我有自知之明，像我这么普通的人，可能不对她的胃口，所以，虽然我很喜欢她，但不会放太多的感情在她身上，我是个很务实的人。我承认，我不喜欢看见你们太亲热，但我也不会因此就公报私仇，我不是这样的人，而且，虽然成不了她的男朋友，我还是很希望能成为她的朋友。作为她的朋友，我不想看到她失望，更不想看到她哭。"

其实自从那次看见她捂着嘴失声痛哭后，他就常常梦见她，还梦见自己无数次把车倒回去，下车把她揽在了怀里，安慰她，向她道歉，而她从没有拒绝。梦醒之后，他向自己解释，之所以会做这样的梦，是因为自己认识的异性太少，他坚信自己对她的感情还没到这种程度，所以，他觉得没必要告诉陆劲，看到她流泪，他很受不了。

听完他的话，陆劲注视着他，嘴角慢慢浮出笑容。

"我喜欢坦白的人。"陆劲道。

被他这么一说，岳程倒觉得有点不好意思了。

"那就别浪费时间，走吧。"他朝原路走去，一回头看见陆劲跟了过来，心里不禁松了口气，"你的伤，不要紧吧。"他问。

"不要紧，等到了市里，再去买点药吧。"

看陆劲的脸色，好像是好多了。

但现在轮到他尴尬了，他有点后悔自己刚刚说了那么多。

他们两人默默地走了一段路，陆劲回头看了他一眼，笑着问道，"岳探长，你想不想听听宝藏的故事？"

"宝藏？"

"'一号歹徒'是个嗜钱如命的人。"

"就知道你瞒了很多事，快点说！陆老师。"岳程瞪了他一眼，一边抢过陆劲手里的布包，从里面拿了一个鸡蛋出来，经过刚刚那场战斗，他觉得自己该好好补补，对付陆劲这样的人，得时时刻刻保持体力才行。

岳程本来以为在山上挂了无数条蓝丝带的邱元元，必定会在山脚下等他们，但是他却大失所望，元元不在那里。当他们花了近两个小时披荆斩棘，终于走到山脚下时，出现在他们面前的不是元元的靓丽身影，而是条异常冷清荒凉的小路，路两边是密密层层的树木，从幽深的林子里不时飘出一股寒气。

"人呢？"岳程不由自主地嘀咕了一句。

陆劲没回答他的问题，却阴沉沉地说：

"那里有辆车。"

岳程这才发现，在离他们大约五十米左右的地方，停着辆车。

那明显不是元元的车。

但岳程想，为了安全起见，元元大概也不会开自己的车来接应陆劲吧。那是谁的车？为什么停在这儿？对了！会不会是她开了别人的车？可是，如果是她的话，以她的个性，现在这种时候，早该扑出来了，怎么还窝在车里？莫非是出事了？想到这里，他的心陡地一缩，他回头问陆劲：

"这条路，只有元元知道吗？"

"我只跟她说过。"陆劲神色紧张地答道。

他知道他们想到一块儿去了。

"上去看看再说。"他道。

"不会是她。"陆劲一边说，一边快步向那辆车走去。

车里很暗，毫无动静，但随着他们逐渐靠近，岳程慢慢看清了车里的状况。驾驶座上有人，天哪！是个女人！她穿着件低胸的毛衣，头靠在椅背上，会不会是元元？元元来见陆劲，穿成这样也不奇怪，……陆劲的脚步比他更急，他很想提醒陆劲，这个时候更需要冷静，也许车里有埋伏呢？也许那个女人就是"一号歹徒"呢？也许她手里拿了把枪呢？也许这是个圈套呢？

但就在这时，他们身后突然传来一声兴奋的尖叫：

"陆劲！"

啊，是元元的声音！

他们同时转过身去，看见一辆汽车在他们身后停了下来，不是元元的车，但元元走了下来。她穿的是褐色短风衣和长统靴，岳程很高兴她保持了自己的一贯穿衣风格，他觉得她的潇洒比别人的低胸打扮性感百倍。

"元元！"陆劲惊喜地叫了一声。

"你来啦。"岳程也跟她不冷不热地打了个招呼,心里却长舒了口气。

"陆劲!你们在那儿干吗?"她来不及关上车门,就大步流星地朝他们走来,看上去,她有意跟她的心上人打个热情的招呼,但陆劲立刻做了个手势,让她留在那儿,她瞥了一眼他们前面的那辆车,放慢了脚步。

谢谢你,陆劲。

岳程用眼神向陆劲传达了谢意,随后,便把注意力集中到了那辆车上。

驾驶座上的女人大约三十多岁,烫着短短的鬈发,穿着件红色的低胸毛衣,她靠在椅背上,仿佛睡着了。

"金小慧。"他听到陆劲在他身后说。

"你认识她吗?"他回头问陆劲。

"一个义工。我坐牢的时候,她曾经来看过我两次,还给我写过信。她说她是个佛教徒,最大的志愿是帮助别人走出困境。"

"你跟她说起过这里吗?"岳程望着金小慧嘴巴旁边的血渍和半睁的眼睛,心情沉重地问。

"没有。"

"那她怎么会在这里?"

陆劲没有回答。

"你那里有手套纸巾之类的东西吗?有钳子更好。"岳程对邱元元说。

元元看了一眼车里的人。

"你等等。"她道。

不一会儿,她拿来了一副白手套。

"我车里正好有一副,你也许戴不上。"她对岳程说。

岳程戴上邱元元的手套时,看见陆劲正准备把头钻进车窗,连忙拉住他,恶狠狠地说:"喂!检查现场是警察的事!"

"你那么凶干什么!又不是他干的!"邱元元怒道。

"一边去!"他不耐烦地朝她挥挥手。

邱元元似乎还想说什么,但陆劲立刻拉了她的手,走开了。

岳程小心翼翼地打开车门,爬进车里。他先试了下金小慧的脉搏,不出所料,已经死了,但根据他的经验,她刚死不久,死因则很可能是中毒。

她脸上化着明艳的妆,手边有个红色小坤包,包里有一瓶指甲油、一个镜盒、一个打火机、一条纸内裤、一卷拆开包装的巧克力糖和一个小药瓶。药瓶内空空如也。

"你怎么发烧了?"邱元元把手放在陆劲的额头上试了试,关切地问道。

"不是发烧,只是体温高。"陆劲心神不定地答道,他现在心里挂念着岳程那边的情况。虽然他真想好好抱抱眼前这个小女人,真渴望把头埋在她的脖子里,闻一闻她的气息，但是只要一想到身后那辆车里的金小慧，他的热情就退了下去。他很高兴，她也克制住了自己，并没有太亲昵的举动。

"我有话问你，元元，山里的蓝丝带是你系的吗？"他本来很肯定是她干的，但现在，又有点动摇了。

"当然是我系的。"她道。

"你怎么会想到要系蓝丝带的？"

"嘿，你的路线图！忘啦？我曾经沿着你给我的路线图来过这里好几次。听说有人要抓你，我估计你会从这条路上下来，怕你记性不好，忘记怎么走了，所以系了蓝丝带提醒你，另外也是告诉你，我来啦。"她笑着说。

原来我不在的时候，她真的曾经来过这里，还一个人爬过这座山，他看着她，费力地忍住想要抚摸她头发的冲动，过了好一会儿，才问下去：

"那么你把车停在哪里？为什么我们下山的时候没看见你？"

"我把车停在离农场不远的停车场了，然后跑步到这边，翻过这座山，爬到农场门口那口废井旁边，沿途做了标记。放心，我从树丛里爬出来的时候，没人注意我。我在小卖部那儿碰到两个警察，还向他们问路呢。听说我是记者，他们对我别提多客气了。我本来指望能在山上碰到你们的，但没看见你们，我不知道是否已经跟你们错过了，所以只好去买些土特产了。"

"土特产？"陆劲很困惑。

"我以前每次来，都会买一大堆土特产回去，支持你家乡的旅游事业嘛。"她笑道。

想到她每次来都提着大包小包回去，他既感伤又感动，于是他终于忍不住，握着她的手放在唇边亲了一下。

"后来呢？"他温柔地问道。

他的动作让她心情大好，她靠他近了些，继续说了下去：

"卖东西的大妈认识我，对我很客气，我顺便向她打听了点消息。我问她，这里为什么有那么多警察，她告诉我，警察是来抓逃犯的，有个逃犯来村里看他的老相好了。我估计她说的八成就是你。这时候，我听到那两个警察在用对讲机说话，说逃犯把那个女人打伤后就逃走了，听他们的意思，好像事情是刚发生。我估算了下时间，估计你们到山那边还早，所以就优哉游哉地跑到农场的农家乐饭店去吃饭了。吃完饭，我慢悠悠踱步到停车场，然后开车到了这里。我的时间掐得很准吧。"邱元元得意地笑起来，随后问道，"你是不是去看你的老相好小月了？"

"是她。"

"我猜就是。"她夺过他手里的布包，打开看了下，随后眉毛向上一挑，丢还给了他，"瞧瞧，人家对你多有情，还给你蒸馒头呢，不跟人家吻别，还把人家打昏，太不地道了吧。"

"你怎么知道没跟她吻别？"他忍不住调侃道，但马上又意识到自己说错话了。在他跟她之间最好不要随便开这种玩笑，因为他很了解她，她会当真，说不定立时三刻就会产生报复性的情欲，而他又太明白自己了，如果她是高升鞭炮，那他就是炸弹，一旦她爆发，他只会爆发得比她更强烈。

另一方面，为了岳程，他也不想跟她过分亲热，因为这个人刚刚向他坦白了自己的感情，他很清楚这种坦白背后隐含的意思，岳程其实是在恳求他体谅自己的心情。他不想破坏这种刚刚建立起来的一点点信任和友谊，所以，趁她还没反驳，他立刻岔开了话题。

"元元，你当时从这边上山的时候，有没有看见那辆车？"他用手指了指身后。

邱元元的表情立刻严肃起来。

"我上山的时候，这里什么都没有。"她道。

"你肯定吗？"陆劲心里一惊。

"如果有那辆车，我一定会跑上去看的。可是，我确实没看见它。"

"那时是几点钟？"

"大概十点出头吧。"

"那你开车回来的路上，有没有碰到什么人？我说的是，单个的行人从这个方向离开。"陆劲觉得凶手一定是一个人，并且一定是开车到这里，把尸体扔在车里后步行离开。他回头看了眼那辆车，车子很小，后备厢根本藏不了自行车或者电瓶车，所以要么他是步行离开的，要么就是把交通工具藏在这里的山林里。而这就意味着，凶手来过这里两次。

"我当然碰到过行人，但是我没多留意，至少我拐进这条路后，没遇到一个人。除非这个人正好从这里出来，否则，我不会特别留意。"她表情认真地回答。

"有没有碰到穿警服的人？"

"没有。都是游客打扮的人。"

"有没有碰到单个的男人？"

"我不知道……我真的没留意。"她摇了摇头。

陆劲还想问几句，却见岳程朝他们两个走了过来。

"怎么样？"他问道。

"'一号歹徒'。"岳程简短地答道，同时用戴手套的手，捏着一张信纸递给他看，"别用手碰，你就这么看。"

陆劲看到那张条子上写着几行字：

哈哈哈，我来了，我来了，又是我。

这是第几个？我没数过。

人生总是充满了意外。你意外吗？

在你熟悉的地方碰见认识的人，跟她打个招呼吧。

你会发现，她没穿内裤。内裤到哪儿去了呢？

在包里。

告诉你们这些，只想证明我是凶手。

免得你们走弯路。

亲爱的老朋友，把我要的东西送到星河路28号吧。

你知道我喜欢那里，我总在那里。

等你。

"什么感觉？"岳程问道。

"螳螂捕蝉，黄雀在后。"陆劲道。

"我也有这种感觉。"岳程问邱元元，"有照相机吗？"

"有。"她立刻从车里拿出一个数码相机交给岳程。

岳程用数码相机在车里拍完一圈照片后，又向邱元元借来纸和笔做了记录，陆劲则简短地把元元刚告诉他的事说了一遍。

"这么说，元元第一次到这里时，他还没到，等元元第二次到这里时，他正好走了。"岳程道。

"对。"陆劲道。

"元元翻过这座山要用两个小时，也就是说，事情发生在这两个小时之内。"岳程道。

"这会不会是个圈套？他会不会把尸体扔在这里然后报警让他们抓你？"邱元元神情紧张地猜测道。

"不会。"陆劲和岳程异口同声道。

"为什么？"

"他还指望陆劲到什么星河路28号去送东西呢，如果陆劲被抓，他的计划不是泡汤了吗？我想，他把尸体扔在这里，是为了告诉陆劲，他知道陆劲的底细，他知道怎么找到他。这是一种警告。"岳程答道。

"那就好。不过我们还是快离开这里吧，"邱元元不安地说，"那边那么多警察……"她拉开了驾驶座的车门，没想到岳程道：

"你到后面去，我来开车。"岳程不容置疑地拉开了后座的车门，把她推了进去。

陆劲看了他一眼，上了后车座。

他知道岳程是故意让他跟元元坐在一起的，但他心里却有些不自在。他还不太习惯接受一个警察的友善，他总觉得这种友善中带着某种生意的成分。所以岳程对他越好，他就疑心越重。他突然开始怀疑岳程刚刚在树林里的表白只是权宜之计，说得那么坦诚只是想骗他一起下山，协助他破案而已。

"你怎么啦？"岳程似乎已经敏锐地捕捉到了他的心理变化。

"没什么。"

"你对那封信怎么看？"岳程问。

"字写得有点潦草，是当场写的。"

"印象最深的是哪句？"

"你先说说你的感觉好吗？"因为对岳程的诚意产生了怀疑，又因为他觉得身体很不舒服，周身都在发热，所以他的口气不知不觉就变得生硬起来。这一点，坐在他身边的元元似乎也感觉到了，她回过头来困惑地看着他。

岳程笑了笑，似乎对他的态度并不在意，他温和地说："我印象最深的是，星河路28号。S市有这条路吗？"

"没有。"

"这么说，又是你们的暗号？"

"对。"

岳程将车开到岔道口时，几辆警车呼啸而过。那些车顶上闪烁的红灯，让陆劲看得心惊肉跳，他不由自主地弓起身子，用一只手挡住了脸。等警车过去后，他发现自己的额头上沁出了汗珠，这时候他忽然意识到元元就在他身边，她刚刚还在看他，但现在他已经不敢回头去看她了。他为自己在她面前无意中露出逃犯的本来面目感到羞愧和沮丧。

"那些警车会不会是冲着你们来的？"元元问道，但她没指明是问谁，所以他只当没听见。胳膊上的枪伤还在隐隐作痛，枪伤，又一个逃犯的印记。他觉得自己周身都散发着逃犯的气息。他又想起了刚刚自己弓起身子的那个熊样。

他听到岳程在回答她：

"我想应该是。"

"'一号歹徒'怎么会知道你们会在那里出现？"她拉拉他的手，问道。

"这我也不清楚。"他觉得身子在哆嗦，便拨开了她的手。

"你怎么啦？"她皱起眉头，问道。

他回头朝她笑了笑。

"没什么。"

岳程对邱元元说：

"这条路我不熟，元元，你给我指下路。"

"我知道条近路，你穿过前面那座桥后往左拐。"邱元元道。

陆劲默不作声地盯着岳程的后脑勺，刚才的失态和对岳程的猜疑让他的心情很不好，与此同时，他觉得体温在升高。大概是因为身体的虚弱在加剧，所以他对外界的戒备越发强烈了。其实从小到大，每当他生病时，他总习惯于一个人默默承受。小时候这么做，是不想让母亲操心，他不想为了治病的钱，母亲再为他付出什么，为此，他还曾经跟农场医务室的老医生偷偷学过点医学常识，因而他知道怎么清创和包扎，也懂得怎么治疗常见的疾病。成年之后，他交了一个在当时看来各方面条件都超过他的女朋友，她喜欢他，却总抱怨他不够强壮，因为怕她讥笑自己的体能，他即使病了也从不告诉她。

他一直觉得，病，就是弱点，所以最好不要暴露给别人看。

在生病的时候，他更希望能在什么地方躲一躲，他什么人都不需要。

他想，他的脸色一定很不好，他瞥见岳程透过后视镜在窥探他。他懒得理会，别过头去看着窗外。

这时候，他听见岳程说话了。

"元元，你这里有没有消毒药、纱布之类的东西？"他问道。

陆劲转过脸来，想通过后视镜跟岳程眼神交流，他想告诉岳程别多嘴，但岳程没有看他。

"我有纱布、绷带和云南白药，你要吗？"元元问道。

"不是我，是他。"岳程道。

邱元元马上回头看着他。

"你受伤了？怪不得我觉得你好像在发烧。"她焦急起来，用手试了试他额头的体温，问道，"你怎么啦？"

"没什么，元元，我大概没休息好。"他连忙说，他实在不想把小事扩大，但没想到岳程又插嘴道：

"他左臂中枪了，伤口在渗血，你给他包扎一下。"

"中枪！"她惊叫一声，回头凶巴巴地瞪着他道，"我一来就发现你不对劲了！把外衣脱了！让我看看。"

他迟疑了。

"快点！"她命令道。

无奈，他只好脱了滑雪衫，一边脱，一边忍不住地怪岳程：

"你不说话难受，是吧?！"

岳程笑起来，一本正经地说：

"保护重要证人是警察的职责。"

他本来还想说几句，但邱元元像故意跟他唱反调似的提高嗓门道：

"谢谢你。岳程。"

他只好不说话了。

邱元元把他的衬衫袖子撩得老高，他那正在渗血的伤口露了出来。

"啊……"她轻叫了一声，神情难过极了。

"没事，子弹我都拿出来了，伤口愈合总需要时间。"他想拉下袖子蒙混过关，但立刻被她阻止了。

"什么没事！受那么重的伤，怎么会没事？不要动！我帮你敷药！幸好我心细如发，在斧头镇买了治伤药。"她从一个小塑料袋里拿出了绷带、纱布和云南白药，先是小心翼翼地扯下他伤口上带血的绷带，把它扔进了一个装垃圾的纸袋，然后慢慢把云南白药均匀地撒在他的伤口上，最后又用干净的纱布帮他包扎好。

"痛吗？"她帮他把袖子拉下来时，轻声问他。

他还来不及回答，她就轻轻吻了下他的嘴唇。

"你会好的。"她发出叹息一般的声音。

他犹如遭到电击般愣在那里，他很想拥抱她，但是此刻，他不得不顾忌开车的男人，他担心岳程看见这场面会无法控制方向盘，于是他忍不住向后视镜瞥去，却见岳程伸手将后视镜往上扳了一下，陆劲知道他的意思，这样他就不会一抬头就看到他们了。他忽然很想对岳程说点什么，可耳边又传来元元的声音。

"话说回来，是谁用枪打的你？就算警察也不能随便朝人开枪吧。要是让我知道是谁，我一定不让他好过。"她气势汹汹地问道，"岳程，是不是你打的？"

"嗯……"看起来，岳程好像准备解释，他立刻道：

"我是被猎人误伤的。"

"猎人？"她充满怀疑地回头看着他。

"我跟他没走农场大门，走的是条山路，路过一片林子的时候，有个猎人朝我们这边开了一枪，其实他是想射野兔。"

"那是谁给你包扎的伤口？谁给你取的子弹？"她好像不太相信。

"是小月。我的老相好。"他笑道，"既然是老相好，当然得给我包扎伤口。"

她想了想，觉得这也说得通，便没再问下去，她温柔地说：

"我刚刚给你敷了药，但这并不保险，等会儿到斧头镇，你再去医院打一针，明白吗？"

"好。"他点头表示同意。

车厢又安静了下来。

他望着窗外的风景，过了会儿，自顾自笑了起来，接着岳程也跟着笑出声来。

邱元元却冷哼了一声，没有说话，他瞥了她一眼，笑着凑过去，握住了她的手。

"从这里开车到斧头镇还要多长时间？"他问元元。

"一个多小时吧。"

"东西存好了吗？"他轻声问道。

"存好了。"她的眼睛朝他这方向一溜，悄声问，"里面是什么？"

他凑近她，附在她耳边答道："好东西，到时候你自己看吧。"

岳程装模作样地咳嗽了一声。

他意识到了什么，笑了笑，稍稍离元元远了些。

"你刚才是不是问我，在那张字条里，我印象最深是哪句？"他问岳程。

"呵呵,你终于想起来了。"岳程感慨地点了点头。

"字条的内容我都忘了,你刚刚不是把它抄下来了吗,让我再看一遍好吗?"

现在他的心情已经多云转晴。虽然伤口敷过药后,比之前更痛了,但他知道那是治疗引起的痛,这种痛代表细菌正在被杀灭,他正在走向康复,而且给他敷药的人,还是他最喜欢的人,今天,她一点都没嫌弃他的意思。记得以前他们在一起时,每次听到他咳嗽,她都会恶毒地诅咒他:"再咳得猛一点吧!希望你咳出肺癌!咳死你!杀人犯!"可是现在……他有种受宠若惊的感觉。

"喂,接着!"一张纸从前面丢过来,他连忙接住。

他把字条从头到尾看了两遍后,说:

"我现在就来回答你的问题。"

"说。"

"首先,我印象最深的是那句话——免得你们走弯路。"

"说下去。"

"他用了一个'你们'。他怎么知道我不是一个人?他一直在跟踪我们吗?老实说,我觉得这不太可能。首先,我挟持你的车虽然是我策划好的,但对其他人来说应该算是突发事件,不可能有人能预测到,而且我可以肯定,我们离开咖啡馆时,没人跟着我们;其次,翻车也是突发事件,因为你是突然把车拐进那条小路的,没有人能预料到。当然你会说,也许他的车一直跟在我们后头,目击了翻车的整个经过,那我可以告诉你,我们翻车的地点很偏僻,周围根本没什么人,我把你拉上来时,是有人帮了我一把,但那是附近的村民,'歹徒'不是村民,这点我可以肯定。"他觉得身体还是很烫,估计真的发烧了,但因为心情不错,所以,他说起话来很连贯。

"好,接着说。"岳程严肃地答道。

"另外,我把你拉上岸后,是拦了辆拉钢管的卡车走的,当时,我跟你两个人都坐在卡车后面钢管的旁边,我很注意后面有没有车跟踪我们。我告诉你,没有。所以,我认为,'歹徒'应该是警方的人,至少跟警方很接近,否则他不可能知道我不是一个人。"见岳程没有反驳,他继续说道,"在这封信上,有一点还印证了我的看法,看看他说的这句'在你熟悉的地方碰见认识的人,跟她打个招呼吧',如果他是警方的人,他当然最有可能知道我认识金小慧。"

岳程想了一想,才问:"你跟金小慧是什么时候认识的?"

"半年前。"

"她是怎么跟你联系上的?"

"管教有一天跟说有个义工要跟我联系,过了几天,他就把金小慧带来了。我们就见过一两次,主要是通信。"

"她是干什么的?"

"银行职员。三十二岁,未婚女人,她说自己有个弟弟几年前因为偷窃被抓,后来自杀了。从那以后,她就一直想帮助犯人。"陆劲的眼前浮现出一张苍白浮肿的女人的脸。他记得跟她第一次见面时,她穿了一身灰色套装,他本来以为穿这身装束的她应该是个理智成熟的人,谁知道没说两句话,她就哭了起来,那天她说了很多关于她弟弟的事。

"我就这一个弟弟,他是我爸妈的宝贝,从小被宠坏了。其实他也不是喜欢偷东西,他就是贪玩,又交上了坏朋友。他的自尊心很强,别人说他一句,他就受不了,所以入狱后,整天被人管着,他就觉得活着没意思了。我们都没想到他会死,他其实是个好孩子,心肠很好,一直说等我结婚的时候,要送我一份大礼……"那天,她抽抽搭搭说了一大堆废话,而陆劲始终面无表情地看着她,他自认为对人间疾苦的感受比她要深得多,所以她说的这些并没有让他太感动。

"她还跟你说了些什么?"岳程问道。

"她说想帮我解决些实际困难。她问我有没有什么愿望,有没有什么想见的人。我说没有。"他略带歉意地回头看了元元一眼,她握着他的手,没说话。

"她有没有替你办过什么事?"

"没有。我只不过有时候让她给我说说外面公映的新电影罢了。"

其实自从他们通信之后,他跟金小慧两个人的位置就渐渐倒了过来。陆劲觉得相比之下,他对金小慧的帮助更多。

"陆劲,我希望你能真心地忏悔,为那些被你剥夺了生命的人,也为你自己。"

就像是盖了个"我在帮助你"的图章,无论她在信里说了些什么,她总会在信的末尾加上这么一句,但陆劲很快发现,其实她真正感兴趣的并不是他,而是她自己。她热衷于在信里向他倾诉她在生活中遇到的烦恼,她最大的烦恼似乎就是找不到意中人。她为自己的年龄发愁,老是担心自己会孤单一生。

"我跟你其实没什么区别,我三十二岁了,年龄在一天天增长,但我的生活却如此寂寞。父母不喜欢我,弟弟死了,朋友又都是同事,你知道,很难跟同事建立真正的友谊,因为总有些利益关系在里面。所以,我很孤独,有时候觉得很彷徨。"

他回信鼓励她:"每个人都有自己的缘分,有人早,有人迟。你的缘分晚到了,未必说明你的幸福比别人少。当然,也许你该主动些。"他鼓励她参加社交活动,并且积极相亲。

没过多久,她来信兴奋地告诉他,她终于找到了一个令她心仪的男朋友。

"他比我大八岁,人不高,知识渊博,说话风趣,脑筋非常好。我跟他在一起时,他时而像个成熟的长辈,时而又像个腼腆的弟弟,我很喜欢他。但是我还不知道他对我是什么感觉。我们现在只出去跳过一次舞,我不太会跳,老是踩到他的脚,但他一点都不介意,他真是个有风度的男子。"

他回信向她表示祝贺,还告诉她,红色较能衬出她的肤色,而低胸装,又能凸显她的丰腴身材,"最好再加条丝巾或者披肩。另外,不要染发,不要穿尖头的高跟皮鞋,也不要涂大红唇膏,性感得太明显反而会适得其反。你说他是个有文化的人,我相信他会更喜欢含蓄的美。"

没料到,一个星期后,她来信说:

"你猜错了,他并不喜欢含蓄的美。其实,他更喜欢我穿得暴露一些,那次我穿吊带裙,他就两眼放光。虽然他是个有文化的人,但我觉得,有时候,他说出来的话跟他的身份不符。昨晚上,我跟他一起出去,有个女人骑车挡了我们的路。他当着我的面,就骂那个女人是婊子。我不知道该怎么说,我心里觉得非常不舒服,我觉得像他这样身份的人,不应该说出这样的话来。"

在那之后,金小慧的大部分来信,都在诉说她的这段新恋情。一开始她似乎很崇拜这个男人,总是迫不及待地希望陆劲能提供些男性角度的建议,告诉她该怎么做才能牢牢吸引住对方,她说"我想让他更关注我,希望能有更好的发展,希望能有结果",有一次她还直截了当地抱怨,"为什么不跟我说点实质的东西?为什么不说说你们男人究竟喜欢什么样的女人?"陆劲去信让她自信点,尽量保持本色,否则感情维持不了多久,她似乎也接受了他的建议。

但一个月后,她的另一封信显示,她又陷入了新的困扰。

"我发现他很爱撒谎。那些小谎话也就算了,但他在婚姻问题上撒谎,我受不了。他说他离过一次婚,我让民政局的朋友去查,发现他根本就没结过婚。可是他曾经跟我说过,他跟他的前妻还有过一个小孩。最可笑的是,有一天晚上他来我家吃饭,饭吃了一半,接了个电话后就急匆匆要走,我问他为什么这么急,他告诉我,他的妹妹病了。可是,我后来查过,他没有妹妹,他是独生子。我不明白他为什么要撒这些谎,我觉得唯一的解释是,除了我以外他还有另一个女人,并且一直跟她保持着某种关系。"在这封信的末尾,金小慧痛苦地说,"我有种被欺骗的感觉。"

陆劲建议她跟对方开诚布公地谈一谈,如果谈不拢,就干脆分手,"男人是不会无缘无故地撒谎的。如果他成心骗你,你揭穿一个谎言后,就会有另一个等着你。而如果他不在乎你是否知道真相,则意味着你在他心里无足轻重。我劝你三思。"

大约又过了一个月,她来信说:"你是对的。真后悔没听你的话。我该在知道他撒谎后就跟他分手。他得知我去查了他的婚姻记录后,大发雷霆,他打了我。我万万没想到,我生平第一次挨打,施暴的人竟然是我喜欢的人。他下手很重,力气比我想象的大得多。而且我发现他非常喜欢虐待人,喜欢用残忍的方法折磨人。我不想描述他对我做过些什么,总之,我觉得我没被打死是一种幸运。在整个过程中,他对我的求饶和呼救充耳不闻,我觉得他完全就是个魔鬼。"

陆劲不知道该怎么回复她,但过了一星期,她的信又来了:

"我很痛苦,真的,我不知道该怎么办。我本来打算分手的,但是自从那天之后,他天天来赔罪,对我出奇地好。他还说了自己的身世,我不知道是真是假,他说他小时候被父母虐待,成人之后,又遭遇了两次惨痛的失恋,这两次都差点让他死掉,从那以后,他就性情大变,有时候会变得很狂躁,但他说,他会尽力改。后来他哭了,看见一个大男人在我面前哭成那样,我不知道该怎么办,也许你会笑我懦弱,但是我真的有点被他感动了,我心软了。他在我面前跪下,不断亲我的手,让我原谅他。他还向我保证以后再也不会那么对我了。他也说清楚了他跟那个女人的关系,他说那是他的前女友,那个女人曾经抛弃过他,但他仍旧对她很好,她有什么事,他总是会第一时间赶过去。他说他们之间只是单纯的友谊,也许我不该相信,但我还是决定相信他,因为他向我求婚了。我以前读过一本书,书上说,男人给女人最好的礼物就是婚姻。我三十二岁了,从来没有男人对我好到要跟我结婚的程度,他各方面条件都不错,他愿意把婚姻当做礼物送给我,我觉得我不应该怀疑他的诚意。当然,他还保证结婚后不再跟他的前女友来往,因为她也快结婚了,我想你也许会笑我没原则,是的,虽然我觉得他有点不稳定,但他的条件真的很好,他长得不难看,有很好的职业,收入不错,身体也好,没有孩子,也没有父母,最重要的是,他是个很懂得浪漫的人,总是能出人意料,我的生活太缺乏惊喜了,所以,认识他后,就被他深深吸引。我想他就是我的真命天子。"

她的最后一封信是在陆劲离开监狱前一个月写来的。信里是这么说的:

"他的前女友终于结婚了,他送了一万元钱和一大束玫瑰花给她,但没去参加婚礼。婚礼那天,我一直陪着他,他有些神不守舍。我很想问他是否还喜欢那个女人,是否有些舍不得,但我记得你曾经跟我说过,不要向男人追问一些他难以回答的问题,所以我没问。我想,只要我们能结婚,我会让他忘掉那个女人的,我会让他幸福的。事实证明,你是对的,他第二天就恢复了理智,开始筹划起我们的婚礼来。我们打算5月结婚,他说会送我2克拉的钻戒,房产证上也会加我的名字。看起来,他是真的打算好好跟我过日子了,我觉得很开心。今天,我还跟他提起了你,他很意外,问了很多关于你和我的事,真有趣,他是在吃醋吗?后来我才知道,你早就认识他。猜一猜,他是谁?"

陆劲没猜出来,金小慧也再没来过信。

"真有意思,我现在很想知道金小慧的男朋友是谁。你没让她寄张照片给你吗?情感顾问先生?"听完他的叙述,岳程问道。

"没有。"

"可跟你说得那么热闹,按理说,她应该很想把他的照片给你看。"岳程道。

"她本来是说想寄张照片给我的,但后来一直没寄,我也没问。"

"她说那个男人跟你早就认识,你有没有猜过是谁?"

陆劲笑了笑道:"听金小慧的意思,我跟他应该是见过面的,我猜就是警方的人。"

"我怎么觉得'一号歹徒'就是这个女人的男朋友?"元元靠在他身上,插嘴道。

岳程笑了笑,问陆劲:"你觉得呢?"

"难说。"陆劲不置可否。

元元看着陆劲说：

"她不是请教你，该穿什么衣服去见那个男人吗？她按照你教的穿了红色低胸装，那说明她就是来见那个男人的，他们在约会。再看她包里的东西，有一条纸内裤，这说明她有可能打算在外面过夜。出门在外，不方便洗内裤，才会买纸内裤，除非她特别懒，否则一般人不会平时穿纸内裤。我猜那个男人把她骗出来，在车里提出了某种要求，她同意了。她急于要把自己嫁出去，无论对方提什么要求，她都会同意的。她脱下内裤后，他给她吃了安眠类的毒药，比如巴比妥之类的，要不然，就是先药昏了她，然后给她注射过量的麻醉剂，比如普鲁卡因，注射 10mg 就可以致死，所以，她死前没挣扎，看上去也很安详。"

"巴比妥，你懂得可真不少。"岳程点头笑道。

"你忘了我是主持探案节目的吗？"她自信地反问道，接着又说，"我的结论是，金小慧就是被她男朋友杀死的，即便不是她的男朋友，也应该是个她非常信任的人。'一号歹徒'肯定就在金小慧的身边。"

"有道理。"岳程点头道。

"很有道理。"陆劲望着她微笑。

九 2008 年 3 月 10 日傍晚

"东平，你这是从哪儿弄来的？"邱源眯起眼睛，在台灯下盯着那张泛黄的中学毕业照看了好一阵，才放下来。

"是钟乔的弟弟钟平给我的，我一看就觉得后排那个人跟您长得很像，这是您吧？您其实这些年没什么特别大的变化。"简东平一边说，一边观察邱源脸上的表情。

在简东平眼里，邱元元的父亲邱源永远是个风度翩翩、谦恭温和的长者，相比较他的身份——一个事业庞大的生意人，他的外形更像一个与世无争的大学教师，不穿名牌，不打高尔夫球，不喝洋酒，不买大豪宅，最大的乐趣是跟妻女享受天伦之乐，侍弄兰花和搞搞收藏。他跟陆劲一样，都曾经是当年纽扣收藏家俱乐部的主要成员。

"是，是我。"邱源闭着眼睛，捻了捻鼻梁，无限感慨地说，"这是多少年前的事了，这张照片我已经找不到了，借给我去翻拍一下如何？"

"没问题，我帮您翻拍好了到时候给您送来。"简东平连忙说，其实他觉得，即使把这张老照片送给邱源，钟平也不会在意的。

"那就谢谢你了。"邱源把照片递给他。

"您对钟乔这个人有印象吗？"简东平接过照片的时候问道。

邱源想了想，说："他是个矮胖的小个子，说起话来结结巴巴，爱吹牛。不过他说的话，大部分人都不相信。"

"你跟他熟吗？"

"怎么说呢？既然是同学，当然免不了有点接触，但我们平时交往不多，因为他是差生，你知道，差生往往是很孤立的。再说，他也不讨人喜欢。"邱源熟练地把紫砂茶壶里的茶水，倒在两个小陶杯里，然后递了一杯给他。

简东平接过小茶杯喝了一口。

"您去过他家吗？"他问道。

"去过，他家里条件不好，房子很小，父母的身体也不好。"

"冒昧地问一句，您也是安徽人吗？"

"我父母在S市，但我是在芜湖读的中学，因为那时候父母工作忙，没空管我，就把我托给那边的外公外婆了。我上高三的时候，又转学回到了S市。"邱源慢悠悠地喝了一口功夫茶。

简东平望着书房四壁挂的字画，问道："您这儿的宝贝不少啊。我听元元说，您很久以前就开始搞收藏了，一定对古玩很有研究吧？"

"什么研究，不过是工作之余的一种消遣罢了。"邱源说到这儿，侧过头想了想道，"说起这个，钟乔倒真的是喜欢研究古董，以前上课的时候，他老是在课桌下面放本古董方面的参考书偷偷看。而且，他有事没事也喜欢卖弄自己在这方面的知识。"

"听说那时候他还跟同学组织了一个什么古董小组，您知道这事吗？"

"我当然知道，我自己还是其中的成员呢。不过，我只是凑个热闹，不像钟乔把这事看得那么重。那个小组其实就是他组织的。"

"你们都瞧不起他，为什么还要参加他组织的兴趣小组？"

"问得可真仔细啊，东平。"邱源笑着说，"我不知道别人为什么参加，我那时候参加，是为了个女生，你可不能告诉你伯母哦？"

"当然，当然。您放心吧。"简东平连连点头。

"钟乔很聪明，他最先说服的是我们班上的一个女生，她叫范文丽。文丽人长得很漂亮，父亲还是博物馆的副馆长，那时候，她可是我们班很多男生的梦中情人。"邱源望着前方，无限怀念地说。

"那现在还能找到她吗？"简东平觉得女人总能知道一些男人们不知道的事，他想，也许找她谈谈可以获得一些新的线索。

不料，邱源好像被他这问题吓了一跳。

"找到她？"

"你跟她还有联系吗？"简东平觉得邱源的神色不对。

"我不可能跟她再有联系了,东平,她早就死了。"邱源声音低沉地说。

简东平吃了一惊。

"死了?她是怎么死的?"

"是癌症,送医院的时候,已经太晚了,癌细胞早就扩散了。"邱源叹息道。

"那是什么时候的事?"

"二十多年前了吧,"邱源皱起眉头想了会儿,很肯定地说:"应该是1987年。"

"她得的是什么癌症?"简东平觉得应该问问清楚。

"记不清了,不是胃癌就是乳腺癌。这事我是听老李说的,具体我也不是很清楚。"

"老李是谁?"

"老李你也认识,就是李震的爸爸。"

"李震的爸爸李大夫是您的中学同学?"简东平大惊。

邱源被他的一脸怀疑逗笑了。

"臭小子,你还不相信我?他跟我情况相同,也是被父母送到芜湖去念中学的。他也是那个古董小组的成员,我们两个可是多年的老朋友了。"

"他怎么知道范文丽得了癌症?"

"是文丽的家人跟他说的。他去参加追悼会,我走不开没去。他回来后就把文丽的事都跟我说了,我们都觉得很遗憾,那时候文丽还很年轻。"邱源无限感伤地摇了摇头。

"你们那时候的古董兴趣小组有几个人?"他现在数了数,已经有四个人了。

"五个人。"

"能告诉我是哪五个人吗?"

"我,钟乔,范文丽,李岗,就是李震的老爸,还有一个是赵……我想想,时间太久了,毕业以后没什么联系,都想不起来了,叫什么来着?……对了,叫赵天文。"邱源想了半天,终于想出了这个名字。

"这个人还能联系上吗?"简东平问。

"没联系。"邱源摇了摇头,问道,"东平,你要了解这些干吗?"

"我只是好奇,因为正巧看到钟乔案子的资料,去他弟弟家走了一趟,发现了这张照片,所以……"

"想做篇新闻报道?"邱源打断了他的话问道。

"还没决定,还得看资料齐不齐,老总是什么意思也还不知道呢。"他含糊其辞,打着哈哈说。

邱源算是接受了他的说辞,过了会儿,他问道:

"你知道元元在哪儿吗?"

简东平一惊,他知道邱源对陆劲是什么看法,连忙摇头。

"我不知道。"他道。

"她昨晚没回来。"

简东平不敢说话，他发现邱源脸色铁青，满脸怒容。

"我知道她昨天向张律师打听过陆劲的事，我还知道，陆劲已经逃跑了。"邱源眼神凌厉地盯着他，"你告诉元元，如果她还是我的女儿，就立刻回来，否则我就派人宰了陆劲！"

"邱叔叔！"

"我才不管什么法律不法律，只要我觉得值得，我就会去做！"邱源的声音沉闷而有威严，他停顿了一下说，"为了她的终身幸福，干什么都值得！"

在简家的客厅里，凌戈正津津有味地啃着鸭头。

"李震的爸爸是元元爸爸的同学？"凌戈舔舔嘴唇上的汁水，问道。

"嗯，是啊。"简东平心不在焉地答道。

"可是依依不是你介绍给李震的吗？他们原来不认识吗？"

"凑巧呗，老人认识，又不一定小孩也认识。"简东平别过头去，尽量不去看凌戈啃鸭头的狰狞模样。

"那你去看过李震的爸爸了吗？他怎么说的啊？怎么你一回来就是这副心事重重的样子？"凌戈关切地看着他。

说起李震的父亲李岗，简东平的眼前立刻浮现出一张和蔼可亲的脸。李岗是大医院的外科主治大夫，长相斯文，不修边幅，简东平每次看到他，他几乎都是同样的装束，紫红色的旧毛衣，青灰色的长裤，外加一双黑色旧皮鞋，若是穿衬衫的话，领子永远有一半没翻好，头顶上则总有一两根头发很不服帖地竖在那里。

"我今天去他们医院跟他聊了几句。"简东平道。

"他跟你说了什么？"凌戈望着他。

"他说他不记得钟乔了。"

"那有什么？都那么多年前的老同学了，不记得很正常。别说他们，就连我，上小学时我的同桌叫什么，我现在都想不起来了呢，要是在马路上碰到，保准认不出来，"凌戈觉得他有点小题大做。

"可是，我说照片是钟平给的，他一句都没问。"

"哦，那又怎么样？"凌戈继续低头啃鸭头。

"他怎么知道钟平是谁？我觉得他至少该问一句，钟平是谁？可是他一句都没问。你不觉得很奇怪吗？"

凌戈的眼珠转了转。

"也许，也许钟乔以前说话的时候，带出过他弟弟的名字呢？这其实也很平常。"凌戈对他的怀疑不以为然。

"连钟乔都想不起来了,他弟弟的名字倒记得这么牢?你说这可能吗?至少会愣一下吧?但是他一点反应都没有。"

"嗯,倒也是。"她神色木然地答了一句。

简东平觉得每当凌戈在吃东西的时候,她的智力水平就会明显下降,大概脑细胞都被鸭头消耗光了。他决定还是问她点她知道的事。

"晚饭前我让你查的那两个人你查到了吗?"他问。

"烦死了,还让不让人吃鸭头了!"她皱起眉头抱怨。

他笑起来,讨好地说:

"你回答我,我明天还给你买。"

"吃完再回答你。"她道。

"明天我给你买鸭脖子,今天去晚了没买着。除了鸭脖子,我还给你买鸭屁股,这象征我们的爱情有始有终嘛!"他推推她的手臂。

"你的爱情才是鸭屁股结尾呢,臭死了!"她白了他一眼。

他愣在那里盯着她看。

"你是在说我跟江璇吗?"他问道。

她从他的语调里听出了些什么,回头看了他一眼,马上又把目光移开了。

"只要名字对,查起来还是很容易的。"她没有回答他的问题,直接把话题引向了他先前感兴趣的地方,"范文丽是 1987 年死的,她得的是胰腺癌。另外那个赵天文,他 1998 年 12 月 15 日在自己家里上吊自杀了。"

她的后半句话,把他从郁闷中一下子拉了出来。

"赵天文上吊死了?"他脱口而出。

"是的。"

"他是干什么的?"

"他是开古玩店的,档案里说,他是因为丢失了客户委托他转卖的一件古玩,承受不住压力才自杀的。就在他自杀的前几天,他家里报过失窃案。但那个案子没查出来是谁干的,东西当然也没找到。"

"他真的是上吊自杀吗?"简东平接着问。

"大概吧。不过也没找到遗书,只在他口袋里找到半块融化的巧克力。"凌戈放下鸭头的残骸,瞟了他一眼,见他已经完全被案情吸引,好像松了口气,"真好吃啊!到底是武汉的名牌产品。"她美滋滋地叹息了一声。

简东平没心思听她谈鸭头,自言自语道:"赵天文的年纪应该跟李岗差不多,如果是 1998 年去世的话,那么他当时应该也有五十一岁了吧。凌戈,他有家人吗,有没有妻子孩子?这个你查过了吗?"

"他的太太叫容丽,很年轻的,是 1962 年出生的,比他小十五岁呢。"凌戈道。

"是吗?那应该是再婚妻子吧。"

“不，赵天文只结过一次婚，他也没有孩子。”凌戈把剩下的三个鸭头放回到盘子里，用保鲜膜包好。

“怎么不吃啦? 你不是很爱吃吗?”简东平心想，肉圆就是节约，肯定不舍得一下吃完，准备留着明天打牙祭，哪知道她的回答却出乎他的意料。

“你爸爸晚上回来要喝一小杯酒，我留着给他当下酒菜，我知道他也喜欢吃这个。”

“不会吧，我爸爱吃这个?”简东平觉得不可思议，他想象不出老爸啃鸭头是什么模样。

“当然! 他跟我说过的!”她白了他一眼，没好气地说，“养儿子有什么用啊! 儿子只会问你要房子，我以后只生女儿! ”

他很想嘲笑一下她的育儿宣言，但看她把鸭头整整齐齐地摆在小盘里，心里又有些感动，于是他笑着说:“你对我爸那么好，认他当干爸算了。”

“不用啦，我只是暂时住在这里而已。”她拿着盘子走进了厨房。

简东平知道自己说错话了，但他不想在这问题上继续纠缠，于是跟着她走进厨房后，他道:

“他们年龄相差那么多，赵天文又死得突然，难道警方就没调查她?”

“肯定调查了，这种案子我知道，最先怀疑的总是妻子。再说，他们年龄相差那么多。”

“说得也是，赵天文很有钱吗? 为什么容丽肯嫁给他?”简东平也不知道是在问凌戈，还是在问自己。

“赵天文的资产档案里写的是，约合六百万，他妻子继承了一半遗产，赵天文的父母继承了另一半。”

简东平现在非常想见见这个比老公小十五岁的年轻妻子，他相信她一定能告诉她很多关于她老公的事。等等，口袋里有融化的巧克力? 听上去有点耳熟啊……

“你能帮我找到容丽的联系方式吗?”

“我就知道你会问这个，我已经抄下了她的地址、电话号码和工作单位，你自己去找她吧。她是个护士。”凌戈洗完手说。

“真乖!”简东平拍拍她的头道。

“你为什么要打听这些? 你是不是又要掺和进去啦?”她推开他，恶声恶气地说，“你要不干脆调到我们警察局来工作算了! 没见过你那么不务正业的人，自己的工作不好好干，老是管人家的闲事! ”

“我就是好奇嘛。”他用胳膊肘顶了下她的手臂，问道，“分局那边有什么消息了?”

“讨厌，我都快成间谍了! ”

“快说，快说。”他满怀热情地走到她面前望着她。

她瞥了他一眼，有些不情愿地说："我同学让我不要说的。"

"你就当是在说梦话嘛。"他拉拉她的袖子。

"讨厌！"她又瞥了他一眼道，"他们去安徽的农场没抓到人，说陆劲他们打伤了一个村妇后逃走了，也不知道是怎么逃的。不过他们又在山后面的一辆车里发现一具尸体，听说车上的女人是以前跟陆劲结对子的义工，名字我不知道，但据说，她对陆劲很好，有一次来看看他，还带吃的给他呢。"凌戈用纸巾擦擦脸，又擦擦手，简东平看不过去，把她重新拉到水池边，替她打开了水龙头。

"我洗过了呀。"她嚷道，关了水龙头。

他拉起她的手放在鼻子前闻了闻，又打开了水龙头。

"再洗一遍，求你了。"他可怜巴巴地说。

"就知道浪费水！纨绔子弟！"她一边骂，一边洗起手来。

"那女人死了多久了？"他趁机问道。

"大概有一两个小时，法医现在只是粗略地估计了一下时间，"凌戈忽然压低声音说，"所以他们怀疑是陆劲干的，他们……"

"肉圆，我们家没有分局的人，你的声音能不能大点？"他提醒道。

凌戈这才意识到，他们身边没其他人，于是略微提高了音量。

"他们在车里发现一张'一号歹徒'留下的字条，'歹徒'说这女人是他杀的。法医的鉴定说，这女人可能是被毒死的，现场还有个空药瓶，但药瓶里原先装的是什么，还得拿回来化验后才能知道。"凌戈关了水龙头，"但是现在分局还有另一种说法。"

"什么说法？"

"有人认为，字条不是'歹徒'留下的，是陆劲伪造的。那女人是恰巧去那边旅游，碰到了陆劲，然后被他杀人灭口了。"凌戈的声音又低了下来。

简东平立刻作出了反应。

"这说不通，"他道，"'一号歹徒'写了那么多信给警方，他的笔迹早就被警方研究透了，如果伪造，立刻就会被识破，那不等于是不打自招？再说，如果他们怀疑是陆劲杀了人，那岳程算什么？难道成了帮凶。这种猜想也太离谱了吧。"

凌戈严肃地点点头，好像很认同他的说法。

"你说的是没错，可现在的疑问是，岳探长为什么没带陆劲自首，而是听任陆劲打了那个女人后逃跑？而且那个女人还说是岳程打的他。"大概是看出他脸上的表情有多惊讶了，她马上说，"我也不信，其实大家都不信，但那女人咬死了说是岳程打的他。事情发展到这个地步，大家也不知道该怎么说了。只好等岳探长回来自己解释了。"凌戈擦了下手，走出厨房，简东平跟在她身后说：

"这个被打的女人肯定在撒谎。她是帮了陆劲后，想为自己开脱。我怀疑他们根本没打过她，是她自己打的自己。有岳程在，他是不会让陆劲打人的。至于他自己，那就更不可能了。我虽然跟他接触不多，但我知道，他做事很顾及影响。"简东平无论如何都不相信岳程会打人。

"你现在说什么都没用，还是等岳探长自己来解释吧。反正也快了。"她说。

简东平从她的话里听出点弦外之音。

"你还得到什么消息？"

她迟疑了一下才开口：

"简东平，以后我们要是绝交，你要答应我一件事。"

他不明白，为什么在这当口她要说这种话。

"什么事？你说。"他觉得以她的个性，应该不会是要分手费。

"以后，你不许跟别人说，我给你打听消息，要是让别人知道，我真的没法在那里待了。"她跺了跺脚说。

他笑着说："你放心。第一，我们不会绝交；第二，即使绝交了，我也不会到处乱说。这点分寸，我还是能掌握的。"

她瞄了他一眼，不说话。

"快说吧，小戈，你要急死我是不是？让男人急可是要出事的。"他笑着威胁道。

"哼！你敢！"凌戈瞪了他一眼道，"就在晚饭前，岳探长跟分局的领导联系了，他说他会很快回到S市。"

"他还说什么？有没有提到陆劲？"简东平忙问。

"好像只是说，他做的一切都是为了破案，他从来没做过违法的事。他说，他可能在晚上八点左右到S市。"凌戈看了一眼墙上的钟，"时间差不多了。"她喃喃道。

简东平还想问几句，凌戈忽然回过身，神情严肃地盯着他的脸说：

"简东平，我刚刚听到你给元元打电话，我今天也去翻过陆劲的档案，我还让我的同学问过罗小兵，我知道元元跟陆劲是什么关系，他们现在就在一起吧。"

"小戈……"他想解释，但立刻被她打断了。

"你让我查的那些事，虽然你的理由说得模模糊糊的，但是我知道都跟他们有关，也就是跟'一号歹徒'的案子有关。简东平，我不是傻瓜。"她望着他，乌黑的眼睛显得异常有神，她道，"'一号歹徒'是个非常危险的凶手，警方对这案子还一点头绪都没有，你那么喜欢多管闲事，整天问东问西的，要是被他发现怎么办？我不想管你，也管不了，但是你做事前，我希望你能为你爸爸想想，他就你这一个儿子。"

她说完，把简东平一个人丢在楼下，噔噔噔跑回了自己房间。

十　2008年3月10日晚

岳程不喜欢舒云亮说话的语调，一点都不喜欢。

根据他的经验,当一个人说话时始终保持不高不低、水平如一的语调时,往往说明这个人在有意掩饰自己的情绪或在隐瞒什么。在电话里,他跟舒云亮只说了几句话,但已经明显感觉到舒云亮在小心翼翼地控制自己说话的音量和节奏,好像生怕一不留神就让他听出什么来——其实,他还真的听出了什么。

但他不明白舒云亮为什么会突然对他如此防备,他本想直截了当地问问这位副局长,为什么本来答应了给陆劲时间,后来却变卦了?但他听舒云亮的口气,明显不想跟他多聊,于是他只能给自己的顶头上司李汉江打了个电话。

李汉江的态度跟舒云亮完全不同,他直言不讳地告诉岳程,由于在安徽农场,他没有及时带陆劲自首,又因为在农场后山发现了金小慧的尸体,所以他现在的处境不太妙。李汉江给他的建议是,立刻把陆劲带回局里自首。

"现在,你只有把陆劲带回来,才能把事情解释清楚。至于回来以后,陆劲会怎么样,就不是你该管的事了。你管好你自己就行了。小岳,不管别人怎么议论,我始终是相信你的,你不要让我失望,赶紧把他带回来!"

李汉江的后半句话给了他信心,他觉得上司的话很有道理,现在只有把陆劲带回去才能救他,所以,他们的车一进入 S 市省界,他就问陆劲:"你现在打算怎么办?继续逃亡吗?"

陆劲明白他这么问的用意,隔了一会儿才回答:"我的事还没做完。"那意思就是他还不打算自首。

"通缉令也许明天早上就会遍布大街小巷,到时候你逃不了。"他望着前方,清了清喉咙,建议道,"跟我合作怎么样?"陆劲没做声,坐在他身边的邱元元则一脸忧愁地托腮望着窗外。

岳程知道,元元一定是最不希望陆劲自首的那一个,因为那就意味着他们两个刚刚见面就又要分离,但岳程想,元元应该明白,陆劲毕竟是个逃犯,而且还是个杀人犯,爱情的美好并不能抹去他的罪行,他能活着就已经是个奇迹了,他该为自己做的一切付出代价,他该回去。而且,现在也只有他回去自首,为警方效力抓住凶犯,才是唯一可能获得减刑的方式。

"怎么样?陆劲?"他又问了一遍。

车后的两个人都没对他的话作出反应,他只好耐着性子劝道:"自首吧,陆劲,你继续逃亡只能是浪费时间,你跑不掉。跟我合作,我保证,我会尽量把我知道的告诉你。"

"你真的会把知道的都告诉我?"陆劲表示怀疑。

"我会的,我保证。"他诚恳地答道。

"可是你的上司好像已经不信任你了,我担心你回去后,不一定还能管这案子。"

陆劲的担心并不是没道理,岳程也早就想到了,但是听到陆劲提起,他还是

忍不住无名火起,他心想,如果不是你,我也不至于会被上司怀疑!于是他提高嗓门道:

"所以才要你回去!你回去了,我才能把事情都解释清楚,我才能告诉别人,我不是你的同伙,才能保证自己继续留在这个案子里。你懂了吗?!"

陆劲不做声。他的口气又缓和了下来:

"至少这样你就不用东奔西跑,可以安心研究研究你拿回来的那些信了,我们一直在跑,都还没时间好好看看那些信。"大约过了两分钟,陆劲才终于开口。

"好吧。"他道。元元立刻别过头去看着他。

岳程背对着他们,虽然两人都没说话,但他还是深深感受到了一种生离死别的气氛,这让他心里觉得异常压抑。他又何曾愿意拆散他们?他又何曾想伤她的心?但是他又能怎么办?他仿佛看见自己站在她面前,恶狠狠地指着她的脑袋骂道,你自找的!这都是你自找的!谁让你喜欢上一个没有自由,没有未来的人!

元元凝视了陆劲一会儿,终于把头靠在了他肩上,陆劲用他受伤的胳膊搂住了她的肩膀。岳程假装没看见这一幕,他对陆劲说:

"你想通就好。"

他本想调节一下气氛,但并不奏效。

在这之后的一个多小时里,车里一直没人说话,气氛相当压抑,直到他们的车临近F百货大楼时,陆劲才打破了沉默。

"岳程,车是元元朋友的。"他道。对了,他把这事都忘了。

"那这样吧,我们就在这附近下车。我打电话叫局里的人来接。"他道。

"好。"陆劲说。

他把车停在百货大楼附近的一块空地上,回头看了一眼后车座的那两个人。按理说,他现在应该叫陆劲跟他一道下车,然后让元元立刻离开,否则,趁他去打公用电话的空儿,元元也许会开车带着陆劲逃跑,这种事很可能发生。

陆劲似乎已经猜到了他在想些什么,他对元元说:

"我走了,你开车小心点。"随后就准备去拉车门,但这时候,岳程作了一个令他自己都无法理解的决定。

"你留在这儿,我去打个公用电话。"

他知道元元有手机,他蛮可以向她借,但他还是没开口,因为他决定给他们两个最后一点单独告别的时间。在他转身走向电话亭的时候,他微微有些懊悔,又有些担心,但他还是决定相信一次自己的直觉——陆劲会遵守承诺。

他给李汉江打完电话回来的时候,看见陆劲跟元元站在车外面,他们面前放着一个箱子,他认识那个铁箱,是几个小时前,他们在斧头镇车站的寄存处拿的,当时他还问陆劲:

"喂,这是什么东西?打开看看。"

"我跟元元的定情信物你也要看？"陆劲这么回答他，还说，"你问元元，她说给你看，就给你看。"

元元的回答一点都不含糊："想看？行，拿搜查证来！"

他本来怀疑那里面放的可能是重要的破案线索，但现在看来是他多心了，里面八成就是定情信物。生离死别的时候到了，也该看看这些东西了。估计陆劲这一去，元元要想再看到他，就没那么容易了，因为陆劲很可能从今以后再也没自由外出的机会了……他现在真担心元元看到箱子里的定情物后，会掩面哭泣，他真不想再看到这种场面了，情愿挨顿打，他也不愿意再看见她哭了。

可是事情根本不是他想象的那样。当他走过去的时候，元元望着箱子里的东西竟然发出一声惊叹。

"啊，枪！我还没见过呢！"她好像还蛮兴奋的。

听她这么说，他马上凑了过去，太意外了！箱子里放着的竟然是两把枪和警察证。

"这……"他愣住了。

"对不起，我只能抢救到这些，现在物归原主。"陆劲平静地说。

他根本来不及感受那种失而复得的喜悦，就伸出手，以闪电般的速度把两把枪从那个铁箱里抓出来，插入腰间，然后那种硌着皮肉的不适所带来的心理上的满足感，立刻充盈了他的全身，妈的，我又有枪了！

他把警察证放入裤兜的时候，才意识到东西是身边这个人拿回来给他的，他怎么也得表示一下，兴奋也好，愤怒也好，感谢也好，总得说点什么，他在"谢谢"和"举起手来"这两句话之间摇摆了几秒钟，最后，他推了陆劲一把，用不太愤怒的声音质问道：

"你这混蛋！为什么一开始不给我！"

陆劲一本正经地回答："因为我要平等。"

平等？他很想对陆劲说，抢走警察的枪，并不能改变你我的身份，即使你的目的达到了，也是暂时的，其实你要求我给予你平等的时候，我们已经失去了平等。但是他没把这话说出来，只是横了他一眼，毫无气势地吼了一句："算你狠！"

"我本来就比你狠。"陆劲还回了他一句。

他不予理会，回头对邱元元说："你该走了，等会儿我们的人来了，看见你不好。"

"穿制服的人好像都不懂得说谢谢。"她白了他一眼说。

他很想回一句，小偷把赃物还来，我还得说谢谢？但他刚想开口，就看见她抱住了陆劲，又很快松开了。

"我走了，你当心点，以后我会来看你的。"她轻声说。

陆劲看着她，忽然双手捧住她的脸，那强悍野蛮，不顾一切的动作把岳程吓了一跳,他觉得陆劲的样子怎么都像个好久没尝过人血的吸血鬼。他好像要吃了她!当然,他还是很快从幻觉中醒了过来,他知道陆劲不是什么饥饿的吸血鬼,他只是个久未近女色的男人,他不是要吃她,而是要亲她!妈的,他心里骂道,为什么我刚刚去打电话的时候你这混蛋不把该干的都干完?好了,好了,看在枪的分上,想亲就亲吧,我也不是没看过电影。

可是出乎意料,陆劲并没有亲她,而是带着急促的喘气声对她说:"元元,你不用来看我,我对你的心意都画在画里了。如果我不在了,你就多看看那些画吧,尤其是我为我们两个画的结婚照,记得吗?"

"嗯。"她点了点头,眼睛湿润了,但她没哭。陆劲猛地放开了她。

她后退两步,没再说话,拉开车门钻进了驾驶室。岳程很高兴他们的告别仪式没有想象中那么缠绵,他们最后甚至连再见都没说,只是互相看了一眼,她便把车开走了。

陆劲也没有目送她的背影,反而背过身去,望着相反的方向发呆。

"你在看什么?"岳程见他看得出神,忍不住问道。

"没看什么。现在几点了?"

"手表你不是有吗?"岳程的手表在河里。

陆劲笑了笑,看看手表说:"现在是九点半,你们的人大概什么时候能到?"

"应该快了。估计二十分钟以内吧。"他一边说话,一边拍拍陆劲的背问道,"你的伤现在怎么样了?"

"在斧头镇挂了盐水后,感觉好多了。"陆劲的情绪有些低落。

"烧退了吗?"

"还有点。"

岳程回头看了一眼陆劲那张憔悴的脸,问道:

"你这两天基本没睡吧?"

"差不多吧。"陆劲心不在焉地答道。

"进去后先休息一天吧,后天上午我再来找你,明天我先去调查一下金小慧的男朋友,这个人应该不难找。"

四十岁,身材不高,长相不错,有体面的职业……金小慧对他的年龄和外形有相当清晰的描述。岳程想,如果她真的已经跟这男人谈婚论嫁,那他应该会经常出入她的住所或工作单位,那么找这个人应该非常容易。

"你觉得'歹徒'为什么要杀金小慧?"他决定趁自己人还没来的时候,先跟陆劲探讨一下这个案子。

"大概是杀人灭口吧,'歹徒'发现金小慧认识我,怕金小慧告诉我关于他的事,所以把她杀人灭口了。"陆劲漫不经心地说。

"那为什么要把她弄到后山?"

"大概是想告诉我,他时时刻刻都在盯着我,他对我了如指掌吧。"

"你确实没把那条路线告诉过除了元元以外的其他人?"岳程想再次确认这个问题。

"没有。"陆劲回过身来说,"他把车停在那里,只能说明他知道我会在那个山脚下出现,不能说明他知道我的线路。"这个岳程之前倒没想到。

"你曾经告诉过他,你会在那个地方下山吗?"

"我大概提起过一次,我说的不是具体的地方,只是说我找到一条秘密路线下山,每次下山,我会在山脚下挖笋,他大概是自己摸索到那里的吧。附近只有那个地方有笋可挖。他一定来过好多次,找了好多次……"陆劲别过头去,望着远处闪烁的霓虹灯,幽幽地说。

他们所处的位置不是市中心,所以大部分商店都已经打烊了,街上的行人也很少,他们站在路边的广告牌下等待着警方的车。

"你是在信上跟他说的?"

"不,是打电话。我告诉过你,我们通过一次电话。"

"那个电话是谁打给谁的?"

"是他打给我。"

"你的电话有来电显示吗?"

"有。"

"这么说,你有他的电话号码?你查过没有?像你这样的人肯定去查过!"

"是个公用电话。"

就知道会是这样。岳程没好气地问:

"好吧,那你们说了些什么?"

"闲聊罢了。"

"你好好回想一下行不行?"

"真的没什么,他只不过说要给我介绍个女朋友,他说会寄照片给我。"

"后来他寄来了吗?"

"寄来了好几张,还让我看她们的照片,猜她们的个性呢。"

"那些照片在哪儿?"

陆劲刚想回答,忽然停住了,朝岳程身后望去,岳程连忙转过身,他看见一辆白色汽车在他们身后大约两米左右的地方停了下来。车里一片漆黑,岳程看不清开车人是男是女,只觉得他的装束有点怪,不知如何形容,就好像脸上和身上都罩着什么东西似的。这人真怪!岳程不安地想,会不会是……他下意识地想去摸枪,但又怕对方只是问路的,掏枪免不了会让对方受惊吓,还是先看看是怎么回事再说吧,他决定上前询问一下。可他刚走出两步,就听到"噗""噗"两声闷响,接着耳边又传来"啊……"的一声。

不好！这是陆劲发出的声音！他回头一看，陆劲已经倒了下来。

"陆劲！"他叫了一声，心里马上意识到最初的声音是枪声，只不过是加了消音器，陆劲显然是中弹了。他来不及看陆劲的伤，迅速拔了枪朝那辆车走去。

可他还是晚了一步，那辆车已经飞快地开出了几米远，并且以最快的速度，消失在前面的拐角处。

"陆劲！你怎么样?！"他快步走回到陆劲身边，发现他肩膀和腹部各中了一枪，伤口正在向外汩汩出血。

陆劲看上去很痛苦，他闭着眼睛用双手按住流血的腹部，好像在忍住疼痛，他断断续续地问道：

"除，除了你的上司，还，还有谁知道我们在这里？"

这问题像箭一样射中了岳程的心脏。是啊，只有李汉江知道我们在这里。但是就算他只告诉过李汉江一个人，也并不代表李汉江就是暗算他们的人。因为按照惯例，他肯定会向舒云亮报告这件事，也肯定会吩咐下面的人来接他们，如此一来，这消息早就传开了，谁都可能会是开枪的人。

但是，有两点岳程心里却很清楚，第一，不管对方是谁，这个人的目的很明确，他就是要取陆劲的性命，这个人也有机会向他射击，但是却没有；第二，李汉江只会对自己人公布这个消息，所以只有自己人才知道陆劲会在这个时间，这个地点出现。

难道"一号歹徒"真的是警方的人？他实在不愿意相信这一点，但是，事实就摆在眼前，由不得他怀疑。

他望着陆劲受伤的部位，肩膀一枪，腹部一枪，心里焦急地想，不知道你今天能不能挺过去。

"陆劲，我去叫救护车，你等着，挺住！"他把手放在陆劲的肩膀上按了一下。

可是陆劲却说："叫，叫元元来，我想见她，叫她来……"

"你现在应该……"

"叫，元元来，叫她……来。"陆劲用带血的手抓住他的衣服，颤抖着恳求道。

岳程迟疑了，他望着陆劲，骤然站起身。

"好，你等着，我去给她打电话，你挺住。"他道，心里有些难过，他知道陆劲此刻心里怎么想，好吧，就让你最后见她一面吧。

可他刚迈开步子想朝电话亭冲过去，就看见元元的车已经从马路另一头开了过来。

她摇摇晃晃地把车停在他们面前，打开车门就朝陆劲奔了过来。

"陆劲！你没事吧。"她心慌意乱地扑倒在他脚边。

"你怎么会在这里？"岳程觉得奇怪。

"我转了一圈，想回来看你们有没有走，我想看着你们离开，没想到……"她望着陆劲冒血的伤口,心急火燎地掏出手机。

"元元,别……"陆劲抢过她的手机。

"陆劲,你该去医院!"她想抢回手机,但陆劲把它压在了身子下面,于是她哭着大叫起来,"你想干什么呀!你该去医院!"

"我闭眼之前,只想看见你。"他轻声道。

"不行!你一定要去医院!我要救你!岳程,你快去打电话叫救护车!不然来不及了!"她回身把岳程往电话亭那边推,但此刻,岳程已经发现有点不对劲了,他站在原地没动。

"你在磨蹭什么!"她气愤地质问道。果然,他接下去就听到陆劲无比冷静的声音:

"元元,我只是肩膀擦破了皮,腹部那个是我准备好的障眼法。我不倒下去,他还得开枪。"

邱元元捂着嘴,抑制住了一声惊呼。

"难道你……"她俯下身,轻声问。

"暗算我的人是警察。去医院会有麻烦,看到枪伤就会有人报警,我会很快被控制起来,这样凶手就更有机会下手了,"陆劲说着,瞄了岳程一眼,问道,"你说呢?"

岳程点点头,望了下四周对元元说:"现在的情况的确有些特殊。这样吧,你们先离开这里。"见元元还没反应过来,他又补充道,"你先给他找个地方安顿下来,我稍后跟你们联系,现在的情况实在是太特殊了。"

最后那半句,他几乎是在劝说自己。

"明白了。"元元说,她的眼睛里闪过一丝兴奋,她已经明白他的意思了。他们快速把陆劲扶上了车。

临别的时候,陆劲问他:"你就不怕我跑了?"

"不怕。你跑了,我再把你抓回来。"他冷冰冰地注视着陆劲的眼睛说,"《无悔追踪》这电视剧你看过吗?"

"看过一点。"

"对某些人来说,追捕坏人不是工作,而是信仰。"

陆劲点了点头说:"你放心吧,我不会跑的。我现在很期待跟你合作。"

"算了吧!少说好听的!"他说着,捅了一下陆劲真正受伤的胳膊,见他痛苦地皱起了眉头,才恶声恶气地轻声骂道:"你他妈的装得还真像!"

十一　2008 年 3 月 10 日·谁的白色轿车

李汉江,四十五岁,B 区公安分局分管凶杀案和普通刑侦案的刑侦科科长,他有一张国字形的标准长方脸,头发稀疏,眼神坚定。此刻他正坐在办公桌前专心致志地阅读"一号歹徒"连环凶杀案的案卷。岳程走进他办公室时,他只是略微抬了下头。

"来啦。"他道。

"报告,我归队了。"岳程大步走到他的办公桌前,站得笔直。

"就你一个人吗?"李汉江在十分钟前已经收到了下属的汇报,他知道,派去的警车在指定地点并没有接到在逃的杀人犯陆劲。

岳程张开手掌往办公桌上一放,李汉江听到叮当一声,低头一看,原来是两颗弹壳,他皱起了眉头。

"这是……"

岳程望着墙上的那幅中国山水画,面无表情地说:

"我和陆劲在那里等车的时候,有人朝我们开了枪。"

李汉江一愣,他不知不觉把那两颗弹壳拿起来,端详起来。

"怎么回事?"他把弹壳扔在一个空的名片盒子里,问道。

"我也不知道。"岳程依然望着那幅山水画。

李汉江给自己点了根烟,身子往皮革椅背上一靠。

"说清楚点,到底是怎么回事?"他道。岳程把目光移向这位上司的脸,略微迟疑了一下,还是开了口:

"大约四十分钟前,我跟陆劲两个人站在 F 百货大楼左侧的广告牌下正在说话,有辆车停在我们后面。我正想上前询问,开车人突然向陆劲射击,连发两枪,之后,他开车逃离。"

"陆劲怎么样?"李汉江问。

"他受了轻伤。"

李汉江凝视着岳程。

"他在哪儿?"

"我让他……暂时避一下。"岳程说完,马上补充了一句,"我会随时跟他保持联系。他只是暂时避一下。"

"暂时避一下?你让他避什么?岳程?"李汉江的声音不由得提高了,但他马上意识到这是办公室,所以立刻又压低了声音,"说白了,你把他放了,是不是?"

岳程暗地里咬了下嘴唇。

"是的。"他道。

李汉江盯着他的脸注视了两秒钟。

"胆子不小。"他点了点头,手指在办公桌上笃笃敲了两下,"好吧,为什么?我要理由。"他打了个让岳程坐下的手势,岳程连忙在他对面的靠背椅子上坐了下来。

"这事很难说……"岳程不知道该怎么说。

李汉江笑了笑,道:

"小岳,有什么想法,你就说出来吧,你跟着我也不是一两年了,我对你很了解,我知道你做事向来都很有分寸,你这么做一定有你的道理。"这句话给岳程吃了颗定心丸。

"头儿,我只跟你说过我们所在的位置。"他看到上司的眼睛里闪过一丝警惕,他略微犹豫了一下,问道,"您还有没有告诉过其他人?"

李汉江已经明白了岳程的意思,他认真地想了想,答道:"按照惯例,我把这事报告了一直关心这个案子的舒副局长,另外就是,派了两个人来接你们,就这点范围。"

"所以说,除了我们自己人,应该没人知道我们会在那里。"岳程轻声道。

"也许有人把你的事告诉了老婆、朋友、同事……"

"不会,有谁的老婆和朋友会对我跟陆劲感兴趣?"

"走漏消息的可能性不是没有。"

岳程明显感到上司在跟他玩太极,他也明白,以李汉江的身份,即便心存疑虑,也不会轻易向下属承认的。

"头儿,我觉得开枪的人很可能是我们自己人。"岳程道。

李汉江看着他,吸了口烟道:

"我刚刚一直在这里,没有离开过。如果你有怀疑,可以去查。"

岳程觉得好尴尬。"我不是这个意思,头儿。"他挠挠头,看着地板说。

"哈。"

"不过,我还是会去查的。"岳程抬起头,瞟了上司一眼,马上又垂下了眼睛。

李汉江笑了笑,问道:

"你看清楚车牌了吗?"

"看清了。"

"记下了吗?"

"记下了。"岳程想说,有了车牌有什么用?也许根本就是个假车牌,谁会蠢到开自己的车去杀人?

李汉江瞥了他一眼,好像看透了他的心思,他道:

"不管怎么样,任何事都得走正常程序,把这两个东西交给鉴定科,再让你下面的人去调查一下你记得的车牌,越快越好。"

"是。"岳程应了一声。

"你刚刚说陆劲受了轻伤?"李汉江问道。

"是的,肩膀受了伤。"

"他到哪儿去了?"

"应该是……医院。"

"应该是？"

岳程听出了李汉江的语气中的质疑，他解释道："陆劲是这个案子的关键证人，我相信他隐瞒了很多事，但我已经说服他自首并协助我们破案，所以我不希望他的生命受到威胁。"

李汉江用手指敲了敲案卷，低声问道："你是不是想说，'一号歹徒'也可能就是我们内部的人，刚才的枪击事件是为了灭口？"

"这种可能性很大。"岳程凝视着上司，"他会遭遇枪击，肯定跟我们内部的人有关。"

李汉江合上案卷，没有说话。

"我也想过，为什么这个人不在监狱就动手，而要把事情闹得这么大。"岳程道。

"为什么？"

"一来，陆劲在监狱里受到严密监控，他想动手没那么容易；二来，他可能有犯罪证据捏在陆劲的手里，他想要回来。"

"他不知道，陆劲近几个月有短暂的放风时间吗？"

"这种事应该不会大面积宣传吧？如果不是因为这件案子牵涉到陆劲，我也不会知道他有外出的机会。"岳程道。

李汉江抽了两口烟，沉思了一会儿后说："我懂你的意思，但是，小岳……"

"小岳"，岳程每次听到上司用这种半商量的口吻这么叫他时，他就知道没什么好事。果然，他听到李汉江接着说："我承认，你说的有点道理，但不管怎么样，你主动放走犯人，而且还是一个重犯，确实是严重的违纪，所以我也保不了你。"岳程看着李汉江。

"把枪和警察证交出来。"李汉江敲敲桌面。这结果其实是意料之中的，岳程迟疑了两秒钟，最后还是服从了命令。

"这里有两把枪，其中一把是罗小兵的。"他望着桌上的两把枪，心情沮丧地说。

"枪回来了，他一定很高兴。"

他没吭声。

"小岳，停职是必然结果，你作决定之前就应该想到了。"李汉江一边说，一边把他的枪和证件锁进了抽屉。

"我想到了。"岳程点点头。

"那就好。"李汉江站起身，走到岳程面前拍了拍他的肩道，"现在，你跟我一起去向副局汇报，你要如实把你看到的、经历过的事一五一十向领导汇报。明白吗？"

"现在去见舒局长？"岳程跟着站了起来，他看到墙上的钟显示，现在已经快十点半了，他想问，这时间去舒局长家合适吗？会不会晚了点？但是他最后还是把这句话咽了下去，他相信上司李汉江作这样的决定自有他的道理。

"时间不早了，不过，他应该还没休息。"李汉江从衣架上取下自己的外套，"他很关心你的这个案子,就在一个小时前,我向他汇报的时候,他还特别叮嘱我,让你一回到局里就给他打电话。本来,打个电话更方便,不过,现在事情有点复杂,我觉得你还是当面作一下汇报比较好。"

岳程没有说话,他跟着李汉江走出了办公室。

舒云亮不在家,李汉江和岳程在门口按了半天门铃都没见有人来开。

"头儿,要不要给舒局打个电话?"岳程早就想说这句话了,但是一直等到两人灰溜溜地从楼里走出来,他才开口。

"我打过了,局长大人的手机不在服务区。"李汉江若无其事地说。

岳程不知道上司是在什么时候给舒云亮打的电话,至少,他一直跟李汉江在一起,但没看见。

"那我们回去吧?"岳程提议道。他已经打定了主意,虽然职被停了,但案子还是他的,他决不能让别人把案子抢走,更不能让别人赶在他之前破案,所以他想早点回去休息,也顺便整理一下思路,这两天经历的事情太多了。

李汉江对他的提议不置可否,在大楼门口停住了,问道:

"你还记得那辆车是什么颜色吗?"

"白色。"

"什么车?型号知道吗?"

"很普通,桑塔纳2000。"

李汉江若有所思,没有说话。

"头儿,舒局长既然不在,我们要不要……"隔了会儿,岳程再度提议,但马上就被李汉江否决了。

"小岳,来看领导,领导不在,当然要等喽。"李汉江斜睨了他一眼,好像在说,我刚刚知道,原来你的脑子这么笨。

也对,岳程想,能在领导家门口等,也算是天赐良机,只是不知道要等多久。

"如果他不回来怎么办?"五分钟后,他问李汉江。

"再过十分钟,如果他还不回来,我只好回去了,至于你,你自己考虑吧。"李汉江笑着瞥了他一眼,低声说,"如果我是你,我会一直等下去,等到他出现为止。"

可这么做好像不是在拍领导的马屁,更像是在监视他,岳程回头看看李汉江,他不知道上司葫芦里卖的是什么药。为了打发时间,他随口问道:

"头儿,舒局长的太太是怎么死的?"

"生病。病了好些年了。"

"他们没小孩吗?"

"没有。"李汉江回头瞪了他一眼,"不要随便打听领导的隐私。"

"我是关心领导嘛。"岳程听出李汉江并没有不想回答的意思,于是继续问道,"我听到一种传言,说舒局长的太太是市里领导的千金,是这样吗?"

"呵呵,消息蛮灵通的嘛。"

"舒局长刚调来的时候,办公室很多人都在议论这事,我也是凑巧耳边吹到了一两句。"岳程原本以为李汉江跟舒云亮关系不错,但现在他对这个想法有点吃不准了,他决定试探一下。

"我还听说,舒局长原本只是郊县警署刑侦队一个小小的侦查员,后来就因为他太太的关系才被逐步提升上来的。这事是真的吗?"他一脸好奇地问道。

李汉江低头在草坪上蹭了蹭皮鞋的鞋底,没说话。

好吧,不说话,就当你默认了。岳程叹了口气道:

"我就说嘛,人要是娶对了老婆,真的可以少奋斗十年啊。"

"对有的人来说,娶对了老婆,一辈子都不用奋斗了。"李汉江呵呵笑了。

岳程不知道李汉江口中的"有的人"指的是不是就是舒云亮,但他不敢再问下去了,他笑道:"头儿说得是,可我到现在连个对象都没有呢。"

"男人先把事业搞好了再说。"

"事业?我都被停职了,还有什么事业?"提起这事,岳程就觉得懊丧。

李汉江拍拍他的肩,道:"早知今日,何必当初?"接着,他的口气忽然变得冰冷,"看看领导能不能帮你了。瞧,局长来了。"

岳程马上明白为什么李汉江说话的口气会突然发生变化了,他们看见舒云亮正从一辆白色桑塔纳上下来。

"那是他的车吗?"岳程忍不住问道。

"不是,但我知道他女朋友有辆桑塔纳2000。"李汉江低声答了一句,便笑容可掬地迎了上去。

女朋友?舒局长有女朋友?岳程几乎没听懂,但现在的情形不容他细想,他立刻跟上了李汉江的脚步。

"不好意思,舒局长,这么晚来打扰,本来打个电话就可以了,实在是有重要的事情要汇报。"李汉江笑着跟舒云亮打招呼,同时身子有意识地朝岳程这个方向侧了侧,岳程连忙恭敬地喊了一声:"舒局长。"他的目光向车内望去,一个烫着蓬松鬈发,眉目温和,年龄跟舒云亮相仿的中年女子坐在驾驶座上,没想到,局长的女朋友居然不是妙龄女郎,而是个阿姨,岳程有点吃惊。

舒云亮的脸色不太好,他瞥了一眼岳程,问道:"你们来多久了?"

"刚来没多久。"李汉江答道。其实他们来了已经有半小时了。

"上去再说。"舒云亮冷淡地招呼了一句,然后对车里的女人挥了挥手,意思是让她开车走人。

"晚上我给你打电话。"那个女人温柔地说。

"嗯,你自己小心点。"舒云亮道。

那女人笑了笑,没再说话,开车走了。岳程看了下车牌,不出所料,果然根本对不上。上楼的时候,岳程问舒云亮:"局长,您刚才在哪儿,我们打你的电话,没打通。"

舒云亮冷漠地答道:

"我刚刚跟朋友去茶室坐了坐。"

"请问,是什么茶室?在什么路上?您和谁一起在茶室,是刚才那位女士吗?"岳程壮起胆子问道。舒云亮眼神锐利地盯着他,没有回答。李汉江在旁边哈哈大笑起来。

"局长,这臭小子在怀疑我们自己人呢,刚刚连我都被他盘问了。"他回头教训岳程,"喂,领导的行踪干吗要告诉你?你难不成连局长都不相信了?你这不是在胡闹吗?"

岳程看了一眼舒云亮,低下了头:

"对不起,局长,我只是随便问问。您如果不方便回答,就当没听见吧。"

舒云亮冷笑一声道:"有什么不方便的?我早说了,年轻人就该有股刨根问底的劲儿才能干好这一行。"

李汉江和岳程同时望着舒云亮,等他把话说完。

"我刚刚在顺风路的云雾茶室,门牌号不记得了。"舒云亮道。

十二　2008 年 3 月 10 日·也许这样更好

陆劲在便利店里转了一圈,买了几件他认为今天晚上可能用得着的东西,然后就坐到了角落的长条凳上,背对着收银台翻起杂志来。

邱元元还车去了,让他在便利店里等。

只要一想到他们两个今晚能单独在一起,他就难以抑制内心的激动,干什么都心猿意马,刚刚付账时,他的手还莫名其妙地抖起来,差一点把收银员找他的零钱掉在地上,他很庆幸自己及时控制住了自己的手。他不想让任何人注意到他。

便利店的门叮咚一声开了,他一抬头,看见邱元元风风火火地走了进来。

"东西都买好了吗?"她走到他身边问道。

"买好了。"

他打开塑料袋,她朝里面瞅了一眼,笑着说:"你还买了保鲜膜?"

他点了点头。

"干什么用的?"她好奇地问。

"到时候你就知道了。"他说着,牵着她的手走出了便利店。

"呵,还保密。"

"不行吗?"

"行——"她拖长了调子说。

他望着她,觉得现在的自己,不像在逃亡,倒像是在谈恋爱,可惜这甜蜜就像卡布奇诺咖啡上面的泡沫一样,再多也掩盖不了下面的苦涩。

"我们去哪儿?"走在街上后,他问她。

"本想去我阿姨那里的,我阿姨一家去旅游了,但我没钥匙,后来又觉得住亲戚家太容易被查到了,应该找朋友,还得找比较远的朋友,所以我只能找 James 帮忙了。他是记者,认识的人多……你就放心吧,陆老师,会让你安全着陆的。"她笑眯眯地说着话,完全没了以往的干脆。

"那我们去哪儿?"他还是有点不放心。

"James 有个朋友最近这一年都住在西藏,房子空着。我们可以住那儿。"

陆劲停下脚步,"简东平来过了吗?"

"不是来过了,而是来了,他开车送我们去,瞧,他已经到了。"邱元元用下巴朝前一努,他看见简东平那辆吉普车已经在前面的路边停下了。

"嗨,快点。"简东平从车窗里钻出脑袋,朝他们招招手。他们以最快的速度上了车。

"好久不见。"简东平发动车子后,跟陆劲打了个招呼,随后便大叫了起来,"哇哇,你就这么糟蹋我这件英国进口的高级防水服吗?"

陆劲低头看了一眼衣服前面的红色污渍,赞赏道:"好衣服,你很会买东西。"

"好衣服不是买来的,是淘来的,知道我买这衣服费了多少心思吗?"

"对不起。难道你还要它?"

"呵呵,算了。"简东平嘴一歪,问道,"你那是什么? 爱之味甜辣酱?"

"是颜料。"元元替他回答了。

"干什么用的?"

"这就说来话长了。"陆劲把头靠在车窗上。

"那就长话短说吧。"简东平通过后视镜瞥了他一眼,然后道,"元元,你说。"

"刚才他遭到了枪击,幸好他早就料到会有人暗算他,事先作了准备。这颜料是他跟岳程一起坠河后,在一个小镇上买的,对吗?"她拉拉他的手,问道。

"嗯。"陆劲道。

"枪击? 他肩膀上的那个洞是被枪打的吗?"简东平很吃惊。

"可不是吗?那个神经病朝他一连开了两枪,幸好他假装受伤摔倒了,不然他一定会再开枪的。"元元愤愤不平地说。

"那他伤势如何?"简东平紧张地问道。

"还好只擦破了一点皮。"她把陆劲的手放在自己手心里摩挲着,轻声说,"不过我知道擦破皮也很痛，对不对？"

"还好。"陆劲含糊地答了一句。

"等会儿我再帮你敷点药，也许明天就好了。"她柔声说。

陆劲捏捏她的手，笑而不答。

"元元……你好恶心！"简东平说。

她立刻板起了面孔，"干吗？他受伤了，我还不能关心他？"

"哈哈哈。"简东平大笑。

"烦死了，你这个电灯泡，快点开车！"

"好了好了，我是电灯泡，再不开快点就要被打碎了。"

"知道就好。快点开啦！"她凶巴巴地催促道。

"明白，明白，时不我待。"简东平在那里闷笑。

"讨厌！"她狠狠白了他一眼。

简东平笑完后，问陆劲：

"那个……陆老师，在你跟你的小老婆洞房之前，我能不能跟你说几句话？"简东平问道。

"请说。"陆劲笑道。

"我找到了那个被害的收藏家，他叫钟乔，是1987年被杀的，警方认定他这案子是一宗上门抢劫案，案子至今没破。他弟弟钟平的儿子的确叫钟明辉，死的时候三岁，死因是掉入了一个没加盖的窨井，警方认为这是一起意外。"

"你是不是见过这个人的弟弟了？"陆劲问道。

"对，他向我提供了点信息，首先是，有邻居看见钟乔死的那天晚上大概八点钟左右，有两个男人进了钟乔的家，但是没人注意到他们是什么时候离开的，也没人看清他们的脸。有个邻居在阳台上听见钟乔叫了一声'流氓，臭流氓！'但是没有其他邻居听见。"

"流氓，臭流氓！"陆劲好像在回味着这句话，随后低声笑了起来，"案发时是那年的1月，天气比较冷，所以晚上，大部分邻居应该都躲在屋里，关着窗，如果只有一个邻居在阳台上听见钟乔的叫声的话，那大概是因为钟乔那时候也在阳台上吧。"

"那你对'流氓，臭流氓！'这句话怎么看？警方认为，钟乔喊出这句话时，应该正在跟劫匪搏斗，换句话说，有人在杀他。"简东平道。

"那不是应该叫救命吗？"元元插嘴道，"我觉得，那句话根本就不像是在呼救，要是能听到他当时的口气就好了。没准他只是在开玩笑。我觉得这句话，怎么说呢？要说呼救，它根本不是；要说是临死前对凶手的谴责，力量又不够。"

"同感。"简东平点头。

"像个玩笑。"陆劲摸了摸元元的头发，心不在焉地说，"这句话很像熟人间开的玩笑。"

元元马上夫唱妇随,"说对了,我的同事小菲就经常骂他的同学是臭流氓,因为这个同学老是发荤笑话到她的手机上。"她说。

"我在破庙听那两个抢劫犯说话,就感觉他们像同学,他们没想到原来一直被他们瞧不起的钟,钟乔是吧,后来混得会比他们好,所以很窝火。"

"钟平还给了我一张钟乔的中学毕业照,很有趣,猜猜我看到了谁?"简东平笑着卖关子。

"看来是我们认识的人。"邱元元认真地说。

"是元元的爸爸吧。"陆劲道。

邱元元倏地回过头来看着他。

"就是他。"简东平停顿了一下才说,"陆劲,看来你当初带着一箱子小古董参加纽扣收藏家俱乐部,也不是毫无目的的吧。只是你既然知道邱源跟钟乔的关系,为什么还要我去找钟乔,在几年前,你完全可以通过邱源找到他。"

陆劲没有说话。

邱元元凑近他,朝他的脸吹了口气。他回头朝她一笑道:"是啊,我不否认,我当初进收藏家俱乐部,就是为了接近邱源,我想通过他找到那两个劫匪。但是邱源好像根本不记得有这些同学了,我旁敲侧击过几次,都无济于事,我在他家里也没找到他中学时的物品。"他用要求她作证的口吻问道,"元元,那时候我还向你打听过你爸的事,你记得吗?"

"记起来了,你是问过我爸过去的事,不过,我除了知道我爸在安徽读过中学外,其他一概不知,我还纳闷你为什么要问那么多呢。"

"我打听你爸的事,你有没有告诉过他?"陆劲问道。

"没有,"她耸耸肩,"你知道,我们这个年纪,跟老爸几乎没什么话好说的。"

"不错,不错,那就叫代沟。"陆劲懒洋洋地说了一句。

从驾驶座上飘来简东平冷静的声音:

"那么陆劲,你是怎么知道邱源的?又是怎么知道邱源跟钟乔他们有关系的?"

陆劲用手掌捂住嘴,打了个哈欠,"我在那个箱子里找到一本杂志,上面有一篇介绍邱源的文章,我记得那两个劫匪在吵架的过程中好像也提到过邱源,正因为他们提到过这个名字,在杂志上翻到那篇文章后,我才会注意到邱源。"

"那篇文章是怎么说我爸的?"邱元元好奇地问。

"是篇人物专访,说你爸自学成才,发明了一个不知什么的技术,后来获得了专利,还得到了海外的投资。你爸就是靠那个发家的吧?"

"对,这事我听我妈说起过。"

"那篇文章里还特别提到他的业余爱好是收藏小古董。从那开始,我就非常留意报纸杂志上关于你爸的消息。很多年后,我已经记不得是哪一年了,我看见他在收藏杂志上发表的文章,知道他有意组织纽扣收藏家俱乐部,于是我就主动找到了他。他看了我的收藏后,同意我加入,事情就是这样。"

"哈,你给他看你的收藏,那应该也是种试探吧?"简东平干笑。

"因为我听那两个劫匪说,被杀的那个人,我现在知道他叫钟乔,他死前好像跟邱源有过生意往来,所以我想看看邱源见到这些小古董后会是什么反应。"陆劲回眸看了一眼邱元元,接着说,"但我可以肯定,他没任何反应,他不认识那些东西,而且他也绝对不是两个劫匪中的一个。其实,他跟钟乔一样,是他们妒忌的对象。"

"他们是不是说了我爸什么?!"邱元元抓住他的手问道。

"原话记不得了,大概是他们中的一个知道你爸发达了,曾向你爸借钱,但被你爸拒绝了。所以那个人骂你爸没义气,就这样。"

"自古以来借不着钱的人就是这副嘴脸,好像别人欠他的!他们还说什么?"她冷冷地问。

"他们还说你爸很虚伪,以前的好朋友死了,连追悼会也不去参加,听他们的意思,好像礼金也给得很少。其中一个还怪另一个,认为他不该给邱源把礼金带来。"

"哼!"邱元元轻蔑地一笑。陆劲握着她的手,摇了摇。

"没什么,我只是讨厌别人在背后说我爸的坏话。"她望了他一眼,解释道,"我没生你的气。"陆劲没说话。

"那你对收藏其实根本没兴趣,是吧?"简东平又问。

"不算很有兴趣。"

"你难道没想过直接去问邱源?我说的是关于钟乔的事。"

"我不是没想过,但后来发现,即便找到那两个劫匪好像也没任何意义,我不打算敲诈那两个人,我也不是警察,没义务去为某个不认识的人申冤,所以……我放弃了。"陆劲忍不住又打了个哈欠,"好吧,钟乔、毕业照、元元的爸爸,你还打听到什么?"

"我还打听到,他们那个古董兴趣小组,一共五个人,现在只剩下了两个。"简东平说。

他在看信,信纸已经泛黄。邱元元知道,那封信一定是"一号歹徒"多年前写给他的,那里面也许有很重要的线索,但是现在,她希望他不要再看了。

她走到他身边,衣服擦着他的衣服,站定,然后一声不吭地盯着他的头顶。

他马上意识到了她的存在,他仰起脸来看着她,嘴角慢慢浮起微笑。

"元元……"他轻声叫她,好像有什么话要说,但又好像立刻改变了主意,接着,他丢开手里的信,站了起来,"我先去洗澡了。"他说着,拿起那个从便利店带回来的塑料袋走向盥洗室。

"嘿!你胳膊和肩上的伤,最好不要沾水。"她叫住了他。

他回头看了她一眼,又忍不住笑了,"沾水也得洗澡。"他说。

"那你小心点，沾了水伤口容易发炎，你那可不是一般的伤。"她很认真地提醒道，觉得此刻的自己真像个贤妻良母。依她以前的性格，她应该恶声恶气地跟他说，"想发炎就尽管沾水吧！反正到时候受苦的是你自己！"她本来是想这么说的，但看见他消瘦憔悴的脸，看见他温柔的微笑，她就什么狠话都说不出来了。

她的语气让他在盥洗室门口又转过脸来。

"我缠上保鲜膜后，水就没那么容易沾上伤口了。"他说。

"哈，原来你买保鲜膜是用在这儿啊。"她恍然大悟。

"不然能用在哪儿？"

"我哪知道，正等您教我呢，陆老师。"她笑了。

他眯着眼睛，眼波一转，她看不清他眼睛里的表情，只知道他把手放在盥洗室的门把手上，又拿了下来。

"你今天……能待多久？"他慢吞吞地问道，像是故意要让她听清每一个字。

是的，她听清了。她也明白了他的意思。她再也不是被他囚禁的小鸟了，她可以随时离开，而他，一切随她。

"我不回去了。"她带着任性的口吻说，随后，她坐到沙发上，双手并用，把脚上的一个长统靴拉了下来。

他注视着她的一举一动，仍站在那里没有动。

"嗨，别磨蹭，快去洗吧！"她假装不耐烦地催促道。

他站那儿看着她，忽然歪嘴一笑，问道："要一起吗？"

她一只手提着个靴子，愣在那里，心里狂呼了一句，好浪漫哪，干吗不呢?! 但不知为何，她又有点胆怯了。她以前也试过相同的事，但没什么感觉，她没为此特别兴奋过，但这个人，仅仅一句话，就可以让她整个人燃烧起来，就像现在，她觉得自己的脸莫名其妙地都红了。

他在看她，好像在欣赏她害羞的表情。

"要一起吗？"好多年前，他也曾经问过同样的问题，那是 2002 年的除夕夜，十八岁的她站在浴室门口想进去洗澡，他悠闲地坐在沙发上一边看报纸，一边问她。

"好，来吧。"她一手插在腰上，蛮横地回头看着他。

他似乎很意外她会这么回答，从报纸上抬起了头。

"你不想看我吗？"她冷冰冰地问道，那时候她还没确定自己的感情，只是被他那无比隐忍的感情搞得烦透了，她想了结这一切。

她以为他会马上走过来，谁知道他只是用比她更冷漠的声音回答她："日光灯下的裸体是最没看头的。快去洗澡吧。"

那天她洗得很慢，有点期待他会冲进浴室来，但他始终没有。他很爱她，这一点她心里很清楚，虽然他从来没开口说过。以前，她一直以为爱应该要说出来，爱就应该是占有，但自从遇到他后，她才明白，世上还有种爱叫做放弃。

"要一起吗？"他又问了一遍。

她把靴子扔在地上，站起来，柔声说："我真的好想看你。"

"哦。"他低头叹了一声。

"可是，你教过我的，日光灯下的裸体是最没看头的了。你还是快去洗澡吧。"她爽朗地笑起来，觉得自己的脸快烧起来了。她把他推进了盥洗室。

他洗得很快，她在外面只等了五分钟，就看见他穿着汗衫短裤，从盥洗室里匆匆跑了出来。

"你好快啊。"她叹道，发现他胳膊上的纱布已经全湿了。

"美人在等我，我当然得快喽。"他捏了捏她的下巴。

她没心情跟他开玩笑，马上从包里拿出纱布绷带和云南白药，帮他把伤口重新包扎上，又给他肩膀上的擦伤处重新贴了一张创可贴。

"很痛吗？"见他皱眉头，她问道，她知道消毒药粉沾上伤口总是很痛。

"嗯。"他点点头，又开玩笑道，"我的小老婆还挺心疼我的。"

"废话少说，快到床上去，不然要着凉了！"她把他推进了卧室。给他盖上被子后，她摸了下他的额头，很烫。他一定还在发烧。

在整个洗澡的过程中，她都在考虑要不要跟他睡在一起的问题。他受了伤，还在发烧，精神状态很不好，他是在硬撑，她看得出来。按理说，她应该离他远点，应该让他好好休息，也许她该睡到沙发上去，但是她想来想去都做不到。

她明白无论如何，他都希望她能躺在自己身边，因为他们没把握明天还能不能在一起。对他们两个来说，今晚是第一晚，也可能是最后一晚。

十五分钟后，她洗完澡回到卧室，发现他已经睡着了，但当她蹑手蹑脚地揭开被子时，他立刻睁开了眼睛。

"累了吧？那就休息吧，我睡沙发上去。"看着他疲倦的神情，她瞬间改变了主意。可她刚想走，他就支起身子，抓着她的手臂把她拉上了床。她一进被窝，他就用被子把她裹了起来。

"陆劲……"她叫了他一声。

"别走，别离开我，元元。别离开我。"他的嘴蹭着她的脸庞，双臂紧紧抱着她，声音里充满了哀求和渴望，她不自觉地亲吻起他的脸来，他的呼吸更急促了，手臂一用力，把她的腰贴在了他的腹部上。她知道他想要什么，也知道他在生病，但是，但是，但是……她无力抵抗。

他的手探到了她的衣服里，她禁不住发出一声低啸，随后，好像完全是出于本能，她猛然抱住他的头，狠狠吻住了他滚烫的嘴唇，她觉得自己突然有点恨他，对，恨他，他的手让她浑身难受，所以得好好惩罚他，得封住他的嘴，不让他呼吸，得抓他的头发，让他感觉痛，还得用双腿箍住他的身子，让他不能动弹。她觉得自己快透不过气来了，他猛然推开了她，她看见他坐起来，双手抓住汗衫的下摆，向上一掀把它脱了下来。他一回头,看见她躲在被窝里看他,上去揪了一下她的衣服,像野兽般发出不耐烦的哼哼声。

"不要。"她大声说。

他等了她一会儿,她说:"你不怕冷吗?快点进来。"

见她没动静,他只好躺下了。"好吧,没关系。"他笑了。

可他刚钻进被窝,就发现她已经满足了他的愿望。她抱住了他,他的呼吸再次变得急促起来,并且动作也更猛烈了,他还发出好几声快乐的呻吟,可是,她却觉得有些地方不太对劲。他一直在亲她和抚摸她,并用手在刺激她,但是却不允许她触碰他的……那里,而且她的手一靠近,他的身子就往后缩,她有点不明白了,他为什么要这样,怎么啦?难道他只想这样就完了?

他很快就察觉了她的疑惑,他没有解释,只是说:"等一下。"

"你怎么啦?"她问。

他没回答,她看了他一眼,手伸了过去,他想躲,但这次她没让他躲过去,她摸到一团软绵绵的东西。

"你……"

"没事,一会儿就好。"他低声说,她听不出他的情绪,但她知道他有点不高兴。

她笑了笑说:"我来帮帮你吧。"

他眼睛一亮,但说的还是那句:"我一会儿就好,一会儿就好。"

她没理会他,真的帮起他来,但无论她用什么办法,好像都无济于事,他们折腾了不知多久,他终于把她从身上拉了下来。

"元元,好了……够了!"他叫了一句。

她说不出是失望还是悲伤,只是静静地看着他。

"你太累了。"她低声说。

"我老了,元元。"

他的声音让她心痛,她摸了摸他的脸,柔声说:"不,因为你在生病,你太累了。"

他凝视着她,隔了好一会儿才说:"元元,你不知道,我在监狱里受过伤,有人……踢过我。"

她觉得自己心上好像被剜了一刀,痛得她浑身打战,她禁不住抓住了他的手臂。

"踢……"她喃喃地重复着这个字,脑中却闪现出足球比赛的场景。接着,她深深感受到这个字的力量和它带来的撕心裂肺的疼痛。她握住他的手,只说了一个字,就再也说不出话来了。

"我以前不知道会这样,我也有过好的时候,但现在看来,我真的……"他望着她,勉强笑了笑道,"也许,这是上天对我的惩罚。"

她的眼圈红了,想哭,想号啕大哭,但是她忍住了。

"不,陆劲,你只是在生病,我说了,你只是在发烧。"她道。

"元元,其实这样对你,也许更好。"他叹了口气,像开玩笑般的说,"我就是没这艳福啊,算了。"他背过身去了,整个身子压在左侧受伤的胳膊上,她知道他一定很痛,但是此刻更痛的是他的心。

"转过来。"她摇摇他的肩。

他没动。

"你难得跟我在一起,难道想背对着我过一夜吗?"她叫道。

他迟疑了一下,最终还是转过身来了。

"听我说。"她脸对着他的脸。

他没做声。

"你,太,累,了。"

他闭上眼睛,冷笑一声。

其实,她现在更希望他好好哭一场,可是他依旧很平静。这隐含绝望的平静让她禁不住大叫一声:

"陆劲!"

他平躺下来,眼睛望着天花板,声音平平地传过来。

"你一定觉得很失望吧。"

"是的。有一点。"她实话实说。

他别过头来看着她,眼神温柔。

"元元,你以后会有个像样的男人。"他把手放在她肩膀上,又很快移开了。她觉得他的手就像刚刚从锅子里取出来的面团,又软又热。

他们沉默了几分钟。就在这段时间里,她想起一件事来,于是她凑近他问道:

"你还记得那次我们在小巷子里接吻的事吗?"

他看着她,没做声。他的神情告诉她,他完全记得。

"那只是……我说,有时候……"他说。

她情不自禁地用双手捧住他的脸,盯着他的眼睛,对他说:

"所以,你只是太累了,懂吗?"

他像要争辩,她没让他开口,继续说道:

"就算你真的不行,那也没关系。"见他垂着眼睛,一脸绝望的神情,她不由自主地心急起来,"陆劲,我根本没想到,我这辈子还有机会见你,还有机会靠你这么近,我以为你死了,可你又活生生地出现在我面前,你知道我有多高兴吗?你还活着!我简直要乐疯了!真的!所以,没关系,根本没关系,只要你还活着,只要我能在你身边,我就觉得很幸福了。现在我很幸福!我很幸福!你听见了吗?死人!"她暴躁地嚷了一句,放开了他。

他用右手盖住眼睛,好久没说话。她重重摇了下他。他才说:

"元元,我听见了,我听见了,听见了……"他的声音越来越轻,接着,他忽然转身把她紧紧抱在怀里,她看见他的眼泪从眼眶里滚落下来。

"你该休息了。"她为他拂去泪水,柔声说。

"元元,如果不是你在这里,我真希望自己躺下去永远不要醒来!我对这世界已经没有什么可留恋的了。"

她不说话,忘情地看着他,一边任自己的手指在他脸上轻轻滑过,一边在想,为什么呢?当他伤心欲绝的时候,当他不再是那个四平八稳的陆老师的时候,甚至当他完全无法完成男人的义务的时候,他却仍然显得那么有男子气?为什么这个时候的他会显得那么漂亮?为什么当他丧失性能力的时候,却反而显得如此性感?是因为夜太深造成的错觉吗,还是因为别的?她不知道。她只是想看他,怎么看都看不够。她想,视觉盛宴也是盛宴,虽然无法真正吃到嘴里,品出滋味,但只要有想象力,一样能获得无穷的享受,更何况,她知道,这一席只为她开。

她耳边传来他的说话声。

"最近我常常梦见我妈……是我害死了她。她不应该生我,她根本养不起我,养不起一个一心想成为画家的儿子。"他泪如雨下。

"我相信你妈妈一定也曾经为你骄傲过。而且我得感谢他生了你,不然我就认识不了你了……"

"那也是个错误。"

她无法安慰他,因为事实摆在眼前,她无法否认。所以,她只能搂住他,轻声嘘了一下:"别说了。"

"元元……"他说不下去了。

她也不打算再让他说下去了,他该睡了。她一边轻拍他的背,一边把脸藏在他胸前,他没穿衣服,她还是第一次如此贴近他的肌肤,她又闻到那股令她醉醺醺的男人味了,很多年前,她就喜欢闻他身上的这股味儿,现在依然如此。只不过,以前这股味儿让她兴奋,现在却让她心疼。

他的确比几年前老了很多,也比过去瘦了,精力可能大不如前,也许就像他自己说的,他不行了。但是,她心里依然确信,这个大他十五岁的罪犯,是她这一生中碰到的最有男人味的男人,她从未想过,有一天,她能亲吻他的肌肤,在被褥里拥抱他,还能千百遍地抚摸他的身体,这对她来说,本来就是个额外的奖赏。所以她想,即便他们最终都无法真正变成夫妻,她也毫无遗憾。因为她明白,他已经向她奉献了他的所有,这就够了。

(这绝望的游戏,将如何进展?本书下册即将出版,敬请关注)

图书在版编目(CIP)数据

迷宫蛛 / 鬼马星著; —杭州:浙江文艺出版社,2009.1
ISBN 978-7-5339-2720-2

Ⅰ.迷… Ⅱ.鬼… Ⅲ.推理小说—中国—当代
Ⅳ.I247.5

中国版本图书馆 CIP 数据核字(2008)第 173952 号

策划编辑　柳明晔
特约编辑　李　烨
责任编辑　柳明晔　钱建芳
装帧设计　水　墨　孔祥挺

迷宫蛛

鬼马星　著

出版　浙江文艺出版社
网址　www.zjwycbs.cn
经销　浙江省新华书店集团有限公司
制版　浙江新华图文制作有限公司
印刷　杭州长命印刷有限公司
开本　710×1000　1/16
字数　246 千字
印张　12.75
插页　1
版次　2009 年 1 月第 1 版　2009 年 1 月第 1 次印刷
书号　ISBN 978-7-5339-2720-2
定价　**25.00 元**